Johannes Neuhauser (org.)

Para que o amor dê certo

O trabalho terapêutico de
Bert Hellinger com casais

Tradução
ELOISA GIANCOLI TIRONI
TSUYUKO JINNO-SPELTER

Título original: *Wie Liebe Gelingt.*

1ª edição 2004.
2ª edição 2006 – 10ª reimpressão 2023.

Dados Internacionais de Catalogação na Publicação (CIP)
(Câmara Brasileira do Livro, SP, Brasil)

Para que o amor dê certo : o trabalho terapêutico de Bert Hellinger com casais / Johannes Neuhauser (org.) ; traduçao Eloisa Giancoli Tironi, Tsuyuko Jinno-Spelter. – 2. ed. – São Paulo : Cultrix, 2006.

Título original : Wie Liebe gelingt.
ISBN 978-85-316-0834-6

1. Amor 2. Casais 3. Hellinger, Bert 4. Homem-mulher – Relacionamento 5. Intimidade (Psicologia) I. Neuhauser, Johannes, 1957-. II. Título. III. Título: O trabalho terapêutico de Bert Hellinger com casais.

06.1700 CDD-306.7

Índices para catálogo sistemático:
1. Homens e mulheres : Relacionamento : Sociologia 306.7
2. Relacionamento : Homens e mulheres : Sociologia 306.7

Direitos de tradução para a língua portuguesa adquiridos com exclusividade pela
EDITORA PENSAMENTO-CULTRIX LTDA.
Rua Dr. Mário Vicente, 368 – 04270-000 – São Paulo, SP
Fone: (11) 2066-9000
E-mail: atendimento@editoracultrix.com.br
http://www.editoracultrix.com.br
que se reserva a propriedade literária desta tradução.
Foi feito o depósito legal.

Ao meu amigo Dom Erwin Kräutler e
aos habitantes da região do Xingu

"Àqueles que muito amaram tudo será perdoado!"
da ópera de Olivier Messiaen "Saint François d'Assise"

Sumário

Introdução do editor

Em um curso de Bert Hellinger compareceram duas mulheres e um homem que viviam um triângulo amoroso. Hellinger perguntou-lhes o assunto que desejavam trabalhar. O homem respondeu: "Existe amor. No entanto, vez por outra nosso amor não dá certo porque um dos três fica magoado". Bert Hellinger retrucou que acabava de lhe ocorrer uma história oriental e começou a contá-la:

> *Um homem se acercou de outro e contou muito entusiasmado: "Agora tenho duas mulheres. Você não pode imaginar como é bom! Você também tem de experimentar!" O outro se deixou convencer facilmente e pouco tempo depois casou-se com uma segunda mulher. Em conseqüência disso, a primeira mulher ficou zangada e não quis mais dormir com ele. E a segunda mulher também não queria mais nada com ele. De repente, viu-se completamente só. Em sua aflição, foi à meia-noite para a mesquita. Para sua surpresa, encontrou lá, rezando, aquele homem que tinha dado a dica das duas mulheres. Foi ao seu encontro e disse: "É terrível ter duas mulheres!". "Sim", retrucou o outro, "eu só lhe disse aquilo porque me sentia muito solitário na mesquita à noite e queria ter um pouco de companhia."*

Tão singular e diversificada como o início dessa sessão de terapia foi também a forma de colaboração que conduziu a este livro.

Minha contribuição consistiu em gravar em vídeo, no decorrer de três anos, 180 terapias de casais e sete oficinas didáticas, avaliar inúmeras páginas transcritas e adequá-las à forma de um livro.

A contribuição de Bert Hellinger foi apresentar oficinas com casais na Alemanha, Áustria, Suíça e nos Estados Unidos. Um curso especialmente denso em que participaram quinze casais com idade entre 27 e 56 anos constitui o cerne deste livro. Esta transcrição possibilita, pela primeira vez, conhecer de perto a forma especial de trabalho de Bert Hellinger em rodadas e grupos de casais. No decorrer da oficina, com duração de três dias, os parceiros comunicam várias vezes ao dia como estão, o que os toca, onde avançam e onde sentem resistências.

Bert Hellinger é um mestre em interromper padrões que impedem o desenvolvimento. Ele os traz à luz de maneira contundente e interfere energicamente nas interações destrutivas mantenedoras dos problemas dos casais. Por meio de suas intervenções claras, corajosas e orientadoras exorta os parceiros a uma mudança imediata. Isso acontece com humor, respeito e carinho, possibilitando aos pares experiências importantes em âmbitos da alma que de outra forma raramente são tocados ou alcançados pela psicoterapia. Através da combinação do trabalho em rodadas e a colocação da constelação da família atual ou de origem, Bert Hellinger criou um método terapêutico altamente eficiente.

Entrementes, Bert Hellinger logrou, com o desenvolvimento de sua forma condensada de constelações familiares, uma ampliação das possibilidades de ação terapêutica também reconhecida internacionalmente. No trabalho com constelações familiares, o passado, o presente e o possível futuro de um casal são entrelaçados com orientação direcionada para a solução. Assim o relacionamento pode ser visto sob uma nova luz e reavaliado. Isso foi documentado minuciosamente neste livro através de um grande número de constelações de casais e sistemas familiares os mais diversos.

Durante as longas viagens de trem a caminho das oficinas para casais, Bert Hellinger gostava de ler poemas de Rainer Maria Rilke. Este escrevera, no início do século XX, a uma amiga: "Fico feliz que você exista". Hoje, no limiar de um novo milênio, o filósofo André Comte-Sponville amplia essa frase de Rilke: "Para amar a gente deve estar disposto a aceitar duas solidões, a sua própria e a do outro". Amar significa dizer a alguém: "Sim, eu amo você tal como você é. Mesmo que você não corresponda aos meus sonhos e esperanças, o fato de você existir faz-me mais feliz do que os meus sonhos". Bert Hellinger dá um passo adiante, dizendo: "O perfeito não nos atrai. Descansa em si mesmo, bem longe da vida normal. Só se pode amar o imperfeito".

Durante seus 25 anos de trabalho terapêutico com casais Bert Hellinger chegou à conclusão de que muitos homens e mulheres estão ligados à sua família de origem através de emaranhamentos que se estendem por gerações. Esses emaranhamentos, freqüentemente vividos como especialmente dolorosos, pesam gravemente na relação atual do casal.

O procedimento terapêutico de Bert Hellinger, que inclui várias gerações, traz à luz os emaranhamentos, tornando-os compreensíveis para o casal. As possibilidades de solução, muitas vezes surpreendentes, são apresentadas neste livro de maneira expressiva através de vários exemplos terapêuticos e explicações.

Além disso, as afirmações de Hellinger sobre a sua psicoterapia sistêmico-fenomenológica oferecem uma boa visão das bases filosóficas e espirituais de seu trabalho.

Durante os três anos em que trabalhamos no projeto *Para que o amor dê certo* o meu interesse concentrou-se em conseguir a colaboração de Bert Hellinger para temas sobre os quais ele não havia publicado nada ou quase nada até então. Com os capítulos sobre "Amor homossexual", "Casais em situações especiais" ou "Amor e morte" abrem-se, por assim dizer, novos horizontes.

Nos últimos anos tornou-se evidente que, com o avançar da idade, Bert Hellinger vem empregando as suas intervenções terapêuticas de maneira cada vez mais concisa e precisa. Suas terapias são comparáveis, em clareza e eficácia, às maduras obras tardias de muitos artistas. Os últimos quadros de Marc Chagall irradiam paz e tranqüilidade. As poesias tardias de Hermann Hesse conduzem ao mundo interior. As "Quatro últimas canções" de Richard Strauss comovem através de sua espontaneidade e seu profundo assentimento à efemeridade.

As exposições de Bert Hellinger sobre os mais diversos temas como *amor e sofrimento no relacionamento a dois*, *o vínculo*, *o bem-sucedido equilíbrio entre o dar e o aceitar*, *paternidade ou esterilidade compartilhadas*, *fidelidade e infidelidade*, *como a separação pode dar certo*, *a grandeza da sexualidade* foram reunidas por mim em sete capítulos em forma de colagem.

Além de ser psicoterapeuta, trabalho como diretor artístico de filmes documentários para a televisão austríaca. O meu procedimento e ética profissional em minhas atividades jornalísticas requerem a reprodução das opiniões do entrevistado sem modificações. Assim, o meu especial interesse foi deixar Bert Hellinger falar em tom original e, na medida do possível, conservar o diálogo literal das oficinas com casais. Dessa forma foi documentado com autenticidade o seu modo original e diversificado de expressão. Gostaria de chamar a especial atenção dos leitores para o fato de que Bert Hellinger sempre faz as suas afirmações dentro de um contexto terapêutico específico. Quem quiser generalizar precipitadamente o que foi dito ou utilizá-lo como uma receita padrão notará que, "da fruta, ficará apenas com a casca". Deixei sem comentários as passagens em que as idéias de Bert Hellinger se diferenciam das minhas. Meu objetivo foi reproduzir tão claramente quanto possível seus pensamentos e experiências sobre como se originam os problemas de casais, as suas conseqüências e como se pode solucioná-los terapeuticamente. Assim, cada leitor poderá abordar o texto a seu modo.

Alguns temas como, por exemplo, *dar e aceitar* são retomados várias vezes e desenvolvidos neste livro como pedras que, atiradas à água, produzem ondulações que formam círculos concêntricos.

Tenho a consciência de que o título *Para que o amor dê certo* poderá ser mal compreendido. Eu o escolhi porque Bert Hellinger fala através de imagens vigorosas, visionárias e o título reflete o grande sonho de muitos casais. O desejo de Bert Hellinger é decifrar com eles esse sonho para abrir o caminho que conduz da paixão cega a um amor que vê.

> *"O amor dá certo através da compreensão das ordens fundamentais da vida. Essas ordens não são inventadas, elas são descobertas. Assim cheguei a esses conhecimentos: através de uma longa observação para descobrir o que acontece quando as pessoas se comportam de uma determinada forma. E olhando não somente para o que ocorre imediatamente, senão para aquilo que transcorre através de gerações.*
>
> *Por meio dessa observação prolongada pode-se descobrir quais são as ordens vigentes. Por essa razão, quando falo sobre essas ordens, também é válido verificar se realmente é assim, mesmo que algumas coisas possam talvez parecer chocantes. Entretanto, a realidade muitas vezes está em contradição com os nossos desejos. Se olharmos atentamente podemos verificar se algo é válido ou não. E se existirem outras novas percepções, então submeto-me a elas. Todos esses conhecimentos fluem, assim como a vida. Crescem passo a passo.*
>
> *Eu os convido a acompanhar-me neste caminho do conhecimento para descobrir como o amor pode dar certo."*

Para mim será uma grande alegria se os textos e as terapias de casais, provocantes e comoventes, servirem-lhes de estímulo e os ajudarem talvez em seu próprio relacionamento ou em seu trabalho terapêutico.

Johannes Neuhauser
Linz, novembro de 1998

Agradecimentos

Em primeiro lugar agradeço a Bert Hellinger que, como amigo, me encorajou e apoiou neste trabalho. A colaboração com ele foi extremamente excitante, desafiadora e inspiradora, desencadeando em mim um substancial processo de desenvolvimento. Agradeço à sua esposa, Herta Hellinger, por sua cordial hospitalidade e pelas conversas enriquecedoras.

Muitas pessoas deram contribuições muito importantes a este livro: minha esposa, Michaela – excelente jornalista –, acompanhou a redação do manuscrito de modo crítico, engajado e carinhoso, dando indicações para uma condensação do texto. Além disso, concedeu-me o espaço necessário a um trabalho que exige muita dedicação.

Meu amigo Gunthard Weber empenhou-se por este livro, acreditando nele e dando o último retoque na versão final. Heidi e Hans Baitinger, Michaela Kaden, Harald Hohnen, Christoph Eicke e Gabrielle Borkan organizaram com grande empenho pessoal os cursos para casais documentados neste livro. Martina Lienerbrünn transcreveu a maior parte das 180 terapias de casal. Franz Köb da Rádio ORF colocou à minha disposição a cópia de uma palestra de Bert Hellinger. Otto Brink e Paul Eichinger corrigiram o manuscrito fazendo-me muitas sugestões valiosas. A todos agradeço de todo o coração.

Em tempos de esgotamento, a música do compositor francês falecido em 1992, Olivier Messiaen, foi para mim uma fonte de força e de inspiração.

Gostaria de fazer especial menção e de agradecer aos inúmeros casais que assentiram com a publicação de seus casos em vídeo e neste livro. Desta maneira, abrem caminhos de solução também para outros casais e os encorajam a confiar na força do amor.

Para que o amor dê certo

I. Só se pode amar o imperfeito

O perfeito não nos atrai. Descansa em si mesmo, bem longe da vida normal. Só se pode amar o imperfeito. Somente do imperfeito resulta um impulso de crescimento, não do perfeito.

O homem e a mulher precisam um do outro

O homem aceita uma mulher porque sente que como homem lhe falta a mulher e a mulher aceita um homem porque sente que como mulher lhe falta o homem. A ambos falta o que o outro tem e cada um pode dar ao outro o que ele precisa. Portanto, para que o relacionamento de um casal dê certo o homem precisa ser um homem e permanecer um homem e a mulher precisa ser uma mulher e permanecer uma mulher.

O vínculo e as suas conseqüências

Por isso, quando o homem toma a mulher como sua esposa e a mulher toma o homem como marido, consumam o amor como homem e mulher. Essa consumação do amor tem um profundo efeito na alma. Através dela o homem e a mulher se vinculam de maneira indissolúvel. Depois disso já não são livres, mesmo que queiram.

Explicarei por meio de alguns exemplos:

Por que é tão doloroso quando um casal se separa? Por que existem discussões tão violentas numa separação? E por que afloram estes sentimentos dolorosos de fracasso e culpa quando de uma separação? Isso acontece porque existe um vínculo.

Quando um homem e uma mulher que estão vinculados um ao outro por meio da consumação do amor se separam, e procuram e encontram outro parceiro, vão logo perceber que o vínculo com o segundo não é o mesmo que com o primeiro, porque o primeiro vínculo continua atuando. Por isso o sentimento de dor e culpa na separação de um segundo parceiro é menor, o de um terceiro parceiro menor ainda e a partir do quarto quase não causa dor.

Certa vez alguém me disse que procurava um relacionamento firme e duradouro. Eu lhe perguntei: "Quantos relacionamentos sérios você já teve?" Ele respondeu: "Sete". – "Então você pode esquecer a possibilidade de ter uma relação duradoura". Ele perguntou: "Não existe solução?". Repliquei: "Existe uma. Se você respeitar e reconhecer essas sete mulheres e aceitar com amor o que elas lhe presentearam e se você honrar e acolher em seu íntimo tudo o que elas lhe deram e levá-lo para seu novo relacionamento, então este terá uma chance".

Caso existam vínculos anteriores isso não significa que os relacionamentos posteriores não darão certo. Entretanto, eles só dão certo sob uma condição: que os relacionamentos anteriores sejam respeitados e honrados. Quando trabalho com pessoas que se encontram em tal situação deixo, por exemplo, o homem falar para a primeira mulher: "Meu amor perdura". Essa é uma bela frase. Assim a mulher é respeitada e reconhecida e, via de regra, fica reconciliada. Quando isso não ocorre, produzem-se envolvimentos estranhos, pois o parceiro anterior vai ser representado no novo relacionamento por um dos filhos, sem que esse filho ou outra pessoa tenha consciência disso.

Emaranhamentos que se estendem por gerações e suas soluções

No seio da família existe uma profunda necessidade de justiça e compensação. A família e o grupo familiar comportam-se como se tivessem uma alma comum. Essa alma vela para que exista na família um equilíbrio entre a perda e o ganho, equilíbrio esse que abarca várias gerações. Por exemplo, se um homem se separou levianamente de sua primeira mulher, ferindo-a, e essa mulher tem raiva dele, ele talvez passe pela experiência de que a filha do seu segundo matrimônio fique com raiva e que tenha em relação a ele os mesmos sentimentos da primeira mulher.

A solução seria esse homem dizer à sua primeira mulher: "Fui injusto com você. Sinto muito. Reconheço tudo o que você me deu. Seu amor foi grande e o meu também e ele pode perdurar". Assim pode-se observar que a primeira mulher fica amável porque é respeitada. O homem pode ainda dizer: "Olhe, esta é agora a minha nova mulher, tenho com ela estes filhos. Por favor, olhe-nos com benevolência". Via de regra, a primeira mulher concorda prazerosamente com isso. Assim, o primeiro vínculo é dissolvido de modo positivo.

Em uma terapia com a filha, ela poderia dizer ao pai: "Esta aqui é a minha mãe e eu sou a sua filha. Não tenho nada a ver com a sua primeira mulher. Eu me atenho a vocês. O que houve entre vocês, adultos, não é de minha alçada. Por favor, olhe-me como sua filha e eu o aceito como meu pai".

A filha poderia dizer à mãe: "Para mim você é a única certa. Não tenho nada a ver com a primeira mulher do papai. Coloco-me agora ao seu lado. Por favor, olhe-me como sua filha e eu a aceito como minha mãe". Se ela ainda acrescentar: "Você é adulta e eu sou criança", então ela assume o seu lugar como filha na família e o relacionamento anterior já não pode mais atuar negativamente sobre o presente.

A grandeza da sexualidade

Através da consumação do amor cria-se entre o homem e a mulher um vínculo profundo. Esse vínculo é indissolúvel, mas não por causa do matrimônio, senão pela consumação do amor. Até em casos de incesto ou estupro origina-se freqüentemente esse vínculo. Isso diz algo sobre a grandeza da sexualidade.

Alguns pensam que a sexualidade é algo mau. Entretanto, ela é um instinto poderoso e irresistível. A sexualidade leva adiante a vida contra todos os obstáculos. Nesse sentido, a sexualidade é maior do que o amor. Naturalmente, tem uma grandeza especial quando consumada com amor. Quando os parceiros olham-se nos olhos ao se amar, isto é a realização de seu amor recíproco. O reconhecimento da grandeza do ato sexual é a principal condição para que o amor dê certo.

Existe um dito maldoso: "Os homens só querem uma coisa e as mulheres querem a outra". Portanto, aquele parceiro que só "quer aquilo", quer o certo. Às vezes, em um relacionamento se desenvolve um jogo de poder ao redor da realização do amor. Por exemplo, se um deles quer e deseja e o outro só concede, este se coloca em uma posição de superioridade. O parceiro que precisa e deseja fica, com isso, em uma posição inferior e isso destrói o amor. O amor se baseia na igualdade do querer e do conceder. O amor só dá certo quando ambos estão certos de que o seu desejo está bem resguardado pelo outro e, portanto, ambos querem e concedem com amor. E é óbvio que isso deve estar imbuído de respeito.

Dar e aceitar

A igualdade no relacionamento de um casal, que se expressa fundamentalmente na consumação do amor, estende-se também a outras áreas da vida. O relacionamento de um casal obtém bom resultado através da constante equiparação entre o dar e o aceitar, ligada ao amor.

Um exemplo: Um homem dá um presente à sua mulher porque a ama. Tão logo ele tenha entregue o presente encontra-se em posição superior. Ele é o que dá e a mulher recebe. Mas agora ela sente uma obrigação em relação ao homem porque recebeu. Procura então compensar dando-lhe algo e, porque o ama, dá-lhe, por cautela, um pouco mais do que ele lhe deu. Agora o homem sente-se sob a pressão de uma obrigação. Tenta compensar o que recebeu e, porque ama a sua mulher, dá-lhe um pouco mais. Assim, por meio da necessidade de equilíbrio, ligada ao amor, realiza-se um intercâmbio sempre crescente, um grande movimento entre o dar e o aceitar. Isso une o casal ainda mais intimamente e assim cresce a felicidade entre eles. Esse intercâmbio positivo é a garantia de um bom relacionamento entre o casal.

No entanto, existem também em muitos casamentos situações em que um cônjuge faz algo de mau ao outro, ferindo-o. Aqui também o cônjuge que foi ferido sente a necessidade de compensar, uma necessidade de vingança. Portanto, esse parceiro faz algo de mau ao outro, mas freqüentemente, por sentir-se em seu direito, faz-lhe algo ainda pior. Com isso o primeiro sente-se no direito de tornar a causar dano ao outro e comete, por um sentimento de direito, algo um pouco mais grave, aumentando assim o saldo negativo. Resulta daí, um intercâmbio intenso, mas no mau sentido. Esse intercâmbio também vincula um casal, mas para sua infelicidade.

No entanto, existe uma regra fácil para sair desse círculo vicioso: exatamente como no intercâmbio positivo, em que por amor ao companheiro dá-se-lhe algo mais do bom, no intercâmbio negativo, por amor ao parceiro dá-se-lhe menos do ruim! Dessa forma o intercâmbio positivo pode recomeçar. É uma regra simples, mas muito útil.

Casar-se também com a família do cônjuge

Quando um casal se encontra, os parceiros têm certas dificuldades iniciais. Isso advém freqüentemente do fato de que ambos provêm de famílias diferentes. Durante decênios de trabalho terapêutico com indivíduos e casais observei como a consciência atua: ela não diz nada sobre o bem e o mal! Ou não existiriam tantas pessoas que cometem tanto mal com a consciência tranqüila.

A função mais importante da consciência consiste em vincular a criança à sua família. A consciência reage bem sutilmente ao que uma criança deve fazer ou deixar de fazer para pertencer à família. Por isso, uma criança tem a consciência tranqüila quando se comporta de forma a poder pertencer à família. Porém, tem a consciência pesada quando faz algo que lhe cause o receio de colocar em perigo o seu direito ao pertencimento. Entretanto, o que numa família considera-se como condição para pertencer ameaça, em uma outra família, o direito ao pertencimento.

Por exemplo, em certas famílias era imprescindível ser católico. Quem renegava essa fé era rejeitado. Em certas famílias protestantes era condição para o pertencimento ser protestante. Se um parceiro provinha de uma família marcada pelo catolicismo e o outro de uma família marcada pelo protestantismo, ambos sentiam a consciência pesada por causa de seu relacionamento. Receavam ter perdido o pertencimento às suas famílias de origem. Freqüentemente começava entre eles uma luta secreta, cujo objetivo era determinar a religião que sairia ganhando.

Para que um relacionamento dê certo é necessário que cada um dos parceiros deixe a sua própria família. Não somente no sentido concreto, mas de que cada um precisa deixar também alguns princípios que eram válidos em sua família e negociar com seu parceiro novos princípios que, por assim dizer, sejam conformes com ambas as famílias. Nesse novo nível o casal pode viver um relacionamento íntimo.

Alguns dizem: "A minha família é boa mas a do meu parceiro é má". Isso atua como um veneno para o relacionamento. Quem se casa precisa casar-se com a família do parceiro. Isso significa que deve respeitar e amar a família do outro como se fosse o próprio parceiro. Só assim esse amor pode dar certo.

Golpes do destino e o relacionamento de um casal

Alguns casais têm um destino especial. Por exemplo, se um dos parceiros não pode ter filhos mas o outro quer tê-los, aquele que não pode ter filhos tem um destino pessoal. Ele não pode exigir que o outro compartilhe esse destino com ele. Por outro lado, aquele que tem esse destino interiormente deve deixar o outro livre. Se o parceiro mesmo assim ficar com ele, isso é um presente especial e deve ser reconhecido como tal. Isso não pode ser exigido. Por isso, se, por exemplo, o marido diz à sua mulher: "É um presente especial você ficar comigo embora eu não possa gerar filhos. Respeito isso profundamente. Você pode contar comigo de um modo muito especial". Isso é uma compensação com amor. Então podem permanecer juntos.

O relacionamento do casal tem precedência em relação à paternidade

Para o relacionamento do casal é importante que ele tenha precedência em relação à paternidade, pois ele é o prosseguimento do relacionamento. Se, por exemplo, um casal está passando por dificuldades e me solicita um conselho, pergunto freqüentemente: "O que tem precedência, a paternidade ou o relacionamento do casal?". Pois, quando um casal tem filhos, a paternidade em geral absorve toda a sua energia, restando muito pouco para o relacionamento. Mas o amor dos pais pelos seus filhos se nutre do seu relacionamento, é a sua continuação. Se, portanto, o relacionamento de um casal volta a ocupar o primeiro lugar, então é mais fácil ser pai e mãe. E, sobretudo, filhos que sentem os seus pais como um casal que se ama, sentem-se muito felizes.

II. Para que o amor dê certo

O trabalho terapêutico de Bert Hellinger numa oficina de três dias com 15 casais

Considerações prévias

O capítulo que segue documenta uma oficina de três dias com 15 casais da Alemanha e da Áustria. Ao participar da oficina esses homens e mulheres tinham entre 27 e 56 anos de idade. Sete pares eram casados. Quatro viviam juntos. Um casal não vivia junto. Dois casais viviam uma situação de separação. Um casal estava prestes a se casar.

Sete casais tinham filhos em comum. Quatro homens tinham filhos de relações anteriores. Esses filhos viviam com as mães. Uma mulher tinha um filho de um parceiro anterior, que vivia com ela e o seu novo parceiro. Um casal não podia ter filhos porque o homem é estéril. Um casal não conseguia ter filhos apesar de os exames médicos indicarem a possibilidade de uma gravidez.

Os casais foram escolhidos pelo editor do livro. Critério decisivo era que os dois parceiros tivessem um assunto a ser tratado em seu relacionamento e que fossem apresentadas na oficina as mais diversas constelações e dinâmicas de relacionamento. Bert Hellinger não recebeu nenhuma informação prévia sobre os casais e os viu pela primeira vez no início do curso.

O relacionamento de um casal é a época culminante da vida

BERT HELLINGER *para o grupo* De início, gostaria de dizer algo sobre o relacionamento de um casal. O relacionamento de um casal é a vida em sua plena realização. A criança, e mais tarde o adolescente, desenvolve-se nessa direção. Essa é a meta, e esse desenvolvimento é acompanhado de grande expectativa, o que se justifica, pois o relacionamento bem-sucedido de um casal é a época culminante da vida. Tudo se desenvolve nessa direção.

No entanto, a transição ao relacionamento de casal e à paternidade implica uma renúncia à infância e à juventude. Com o relacionamento transpõe-se um limiar e não se pode mais voltar atrás. A infância e a juventude se acabam. Uma das dificuldades no relacionamento de um casal consiste em que se deseja salvar a juventude levando-a para o relacionamento. Mas isso não funciona, isso acabou. Qualquer desenvolvimento humano sempre significa transpor um limiar. Depois que transpomos esse limiar tudo fica diferente e não podemos mais voltar atrás. O exemplo fundamental é o nascimento. No seio da mãe a criança se sente bem. Mas, de repente, não agüenta mais. Precisa transpor o limiar. Então, tudo é diferente. Ela não pode mais voltar atrás.

Os limiares importantes seguintes são o matrimônio e a paternidade. A juventude passou. Não se pode mais voltar atrás. O relacionamento a dois dá certo quando transpomos esse limiar e olhamos para a frente, em vez de olhar para trás.

Essa foi uma primeira introdução. Agora gostaria de fazer uma rodada, isto é, cada um pode dizer seu nome e expor em uma ou duas frases o assunto que deseja trabalhar e qual seria para ele ou para ela um bom resultado no final desta oficina.

Para Holger Você começa?

Traumas da infância refletem-se na relação do casal

HOLGER Meu anseio é trazer à vida cotidiana a atmosfera na qual conheci a minha esposa. No momento isso não está dando certo. Esse seria meu anseio.

Holger está com lágrimas nos olhos.

BERT HELLINGER Gostaria de trabalhar com você imediatamente. Você está muito comovido.

Holger assente com a cabeça.

BERT HELLINGER É o movimento de uma criança. O que aconteceu com a sua mãe?
HOLGER Vem-me à mente uma determinada situação. Estive internado num hospital quando tinha dois anos e meio e me tiraram o apêndice. A minha mãe simplesmente não estava lá.
BERT HELLINGER Sim, exatamente. É esse o sentimento. É uma experiência antiga que está sendo agora repetida no relacionamento. Com isso a mulher se sente sobrecarregada. Precisamos solucionar isso no nível a que pertence. Faremos isso mais tarde. Assim a sua alma ficará mais livre e poderá dedicar-se à sua mulher de outra forma. Assim a sua mulher ficará também aliviada.

Poder entregar-se totalmente

ELKE Para mim seria uma boa solução se pudesse entregar-me totalmente. Se não me reprimisse mais.
BERT HELLINGER Você sabe como a gente se entrega totalmente? A gente olha o parceiro nos olhos. Olhando-o nos olhos, funciona. Olhe nos olhos de seu marido – até enxergá-lo.

Elke volta-se para Holger e olha para ele.

BERT HELLINGER Não, não, você não o está vendo. Seu olhar está ausente.

É como se Elke estivesse olhando através de Holger.

BERT HELLINGER Está bem, isso já basta. Fiz um primeiro teste. Você vê outra coisa. Não sei o que é que você está vendo. Se pudermos solucionar o problema lá onde você está olhando realmente, então poderá dedicar-se a seu marido livremente e olhá-lo nos olhos.

Elke suspira profundamente e começa a sorrir.

BERT HELLINGER Foi um belo suspiro. Agora vem o outro olhar. É esse o olhar. Assim é que você deve olhá-lo nos olhos.

Elke sorri para Holger e coloca a sua mão na dele.

Continuação de Elke e Holger na página 110

O equilíbrio entre o dar e o aceitar

ALEXANDRA Meu desejo é simplesmente soltar-me para ficar mais feliz.
MARKUS Espero dar um passo no sentido de encontrar um equilíbrio entre mim e Alexandra. Um equilíbrio entre o dar e o aceitar, também entre soltar e reter.
BERT HELLINGER Quem dá mais e quem toma mais entre vocês dois?
MARKUS Eu não acho que um dá mais e o outro menos, mas que freqüentemente o fazemos no momento errado.
BERT HELLINGER Permaneço na minha pergunta. Quem dá mais e quem aceita mais?
para Alexandra O que diz você?
ALEXANDRA Eu dou mais.
BERT HELLINGER O equilíbrio entre o dar e o receber é condição indispensável para um relacionamento bem-sucedido. Entretanto, deve-se levar em con-

sideração que nem todos podem dar tudo, e que também nem todos podem receber tudo. Cada um está limitado naquilo que pode dar e naquilo que pode receber. Com isso é colocado, de antemão, um limite ao dar e ao receber.
Em um relacionamento bem-sucedido também é preciso que se dê somente tanto quanto o outro possa receber. E que se deseje e receba somente o tanto que o outro possa dar. Esta é, já de início, uma limitação. Mas o curioso é que se a gente se adapta a isso, mais tarde o dar e o receber ainda podem crescer.
para Alexandra Uma possibilidade seria que você lhe dissesse alguma vez, bem secretamente, o que deseja.
para Markus Ela lhe diz às vezes o que deseja?
MARKUS *pensa um pouco* Sim, acho que sim.
BERT HELLINGER Ela o diz concretamente, de modo que você possa realizá-lo?
MARKUS Sim.
BERT HELLINGER Vou lhe dar um exemplo do que significa um desejo concreto. Alguns parceiros dizem ao outro: Gostaria que você me amasse mais! Assim o outro parceiro não sabe nunca quando isso foi satisfeito. Mas, se disser: Venha dar um passeio comigo por meia hora. Neste caso, ele sabe exatamente quando o desejo foi cumprido. É importante dizer concretamente o que se deseja. Senão o outro se sente pressionado por uma expectativa que não pode satisfazer. Então não dá absolutamente nada porque isso é demasiado para ele. A descrição concreta daquilo que se deseja é muito importante para ambos. Mais tarde veremos isso em detalhes.

Continuação de Alexandra e Markus na página 162

Quando se quer reeducar o parceiro

DETLEF Gostaria de um relacionamento bem estreito com a Sílvia. Quero realmente dizer sim a ela e formar uma família.
BERT HELLINGER Vocês já são casados?
DETLEF Não.
SÍLVIA Gostaria que eu e meu parceiro nos apreciássemos mais. Que eu possa apreciá-lo mais e a mim também. Acho que as duas coisas estão intimamente ligadas.
BERT HELLINGER Gostaria de dizer algo sobre o apreço. Homens e mulheres são diferentes, como vocês já puderam notar. Não só no aspecto físico como também em todos os sentidos. Quando alguém começa um relacionamento, embarca em algo que lhe é estranho. O homem começa um relacionamento com a mulher e a mulher é um enigma para ele. Por outro lado, para a mulher, o homem é também um enigma.

Alguns parceiros acreditam que são perfeitos e o outro não é ainda completamente perfeito. Principalmente as mulheres consideram-se, via de regra, melhores que os homens. Mas os homens são igualmente bons, apenas são diferentes.

Sílvia sorri.

BERT HELLINGER O apreço implica reconhecer que o outro tem o mesmo valor embora seja diferente. Esse é o fundamento do apreço. O parceiro é diferente, mas é certo. Toda tentativa de converter o parceiro em algo que ele não é, torná-lo, por assim dizer, mais semelhante a si mesmo, está fadada ao fracasso e destrói o relacionamento.

Quando se reconhece que o homem também é certo ou que a mulher é certa, renuncia-se a algo de si próprio. De repente, a gente se vê confrontado com o fato de que o diferente é igualmente válido, a despeito de ser diferente. Esse é o fundamento do apreço. Assim como você é, embora seja um homem e eu uma mulher, você é certo. E, do contrário, embora você seja uma mulher e eu um homem e você seja totalmente diferente de mim, você é certa. Dessa maneira cada um renuncia a algo de si próprio e faz nascer o apreço. O outro se torna um enriquecimento e um acréscimo. Acrescenta-se algo ao feminino e algo ao masculino. Isso é, então, a unidade maior.

Sílvia e Detlef concordam com um sorriso.

Continuação de Sílvia e Detlef na página 40

Uma relação sem casamento é ferir-se continuamente

MARTIN Espero desta oficina uma nova perspectiva para nosso relacionamento. Já vivemos juntos há sete anos. Gostaria de reintroduzir em nosso cotidiano aquele sentimento que existia quando iniciamos nosso relacionamento.

BERT HELLINGER Vocês são casados?

MARTIN Não.

BERT HELLINGER Há quanto tempo vivem juntos?

MARTIN Há mais de 7 anos.

BERT HELLINGER Por que vocês não se casaram?

MARTIN A gente precisa se casar?

BERT HELLINGER O casamento é a despedida da juventude. O relacionamento a dois sem casamento é a extensão da juventude. Quando um casal vive muito tempo junto e não se casa, um diz ao outro: Estou procurando algo melhor. Isso é ferir constantemente.

MARTIN Temos um filho em comum. Talvez isso seja mais importante do que se casar. Talvez tenha se manifestado algo diferente. Além do mais, nossa vida é um tanto inconvencional. Trata-se também de experimentar algo.

BERT HELLINGER Isso é a juventude.

MARTIN Sim.

BERT HELLINGER E como você acha que o filho se sente quando os pais "ficam experimentando"?

Martin: "Eu a aceito agora como minha filha"

A família atual, incluindo a companheira anterior e uma filha abortada.

BERT HELLINGER Vamos colocar diretamente a constelação familiar atual.
MARTIN Sim.
BERT HELLINGER Qual a idade de seu filho?
MARTIN Sete anos.
BERT HELLINGER Um menino ou uma menina?
MARTIN Um menino.
BERT HELLINGER Você já viu uma constelação familiar?
MARTIN Sim, já vi num vídeo.
BERT HELLINGER Você escolhe agora entre os participantes deste grupo representantes para você, para sua companheira e para o seu filho. Depois pegue cada um deles pelos ombros e posicione-os um em relação aos outros. Siga somente o seu sentimento interior, sem refletir. Depois a sua companheira poderá também montar a constelação.

Observações sobre o trabalho com Constelações Familiares

Martin escolhe entre os participantes do grupo representantes para si, para sua companheira e para seu filho de sete anos. Com equilíbrio, ele posiciona essas pessoas umas em relação às outras sem dizer nada. Os representantes também permanecem concentrados, sem dizer nada. Prestam atenção aos efeitos que o lugar em que são posicionados provoca neles e comunicam isso mais tarde. Esses efeitos podem ser dramáticos. Freqüentemente refletem de modo surpreendentemente exato o estado das pessoas representadas sem que os representantes as conheçam.

Figura 1a, posicionada pelo homem

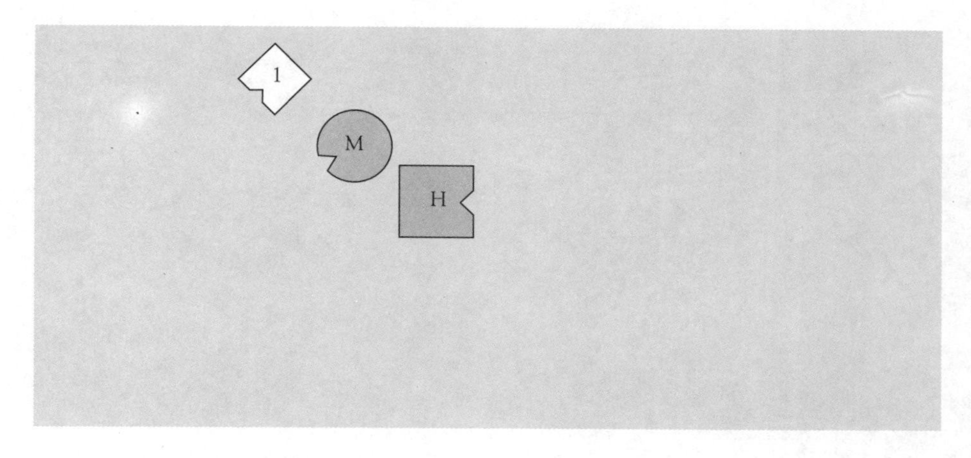

H homem (= Martin)
M mulher, não é casada com o homem (= Karola)
1 único filho

BERT HELLINGER *para Martin, que depois de ter posicionado as pessoas ainda fica pensando* Está montado. Isso mesmo.

Hellinger começa, então, a fazer perguntas aos representantes.

BERT HELLINGER *para o filho* Como se sente o filho?
FILHO Sinto-me totalmente inseguro. Meu olhar se dirige ao vazio. Vejo meus pais só à margem. Sinto um certo frio.
BERT HELLINGER Como se sente a mulher?
MULHER Para mim é inquietante. Não tenho relação alguma com o homem às minhas costas. É como uma sombra sinistra. Sinto-me um pouco atraída pelo filho. Preferiria dirigir-me naquela direção *(para a frente)*.
BERT HELLINGER Como se sente o homem?
HOMEM Muito bem, mas o meu braço direito está pesado.
BERT HELLINGER *para Karola, a companheira de Martin* Agora coloque você a constelação. Como você o faria?

Figura 1b, posicionada pela mulher

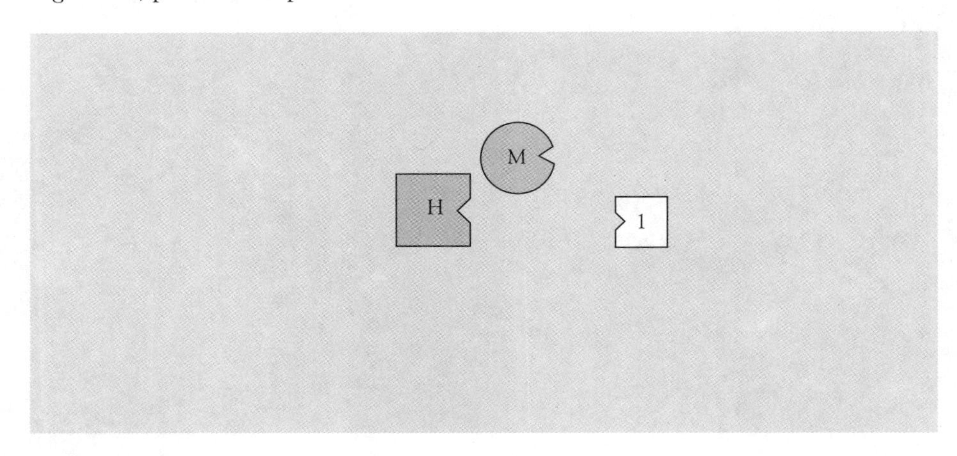

BERT HELLINGER *para o representante de Martin* Como se sente o homem agora?
HOMEM Um pouco melhor. Mas tenho a tendência de ir para a direita.
BERT HELLINGER *para a representante de Karola* E você?
MULHER Sinto-me um pouco melhor agora. Mas preferiria posicionar-me realmente ao lado do homem para não tê-lo às minhas costas. Com relação ao filho sinto-me bem melhor agora.
BERT HELLINGER Como se sente o filho?
FILHO Eu me sinto muitíssimo melhor e mais seguro. Sinto-me com os pés no chão. Sinto uma atração bem maior em relação à mãe do que ao pai.
BERT HELLINGER Sim, o pai está inseguro. É, por assim dizer, um cliente inseguro.
para Martin O que aconteceu em sua família de origem? Alguém morreu cedo?
MARTIN Não.
BERT HELLINGER Divorciado?
MARTIN Não.
BERT HELLINGER *para o representante de Martin* Dirija-se à direção para a qual se sente atraído.

O representante de Martin dá um passo para ficar na mesma altura da mulher. Depois dá um passo para o lado, aumentando assim a distância em relação à mulher.

Figura 2

BERT HELLINGER *para o representante de Martin* Que tal assim?
HOMEM Bem.
BERT HELLINGER E para a mulher?
MULHER Não está bem ainda. Ainda existe algo entre mim e o meu companheiro.
BERT HELLINGER Sim, o homem quer ir embora. Não se pode confiar nele.
para Martin Você teve antes uma relação importante?
MARTIN Sim, várias: duas, três.
BERT HELLINGER Aconteceu algo? Um filho ou um aborto?
MARTIN *depois de algum tempo* Sim, uma vez houve um aborto. Mas era um relacionamento normal entre jovens, aquele que se tem com dezessete anos.
BERT HELLINGER Sim, a gente diz isso.

Bert Hellinger coloca a companheira anterior de Martin – a mãe da criança abortada – à direita, perto do homem.

Figura 3

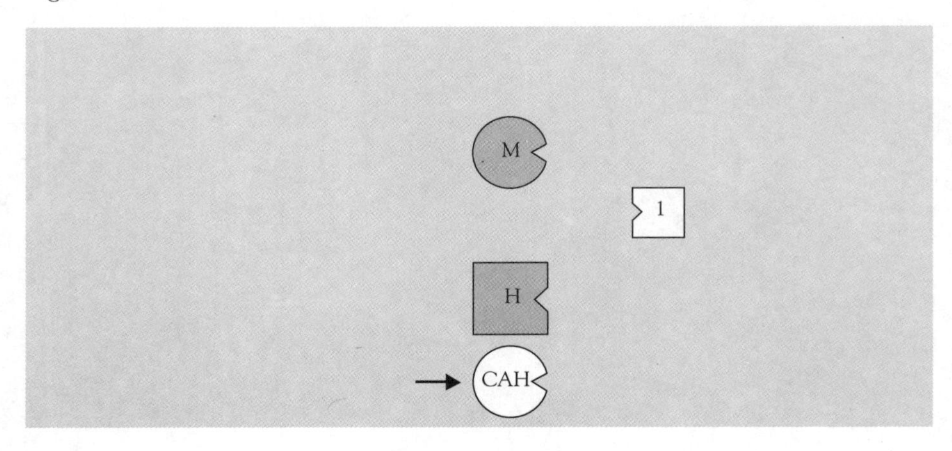

CAH companheira anterior do homem, com a qual teve uma criança que foi abortada

BERT HELLINGER Que tal assim para o homem?
HOMEM Começa a melhorar um pouco.
BERT HELLINGER *para a representante de Karola* E para você?
MULHER Agora sinto somente uma ligação com o filho. Não sinto mais qualquer ligação com o homem.
BERT HELLINGER O homem ainda está ligado ao seu relacionamento anterior.
para Martin Em sua fantasia a criança abortada seria um menino ou uma menina?
MARTIN Nunca parei para pensar nisso.
BERT HELLINGER Qual é a sua fantasia?
MARTIN Não sei. Era um andrógino.
BERT HELLINGER Não existem andróginos.
MARTIN Uma menina.

Bert Hellinger escolhe uma representante para a filha abortada.

Figura 4

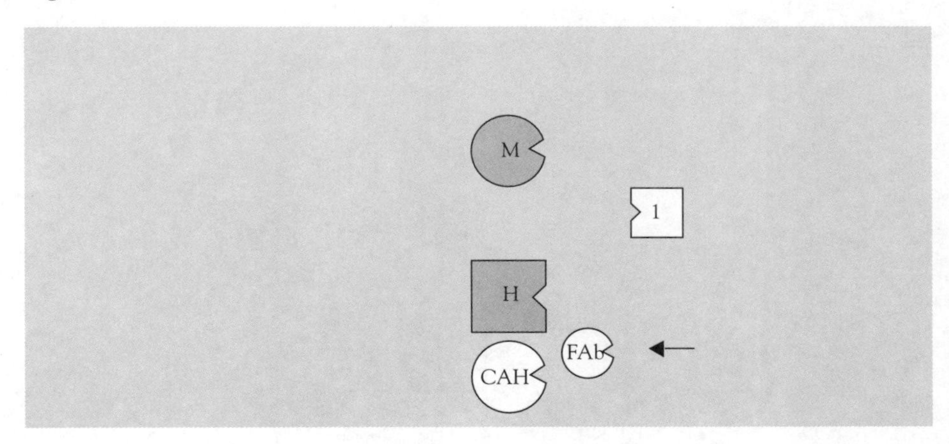

FAb filha abortada

BERT HELLINGER *para a filha abortada* Sente-se no chão em frente aos pais. Encoste-se em ambos. Concentre-se para poder perceber o que sente.
depois de algum tempo Como se sente aí?
FILHA ABORTADA Os pais não me aceitam de verdade. Preciso tomar cuidado para não cair para trás. Os pais não estão aqui!
BERT HELLINGER *para a mãe da filha abortada* Como é para você?
COMPANHEIRA ANTERIOR No começo queria ir mais para perto do homem e abraçá-lo. Quando a filha apareceu, pensei que ia chorar.

A representante da mãe da filha abortada chora, muito comovida.

BERT HELLINGER Coloque uma mão sobre a cabeça da filha.
COMPANHEIRA ANTERIOR É uma dor muito grande.
BERT HELLINGER Como é agora para o homem?
HOMEM Agora preciso de certa distância. *Dá um pequeno passo para o lado* Preciso do contato com a filha abortada, mas também um pouco de distância.
BERT HELLINGER *para o homem* Coloque você também uma mão sobre a cabeça da filha.
para a filha abortada Feche os olhos.
para a representante de Karola Como é agora para você?
MULHER Estou sentindo um tremendo frio. Gostaria de puxar o filho para segurar-me em algo ou para aquecer-me.
BERT HELLINGER Como é para o filho?

FILHO Também tenho uma relação só com a mãe.
BERT HELLINGER Coloque-se ao lado da mãe, mas de tal forma que também possa ver o pai.

Figura 5

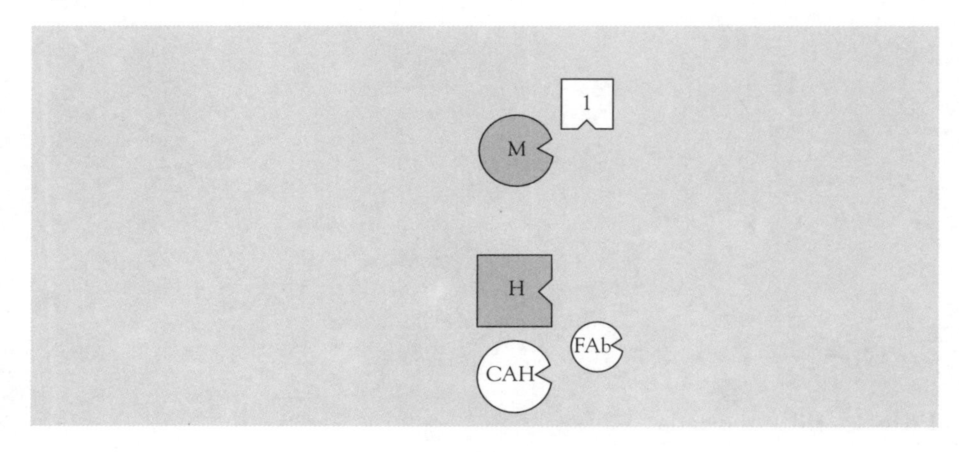

BERT HELLINGER *para o homem* E agora, como é para você?
HOMEM Aqui está bem.
FILHA ABORTADA Não há calor, mas tampouco me sinto rejeitada. Com a mãe sinto-me um pouco insegura.
BERT HELLINGER Como se sente com o pai?
FILHA ABORTADA *depois de tocar a mão do pai* Sim.

Hellinger pede a Martin e Karola, que acompanhavam sentados a constelação familiar, para ocuparem seus lugares.

BERT HELLINGER *para Martin* Coloque uma das mãos sobre a cabeça da filha. Olhe para ela e concentre-se. Siga somente os seus sentimentos para entrar em contato. Por assim dizer, deixe que a filha o olhe. Então diga à filha abortada: "Querida filha".
MARTIN Querida filha.
BERT HELLINGER "Eu a aceito agora como minha filha."
MARTIN Eu a aceito agora como minha filha.
BERT HELLINGER "Eu lhe dou um lugar em meu coração."
MARTIN Eu lhe dou um lugar em meu coração.
BERT HELLINGER *para a filha abortada* Como se sente agora?

A representante da filha abortada sacode a cabeça.

BERT HELLINGER Não convenceu?
FILHA ABORTADA Não.
BERT HELLINGER *para Martin* Eu interrompo aqui. Isso agora precisa atuar primeiro em você e em Karola. Está bem. Então foi isso.

Os parceiros ficam vinculados um ao outro através dos filhos abortados

BERT HELLINGER *para o grupo* Se houve um relacionamento no qual foi gerado um filho, os parceiros permanecem vinculados mesmo que esse filho tenha sido abortado. Por isso é difícil começar uma nova relação. Em primeiro lugar, o relacionamento anterior precisa ser dissolvido de maneira positiva. Para a solução é preciso que o parceiro seja respeitado. E que a dor da separação seja respeitada.

Da mesma forma a criança abortada precisa ser respeitada. Que a dor e o luto por essa criança sejam admitidos e que ela receba um lugar no coração de seus pais. Pode demorar um certo tempo até que isso aflore. Quando aflora, pode-se fazer a separação com respeito. Então o homem pode dedicar-se à sua nova mulher, mas deve-se continuar a respeitar a companheira anterior assim como a criança.
para Martin e Karola Por assim dizer, fazem parte de sua família. Também de sua família atual. Deixei bem claro?
para Martin Você quer dizer mais alguma coisa?
MARTIN A verdade é que respeito essa mulher e ainda mantenho contato com ela. *Karola ri.* Eu sei que a história do aborto ainda está latente. Não é que tenha sido simplesmente esquecida. Essa mulher vive agora nos Estados Unidos, mas nos vemos de vez em quando e então é sempre muito intenso.
BERT HELLINGER Sim, está bem. Essa é a primeira mulher.

Um pouco mais tarde

MARTIN Antes estava muito perturbado. Agora me acalmei. Sinto-me sereno e relaxado. É uma sensação agradável, em contraposição à anterior. Porque isso me afetou e me tocou profundamente.
BERT HELLINGER A sua fisionomia mudou.

Martin sorri e acena levemente com a cabeça.

BERT HELLINGER Esta nova fisionomia lhe cai bem.
KAROLA Estou muito agitada, mas sinto-me muito bem aqui.
BERT HELLINGER Está bem, podemos continuar com a rodada.

A solução se encontra na própria alma

MARGIT Muitas vezes, durante as constelações, tenho dores no ventre. Quando se trata da primeira mulher em uma constelação sinto que poderia ser o meu tema, poder dar à primeira mulher de meu marido o lugar que lhe é de direito.
DIETER O tema "primeira mulher" também me interessou bastante. Gostaria muito que a minha primeira mulher estivesse aqui, que ela visse ou participasse pelo menos uma vez de um trabalho com constelações familares.
BERT HELLINGER A solução se encontra sempre na própria alma. A primeira mulher não precisa estar aqui. Mas se algo se modificar em você, então você terá uma outra imagem. Então a verá de maneira totalmente diferente. Ela também se modificará sem que você lhe diga nada. Isso é o curioso nesses casos.
DIETER Já coloquei a situação uma vez num outro grupo. Isso já modificou muita coisa.
BERT HELLINGER Ainda não está solucionado.
DIETER Não, não está solucionado.
BERT HELLINGER Você ainda guarda rancor por ela.
DIETER Isso é verdade.
BERT HELLINGER Uma das razões para o rancor pode ser sintetizada em uma bela frase. É a seguinte: "O que foi que eu lhe fiz para estar tão zangado com você?" A transformação começa quando vemos que ferimos alguém e reconhecemos esse fato. Desse modo o parceiro é respeitado e fica reconciliado.

Continuação de Margit e Dieter na página 94

Abortos em relacionamentos anteriores e como os novos parceiros podem lidar com isso

Continuação da página 31

BERT HELLINGER Alguém quer dizer mais alguma coisa?
DETLEF Sinto uma ligação com a constelação anterior. Houve quatro abortos em meus relacionamentos anteriores. Sinto que ainda há algo que gostaria de libertar.

Um dia depois

SÍLVIA Para mim existe um tema com o meu parceiro que ainda se encontra em aberto.
BERT HELLINGER Qual?
SÍLVIA Detlef teve quatro abortos com companheiras anteriores. Como queremos ter filhos, tenho a seguinte sensação: Para mim, filhos são algo absolutamente singular e para ele são coisas corriqueiras. Não quero lhe atribuir isso, mas...
BERT HELLINGER Você já o fez. Acaba de fazê-lo.
SÍLVIA Não, gostaria simplesmente de conservar este caráter singular para nós.
BERT HELLINGER Gostaria de lhe dizer uma coisa. Filhos são, sem dúvida, o máximo, mas algo muito comum.

SÍLVIA Isso é difícil para mim.
BERT HELLINGER Filhos são "singularmente" comuns. Imagine as muitas gerações de mulheres antes de você. Entre elas você é somente uma entre muitas.

Sílvia sorri e assente com a cabeça.

DETLEF Desde ontem sinto um alívio muito grande. Posso respirar bem mais livremente. Esse tema da Sílvia também me ocupa, porque tenho a sensação de que estão me impondo algo. Por outro lado sinto o desejo de despedir-me desses filhos.
BERT HELLINGER É impossível despedir-se deles. Você precisa incluí-los.
para Sílvia Você precisa deixá-los lá onde devem estar, isto é, com seu marido e suas mulheres anteriores.
Você não deve imiscuir-se aí. Senão você vai representar essas mulheres, e com isso você as rebaixa. De acordo?

Ela assente com a cabeça.

Algumas horas mais tarde

DETLEF Desde a pausa para o almoço sinto uma dor do lado esquerdo do peito e no braço esquerdo.
BERT HELLINGER Você sabe qual é a minha imagem de sua dor no braço esquerdo e sua dor sob o coração?
DETLEF Não.
BERT HELLINGER Você precisa colocar o braço esquerdo em redor de suas companheiras anteriores e dar-lhes um lugar em seu coração, a elas e a todos os filhos abortados.

Detlef fica comovido e assente com a cabeça.

Sílvia: "Com você, sou mulher"

A família de origem, incluindo o parceiro de Sílvia

BERT HELLINGER Há algum casal que tenha pressa em trabalhar?
SÍLVIA E DETLEF Sim.
BERT HELLINGER Do que se trata?
SÍLVIA Queremos nos casar e sinto que surgem fortes medos. Medos do tipo: "Vou destruir este casamento. Vou embora".
Tenho grande dificuldade de assumir responsabilidades. Enquanto for solteira posso assumir as minhas responsabilidades. Mas quando se trata da responsabilidade por nós dois tenho a impressão de que não tem nada a ver comigo.

BERT HELLINGER Ele também assume responsabilidade por si mesmo?
SÍLVIA Por ele sozinho, sim.
BERT HELLINGER *sorrindo* Se vocês continuarem fazendo assim, cada um assumindo a responsabilidade por si mesmo, então nada poderá dar errado.
SÍLVIA A questão é se a responsabilidade será assumida conjuntamente quando tivermos um terceiro.
BERT HELLINGER Bem, na verdade as mulheres precisam fazer o essencial sozinhas.
SÍLVIA Sim, com a minha mãe foi assim.
BERT HELLINGER *assente* O que houve com o seu pai?
SÍLVIA O meu pai era alcoólatra e quase nunca estava presente em família. Bebia em companhia de estranhos e por isso estava sempre fora de casa.
BERT HELLINGER Vamos colocar a sua família de origem. São quantos filhos?
SÍLVIA Tenho uma irmã quatro anos mais jovem que eu. E um meio-irmão do primeiro casamento de meu pai. Mas não tenho contato algum com ele. Só ouvi falar dele. Vi uma foto sua. Nela ele tinha um ano.
BERT HELLINGER Você precisa convidá-lo para o seu casamento, sem falta.
para o parceiro de Sílvia Você vai cuidar disso?
DETLEF Sim.
BERT HELLINGER *para Sílvia* De quem são os sentimentos que você tem?
SÍLVIA Eu acho que da primeira mulher.
BERT HELLINGER Isso mesmo. E quais os sentimentos que deveria ter?
SÍLVIA Os de uma filha.
BERT HELLINGER Exatamente.
SÍLVIA *comovida* Mas não consigo sair. Gostaria de sair disso.

BERT HELLINGER Sim, eu vejo que quer sair disso. Vou ajudá-la. Está bem, configure a constelação.

Figura 1

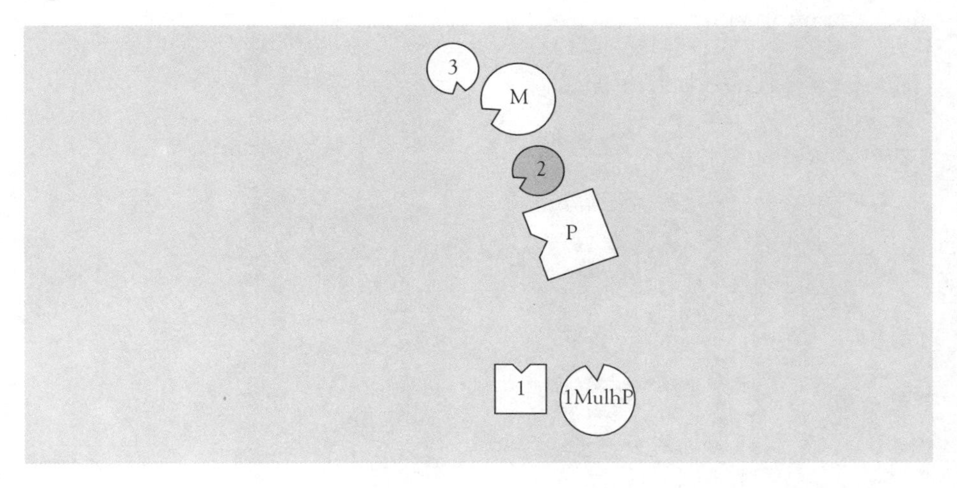

P	**pai**
1MulhP	**primeira mulher do pai, mãe de 1**
1	**primeiro filho, homem**
M	**mãe, segunda mulher do pai, mãe de 2 e 3**
2	**segundo filho, mulher (= Sílvia)**
3	**terceiro filho, mulher**

BERT HELLINGER *para Sílvia* Quando você olha para isso, quem você está representando aqui?
SÍLVIA Para a minha mãe, o marido, e para o meu pai, a mulher.
BERT HELLINGER Não. Você representa a primeira mulher. Aqui seria o lugar da primeira mulher. Não é um bom lugar para uma criança. Por que o primeiro casamento fracassou?
SÍLVIA A mulher começou uma relação com o melhor amigo de meu pai e quis o divórcio.
BERT HELLINGER Como vai o pai?
PAI *apontando para a representante de Sílvia* Esta filha é a minha mulher. A mulher atual não está disponível para mim. Pouco me relaciono com a minha primeira mulher e com meu filho. Os dois pertencem um ao outro. No começo senti-me muito só. Precisei olhar ao meu redor para ver que se trata de uma família, aqui.
BERT HELLINGER Como vai a primeira mulher?
PRIMEIRA MULHER Estou tremendo e sinto arrepios. Não me sinto atraída pelo primeiro marido. Tampouco tenho uma verdadeira relação com o meu fi-

lho. Ele aí está e eu o vejo de lado. Mas não é que exista calor ou uma ligação.
BERT HELLINGER Vire-se.
para o filho Como se sente agora?
PRIMEIRO FILHO, HOMEM Agora sinto-me um pouco melhor. Precisava de distância da minha mãe.

Hellinger o coloca ao lado do pai.

Figura 2

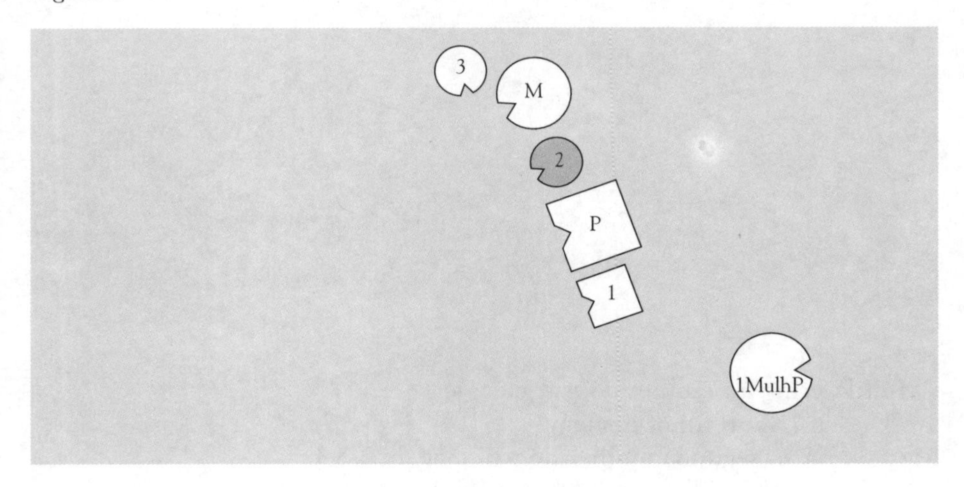

BERT HELLINGER Você precisa ir para lá.
PRIMEIRO FILHO, HOMEM Assim está melhor.
SÍLVIA Esqueci de dizer que este primeiro irmão não cresceu com a sua mãe, mas com os pais dela. Nesse sentido não existe aí muito relacionamento. É certo assim.
BERT HELLINGER *para o pai* Como se sente quando o filho está ao seu lado?
PAI Melhor.
BERT HELLINGER *para a representante de Sílvia* Como você se sente?
SEGUNDO FILHO, MULHER Estou olhando para o vazio. Não tenho qualquer relacionamento.
BERT HELLINGER Como a primeira mulher.
para a mãe Como você se sente?
MÃE Sinto-me melhor que antes, quando a primeira mulher ainda estava olhando para mim. Desde que ela se foi estou bem melhor. Sinto-me atraída pela filha mais nova.
BERT HELLINGER *para a filha mais nova* E você?
TERCEIRO FILHO, MULHER Para mim está muito apertado aqui. Sinto necessidade de ir para mais perto de minha irmã.
BERT HELLINGER Agora vou colocar uma ordem.

Figura 3

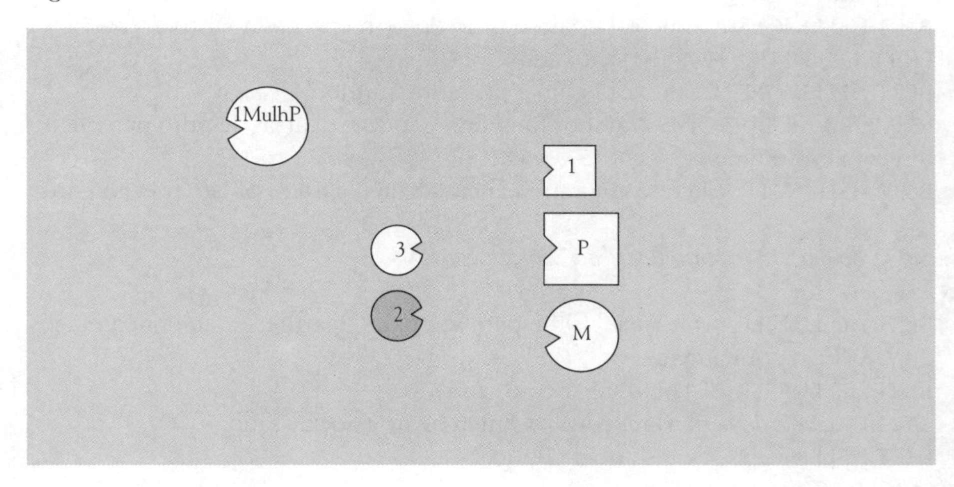

BERT HELLINGER *para a representante de Sílvia* Como você se sente agora?
SEGUNDO FILHO, MULHER Tenho palpitações. É bom ter alguém na minha frente.
BERT HELLINGER Você precisa ficar ao lado da mãe. E a irmã mais nova também.

Figura 4

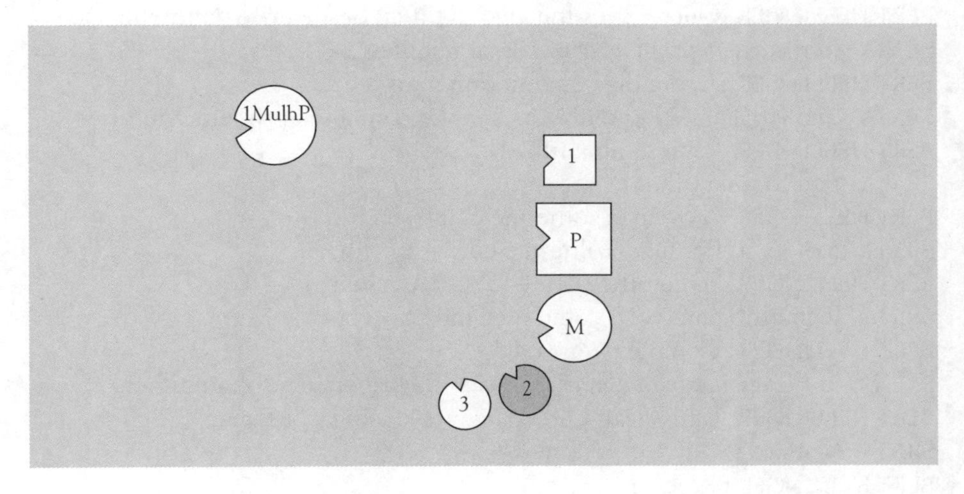

BERT HELLINGER *para a representante de Sílvia* E como está agora?
SEGUNDO FILHO, MULHER Bem melhor.
TERCEIRO FILHO, MULHER Também melhor.
MÃE Também bem melhor.
BERT HELLINGER Como está para o pai?

PAI Sim.
BERT HELLINGER Como está para o filho do primeiro casamento do pai?
PRIMEIRO FILHO, HOMEM Está bem.
BERT HELLINGER Como está para a primeira mulher?
PRIMEIRA MULHER Bem melhor também. O que está atrás de mim não me interessa absolutamente.
BERT HELLINGER Ela está emaranhada em alguma parte. Por isso precisa partir.

Sílvia ocupa seu próprio lugar na constelação.

BERT HELLINGER *para Sílvia* Olhe para seu pai. Diga-lhe: "Fico com a mãe".
SÍLVIA Fico com a mãe.
BERT HELLINGER "O meu lugar é ao seu lado."
SÍLVIA *depois de hesitar um pouco* O meu lugar é ao seu lado.
BERT HELLINGER "Sou só uma criança."
SÍLVIA Sou só uma criança.
BERT HELLINGER "Não tenho nada a ver com a sua primeira mulher."

Sílvia começa a chorar.

BERT HELLINGER Você precisa olhar para o pai.
SÍLVIA *chorando* Não tenho nada a ver com a sua primeira mulher.
BERT HELLINGER Quero dizer-lhe algo: É difícil despedir-se da infelicidade.
SÍLVIA *sorri e assente com a cabeça* Exatamente.
BERT HELLINGER Agora diga em um tom mais feliz.
SÍLVIA *com voz clara* Não tenho nada a ver com a sua primeira mulher.
BERT HELLINGER "Sou só uma filha."
SÍLVIA Sou só uma filha.
BERT HELLINGER "Por favor, olhe-me como sua filha."
SÍLVIA *comovida* Por favor, olhe-me como sua filha.
BERT HELLINGER "E eu olho para você como meu pai."
SÍLVIA E eu olho para você como meu pai.
BERT HELLINGER Como é para o pai?
PAI Bom. *Ele aponta para a mãe de Sílvia* Ela é agora a minha mulher.
BERT HELLINGER *para Sílvia* Olhe para a mãe e diga: "Mamãe".
SÍLVIA Mamãe.
BERT HELLINGER "Você é a certa."
SÍLVIA Você é a certa.
BERT HELLINGER "Não tenho nada a ver com a outra mulher."
SÍLVIA Não tenho nada a ver com a outra mulher.
BERT HELLINGER "Olhe-me como sua filha."
SÍLVIA Olhe-me como sua filha.
BERT HELLINGER "E eu olho para você como minha mãe."

SÍLVIA E eu olho para você como minha mãe.
BERT HELLINGER "Eu a reverencio agora."
SÍLVIA *comovida* Eu a reverencio agora.
BERT HELLINGER "Querida mamãe."
SÍLVIA *chorando* Querida mamãe.
BERT HELLINGER Vá até ela.

Sílvia abraça carinhosamente a mãe, soluçando.

BERT HELLINGER Respire de boca aberta. Acolha sua mãe em seu íntimo.

Sílvia abraça a mãe fortemente e parece muito séria.

BERT HELLINGER Você pode ser um pouco mais feliz quando a abraça. Não existe mal nenhum em ser feliz.

Sílvia abraça a mãe ainda mais carinhosamente.

BERT HELLINGER Isso. Assim é melhor.
para Sílvia depois de ter abraçado a mãe longamente Como se sente agora?
SÍLVIA Bem melhor.

Hellinger coloca o companheiro de Sílvia à sua vista.

BERT HELLINGER Diga-lhe: "Detlef".
SÍLVIA Detlef.
BERT HELLINGER "Para a minha mãe sou a filha."
SÍLVIA Para a minha mãe sou a filha.
BERT HELLINGER "E ao seu lado, a mulher."
SÍLVIA E ao seu lado, a mulher.
BERT HELLINGER Isso agora teve força.
para Detlef Como se sente?
DETLEF Muito bem.
BERT HELLINGER *para Sílvia* Você ainda quer ir para ele?

Sílvia assente com a cabeça.

BERT HELLINGER Coloque–se ao seu lado e olhe para ele. Está bem assim?

Sílvia e Detlef olham-se nos olhos.

BERT HELLINGER Tudo de bom no seu casamento!

Sílvia e Detlef riem e se abraçam.

No dia seguinte

A mulher que está em harmonia com a sua mãe e o homem que está em harmonia com o seu pai são mais atraentes

DETLEF Depois de ver na constelação como Sílvia se reconciliou com a sua mãe, ficou muito mais fácil para mim dizer-lhe "sim". Foi um sim espontâneo. Um sim sem hesitações. Isso veio-me à mente de novo esta manhã.
BERT HELLINGER Descobri uma coisa muito importante sobre homens e mulheres: Uma mulher que ama e respeita a sua mãe, que está, portanto, unida à sua mãe, é muito mais atraente para um homem do que uma mulher que está aliada a seu pai e rejeita a sua mãe.
O contrário também é válido: Um homem que está de acordo com o seu pai, que é unha e carne com ele, é muito mais atraente para a mulher do que um que é unha e carne com a mãe e rejeita o pai.
para Detlef Ontem você sentiu um pouco disso.

Detlef e Sílvia assentem com a cabeça.

"Mamãe, eu faço isso por você"

SABINE *depois da pausa do almoço* Gastei a última hora numa discussão. Não me sinto bem com isso. Sempre penso que não sou eu, que é a minha mãe que reage tão depreciativamente.
BERT HELLINGER Pode ser.
SABINE Embora esteja consciente disso, faço sempre a mesma coisa.
BERT HELLINGER Vou lhe fazer uma proposta. Imagine que você queira agora discutir novamente como antes. E imagine, por assim dizer, que você deixa a sua mãe sair de você. A sua mãe está agora diante de você, mas de costas, olhando para a frente. Você olha para ela. E então delega-lhe a discussão.
SABINE Penso simplesmente que tenho de ajudá-la.
BERT HELLINGER Imagine que ela esteja diante de você. Como você costuma chamar a sua mãe?
SABINE Mamãe.
BERT HELLINGER Diga-lhe: "Mamãe".
SABINE Mamãe.
BERT HELLINGER "Você é a pequena."
SABINE Você é a pequena.
BERT HELLINGER "Eu sou a grande."
SABINE Eu sou a grande.
BERT HELLINGER "Eu o faço por você."

SABINE Eu faço isso por você.
BERT HELLINGER Como se sente ao dizer isso?
SABINE *após um silêncio* Isso é tão irreal.
BERT HELLINGER Também acho.

Sabine ri.

HANS A discussão que Sabine mencionou foi para mim apenas uma pequena diferença de opiniões. Não senti como um grande conflito.
BERT HELLINGER *para Sabine* Ele não é carinhoso com você?
SABINE Ele já está se acostumando com as minhas discussões.
BERT HELLINGER Diga-lhe: "Alegro-me que seja tão carinhoso comigo."
SABINE Alegro-me que seja tão carinhoso comigo.

Sabine e Hans olham-se nos olhos e sorriem.

Continuação de Sabine e Hans na página 110

Quando toda a culpa é atribuída aos pais

BERT HELLINGER Olá!
ELIAS Bom dia.

Elias, sua mulher, Ilse, e Hellinger riem.

BERT HELLINGER Vamos fazer alguma coisa? Do que se trata?
ELIAS Trata-se de liberar-me interiormente.
BERT HELLINGER Essa "liberação interior" é gíria psicoterapêutica. Eu não ouvi isso. O que aconteceu em sua famíla de origem?
ELIAS Eu fiquei, por assim dizer, sozinho. Minha mãe teve dois partos prematuros. Um antes de mim e gêmeos depois de mim.
BERT HELLINGER Prematuros?
ELIAS Sim.
BERT HELLINGER Sobreviveram?
ELIAS Não, nenhum deles sobreviveu. Sou o único que sobreviveu.
BERT HELLINGER Dos quatros você é o único sobrevivente?
ELIAS Sim. *Está muito comovido.* Fui criado por estranhos.
BERT HELLINGER Por quê? O que aconteceu com o seu pai?
ELIAS *chorando e quase que ininteligivelmente* Não tinha tempo.

Elias tapa o rosto com as mãos e chora.

BERT HELLINGER *para a mulher de Elias* Talvez você possa contar. O que aconteceu com o pai dele?

ILSE Seu pai nunca tinha tempo para ele. Ele trabalhava e Elias foi criado desde pequeno em uma escolinha. A mãe também não tinha tempo.

BERT HELLINGER O que faziam então?

ILSE Trabalhavam.

BERT HELLINGER Em quê?

ILSE O pai de Elias era...

ELIAS Carpinteiro. Minha mãe trabalhava em uma fábrica.

ILSE Sua mãe trabalhava na fábrica. Seus pais queriam construir uma casa e, com os dois trabalhando, podiam ganhar mais dinheiro. Por isso ele era um empecilho e foi colocado em uma escolinha. Quando estava em casa e não obedecia, apanhava.

BERT HELLINGER Hum.

ILSE Ele tem uma relação muito difícil com a mãe. Não se entendem bem. Quando estão juntos, só discutem.

BERT HELLINGER O que aconteceu quando ele nasceu, durante o parto?

ILSE Ela diz que foi um parto difícil.

BERT HELLINGER A mãe esteve em perigo de vida?

ILSE Não.

BERT HELLINGER *para Elias que olha de cabeça baixa para o chão* Sabe de uma coisa? Para mim você chora demais.

ELIAS Sim.

BERT HELLINGER Alguma coisa aqui não está bem.

ELIAS Eu ainda tenho contato com meus pais. Mas é...

BERT HELLINGER *interrompe* Não quero saber disso agora. Algo aqui não está bem. Não sei o que não está bem.

ELIAS Antes do relacionamento com a Ilse tive um outro relacionamento. E porque havia um filho a caminho precisei casar-me imediatamente. Disseram-me: Você tem de casar. Um católico se comporta assim. Esse casamento fracassou.

BERT HELLINGER É natural que se tenha de casar. Está claro.

ELIAS É preciso também amar-se mutuamente.

BERT HELLINGER Quando o homem é uma criança ele não pode se casar.

ELIAS Os meus pais me obrigaram.

BERT HELLINGER É o que você diz.

ELIAS Eu acho que é uma vergonha...

BERT HELLINGER Não.

ELIAS Assim me explicaram: para um católico de verdade é uma vergonha.

BERT HELLINGER Não.

ELIAS Por isso cortei as relações...

BERT HELLINGER Não. Eu não quero ouvir nada disso! Não posso escutar algo assim. Toda a culpa é atribuída aos pais. Isso é muito barato para um homem que tem filhos. O que fez pelo seu filho? Você é exatamente igual. Por que você quer fazer acusações contra os seus pais? Você não quis ter o seu filho.

ELIAS Sim. Eu queria tê-lo.
BERT HELLINGER Se fosse assim, você teria se casado com a mãe de seu filho também por amor.
ELIAS Eu queria ter o filho, mas gostaria de ter esperado o casamento.
BERT HELLINGER Se você não esperou antes, tampouco precisava esperar depois.

A mulher de Elias sorri.

BERT HELLINGER Algo está distorcido aqui. Não posso fazer nada. Em um caso assim não posso fazer nada.
ELIAS Não pode fazer nada?
BERT HELLINGER Não, senão a responsabilidade será transferida novamente. Neste caso, para mim. Com quem está a minha simpatia?
ELIAS Com as crianças.
BERT HELLINGER Você fala sem pensar.
para o grupo Com quem está a minha simpatia?
VÁRIOS CASAIS Com os pais.
BERT HELLINGER Com os seus pais, é claro. Sempre sinto simpatia por aqueles que são desprezados.
para Elias Como você já deve ter percebido, tenho um grande respeito pelos pais.
ELIAS Sim, a gente deveria ter respeito pelos pais.
BERT HELLINGER Incluindo também os seus pais.

Elias assente com a cabeça.

BERT HELLINGER Quando penso naquilo que você fez a seus pais com todas as suas acusações, tudo aquilo que você censura neles é insignificante.
ELIAS Sim, de meus...
BERT HELLINGER *interrompe* Não. Você não está assimilando nada daquilo que lhe digo.
ELIAS Não posso deixar as censuras assim.
BERT HELLINGER Está bem, não posso fazer nada.
ELIAS Em determinados momentos em que tive necessidade de meus pais...
BERT HELLINGER *interrompe* Não, não quero ouvir nada.
Depois de uns instantes de silêncio, para o grupo Há pouco tempo atrás dei um curso em Londres. Lá uma mulher chegou para mim e disse: "Hoje é o dia da morte de minha mãe. Ela morreu há um ano e eu gostaria de reconciliar-me com ela". Escolhi então uma representante para a mãe e a coloquei ao lado da cliente. Pedi à filha para falar com a sua mãe. A filha estava sentava em frente à mãe de braços cruzados e um pouco voltada para o lado. Ela queria se reconciliar com a mãe com essa postura. Eu lhe disse: "Não se pode falar com sua mãe dessa forma". Então disse-lhe o mesmo que falei para o Elias: A minha

simpatia está com a mãe. Com isso a cliente ficou com muita raiva e disse que eu tinha escolhido a mulher errada como representante para a sua mãe. Aí interrompi o trabalho.

Durante a pausa, alguns participantes do curso se precipitaram para a cliente para consolá-la. Entre eles estava uma terapeuta que me acusava. Ela disse: "É terrível o que o senhor está fazendo com a pobre mulher!". Eu repliquei: "Eu simplesmente tenho simpatia pela mãe. Não posso fazer nada contra isso".

Alguns dias depois, quando já estava de volta à Alemanha, recebi uma carta dessa terapeuta escrita imediatamente após o curso. Nela dizia que o meu comportamento tinha sido tão horrível que deveria me desculpar, sem falta, junto àquela mulher pelo que lhe tinha feito.

Entretanto, recebi no mesmo dia outra carta que essa mesma terapeuta havia enviado dois dias depois. Ali se lia: "A mulher está melhor!". Isso acontece algumas vezes.

Continuação de Elias e Ilse na página 107

Quem rejeita os pais rejeita a si mesmo e ao parceiro

BIRGIT Meu marido e eu conversamos, como de costume, até à meia-noite. Muitas coisas vieram à tona, também antigos mal-entendidos. Recordo-me especialmente de uma frase que Christoph diz freqüentemente: "Você é como a sua mãe. Mas deveria ser como você é". Eu lhe disse que isso me feria muito. Pois eu sou eu. Perguntei-lhe: O que incomoda você? Eu sou eu! Eu sou assim.
BERT HELLINGER Há algum tempo tive uma compreensão profunda, por assim dizer, uma compreensão incomensurável. É a seguinte: Uma criança "é" os seus pais.
BIRGIT Sim e não. Para mim uma criança tem algo de si próprio. Ela não é somente os seus pais.
BERT HELLINGER Por enquanto fico com esta frase: Uma criança "é" os seus pais.
BIRGIT Humm.
BERT HELLINGER Quando uma criança aceita seus pais como seus pais e quando reconhece: "Eu sou meus pais", então está em paz consigo mesma. Nesse momento ela é "eu". Se eu rejeito interiormente um dos pais, eu não sou eu.

Birgit assente com a cabeça.

BERT HELLINGER Se meu parceiro rejeita um de meus pais, então rejeita a mim também. Se ele não respeita ou menospreza meus pais, então me rejeita.

Mas lhe dou razão quanto ao que você disse antes. Você disse que uma criança também traz algo. Sim, cada um de nós tem ainda algo especial, algo adicional, por assim dizer.
BIRGIT *assente com a cabeça* Sim.

Continuação de Birgit e Christoph na página 127

Quando o genro e a sogra se desprezam e se odeiam mutuamente

SIBYLLE Também andei pensando na sua afirmação desta manhã sobre a depreciação dos pais do parceiro. Temos o problema de que entre a minha mãe e o Rathin existe um grande ódio e um grande desprezo de ambas as partes. Estou sempre no meio, tenho ataques de raiva com grande regularidade e digo: Deixem-me de fora! Briguem vocês dois sozinhos! Eu não quero saber disso!
BERT HELLINGER Vamos colocar essa situação. Posicionem-se um perto do outro, de um lado da sala, de forma que vocês fiquem olhando juntos na mesma direção. Agora vou colocar a mãe em frente de vocês.
para Sibylle Agora diga à mãe: "Ele é o meu marido".
SIBYLLE Ele é o meu marido.
BERT HELLINGER "Eu deixei pai e mãe".
SIBYLLE Eu deixei pai e mãe.
BERT HELLINGER "E o sigo."
SIBYLLE E o sigo.
BERT HELLINGER "Com amor."
SIBYLLE *depois de um silêncio* Com amor.
BERT HELLINGER *para Rathin* Agora diga para a sogra: "Ela é agora a minha mulher".
RATHIN Ela é a minha mulher.
BERT HELLINGER "Nela respeito você".
RATHIN Nela respeito você.
BERT HELLINGER Como se sente a sogra?
MÃE Para mim está absolutamente em ordem. Sinto simpatia pelo genro. Sim, eu o acho bonito.
BERT HELLINGER Está bem, isso foi tudo. Eu só queria experimentar.

Depois que os três se sentaram Rathin quer dizer algo.

BERT HELLINGER Não, sem comentário. Algo assim precisa atuar primeiro.
em segundo plano Eu o fiz menos por vocês do que pelos outros casais. Por assim dizer, como demonstração para os outros. De acordo?
RATHIN Sim.
BERT HELLINGER A mulher também está de acordo?
SIBYLLE Sim.

Continuação de Sibylle e Rathin na página 121

Dois culpados se entendem melhor

DANIELA Não sei por que estou chorando de novo. Acho que não posso ser realmente mulher para Matthias. Tenho a sensação de ter de cumprir uma tarefa que me impede de ser mulher para ele. Essa sensação também me impede de ser mãe. Pensei que isso tivesse a ver somente com Matthias. Porque eu não consigo chegar até ele.

Mas agora percebo: Se me entregasse totalmente a Matthias estaria traindo uma outra pessoa. Em meus relacionamentos já pensei muitas vezes: Não quero prender-me de jeito nenhum! Não quero ter filhos, senão serei infiel à minha missão! Só agora posso expressar esses sentimentos em palavras.

BERT HELLINGER É um passo muito importante que você está dando. Vai ser muito positivo para o seu relacionamento. Dois culpados se entendem melhor do que um culpado e um inocente. Porém, não é uma culpa no sentido próprio da palavra. Cada um está emaranhado a seu modo.

DANIELA Sim.

MATTHIAS Sinto-me fortemente unido a este grupo. É raro sentir-me assim. Normalmente sou distante. Agora estou diretamente conectado e posso sentir intensamente.

BERT HELLINGER Ótimo. Assim a gente se sente vivo.

MATTHIAS Sim.

BERT HELLINGER Vou trabalhar com vocês imediatamente.

Daniela: "Segure-me para que eu fique"

A família de origem, incluindo o marido

BERT HELLINGER *para Daniela* Você está preparada?

DANIELA Sim.

BERT HELLINGER O que aconteceu em sua família de origem?

DANIELA *começa a chorar e aborrece-se com isso* Eu não sei por que eu sempre tenho de chorar. Não quero absolutamente.

BERT HELLINGER Conceda-se a isso uma vez. Você pode fazer isso como quando se concede um prazer. Não é nenhuma vergonha. *Ela ri.* Posso também dar-lhe uma dica de como segurar o choro. Devo?

DANIELA *rindo* Sim.

BERT HELLINGER Procure "desviar o olhar". Se você fechar os olhos começará a chorar imediatamente.

Daniela ri.

BERT HELLINGER Se você conservar os olhos abertos poderá falar comigo bem normalmente. Portanto, o que aconteceu em sua família de origem?

DANIELA Minha mãe foi para os Estados Unidos quando tinha dezoito anos e lá se casou. Ela e seu primeiro marido se divorciaram mais tarde. Nesse meio tempo, o meu pai, que naquela época também morava nos EUA, conheceu a minha mãe. Ele a ajudou durante o divórcio e logo depois casou-se com ela.
BERT HELLINGER E como foi o casamento?
DANIELA Eles são felizes.
BERT HELLINGER Isso me admira. Mas eu sempre me deixo surpreender.
DANIELA A maior aspiração de meus pais é viver em harmonia e felicidade.
BERT HELLINGER Para os americanos consta da constituição que se tem o direito de ser feliz.
DANIELA Ambos são alemães.
BERT HELLINGER Mesmo assim, estão infectados.
DANIELA Sim, pode ser.
BERT HELLINGER Quantos irmãos você tem?
DANIELA Um irmão, que é um ano e meio mais velho do que eu.
BERT HELLINGER Escolha cinco representantes: para o seu pai, sua mãe, o primeiro marido da mãe, alguém para seu irmão e para você.

Daniela posiciona o pai no centro da sala. Depois fica totalmente desnorteada e não sabe como prosseguir.

BERT HELLINGER Se você quiser, pode se sentar.
BERT HELLINGER *para o marido de Daniela* Matthias, coloque a constelação, coloque-a somente de acordo com o seu sentimento.

Figura 1, colocada pelo marido

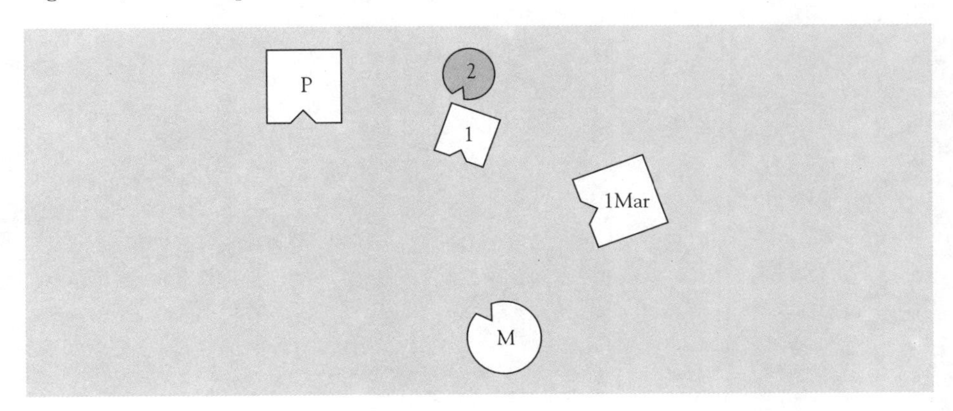

M mãe
1Mar primeiro marido da mãe, divorciado dela
P pai, segundo marido da mãe
1 primeiro filho, homem
2 segundo filho, mulher (= Daniela)

BERT HELLINGER *depois que Matthias configurou a família de origem de sua mulher para Daniela* Como você modificaria a constelação?
DANIELA Acho que assim está bem.

Daniela se levanta então e coloca a sua representante um passo mais próxima de seu irmão mais velho.

BERT HELLINGER Está bem. Como se sente o primeiro marido?
PRIMEIRO MARIDO Estou muito intranqüilo. Sinto uma pressão muito forte no peito, exatamente na região do coração.
apontando para o irmão de Daniela. O filho é uma ameaça para mim. Essa pressão diminuiu quando a filha deu um passo à frente. De acordo com o que sinto, diria à mulher algo como: Vamos embora. Lá adiante há espaço. Aqui é tudo muito complicado.

A representante de Daniela começa a chorar quando ouve as suas últimas palavras.

BERT HELLINGER *para Daniela* Ela mostra agora a tristeza dele. A sua representante tem agora o seu pranto.
para a representante de Daniela Como se sente?
SEGUNDO FILHO, MULHER *chorando* Estou extremamente furiosa com o meu irmão. Aqui faz muito frio. Ele está barrando o meu caminho. Além disso, estou muito triste.

Hellinger coloca a representante de Daniela à direita, perto do primeiro marido da mãe.

Figura 2

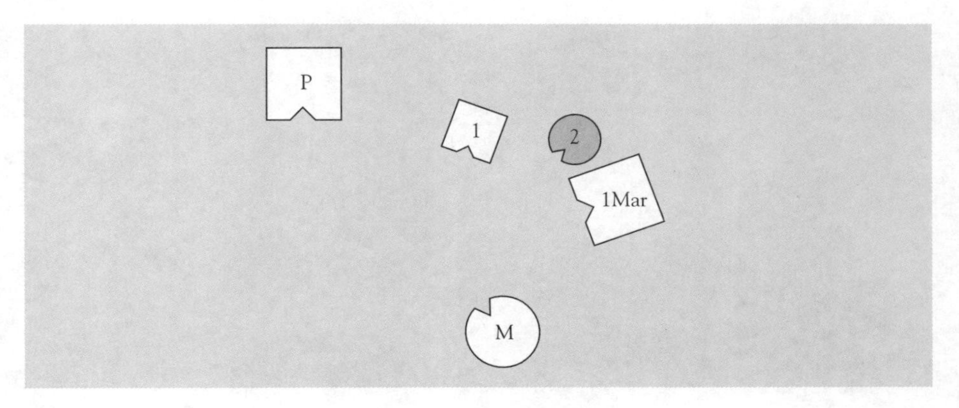

BERT HELLINGER *para a representante de Daniela* Que tal?
SEGUNDO FILHO, MULHER Melhor. Na verdade agora estou alegre. *Ela ri.*
BERT HELLINGER Mas isso é estranho.
para Daniela Sabe o que isso significa? Você tem os sentimentos de quem?
DANIELA Os sentimentos do primeiro marido.
BERT HELLINGER Exatamente, os sentimentos do primeiro marido. É uma coisa maluca, não é? Se você está identificada com o primeiro marido, então é difícil para você ser mulher.
DANIELA Sim, eu não consigo "ser mulher".
BERT HELLINGER Você "ainda" não consegue. Vamos continuar com a constelação?

Daniela assente com a cabeça.

BERT HELLINGER Como se sente o pai?
PAI Estou completamente só. Meu lado direito está frio. Estou congelando do lado direito. Do lado esquerdo sinto uma certa inquietação.
BERT HELLINGER *para Daniela* Da harmonia que você mencionou nada se pode ver aqui. É a bela aparência. Vou mostrar-lhe o extremo. Devo fazer isso?

Daniela assente com a cabeça. Hellinger conduz o pai de Daniela a cinco passos de distância do grupo e o coloca de costas, voltado para a porta.

Figura 3

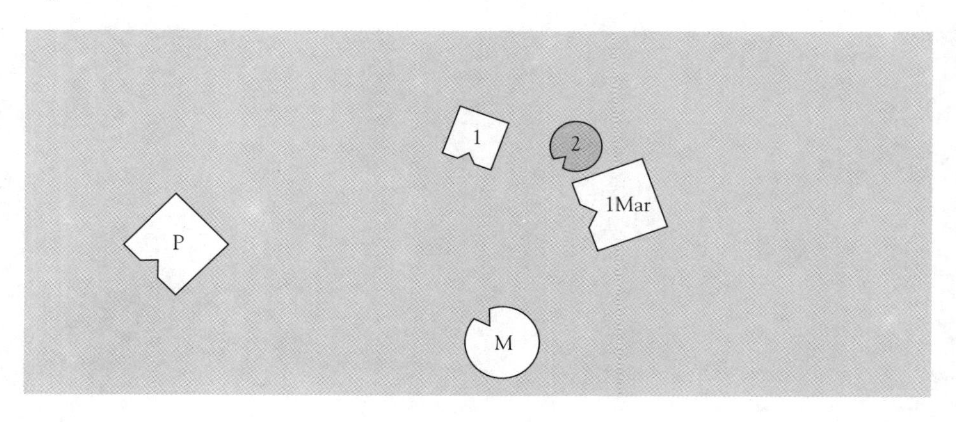

BERT HELLINGER *para o pai* Como se sente aí?
PAI Sinto-me inquieto.
BERT HELLINGER Está melhor ou pior?
PAI Melhor.

Hellinger coloca a mãe de Daniela ao lado do primeiro marido. Então coloca a representante de Daniela e seu irmão ao lado da mãe.

Figura 4

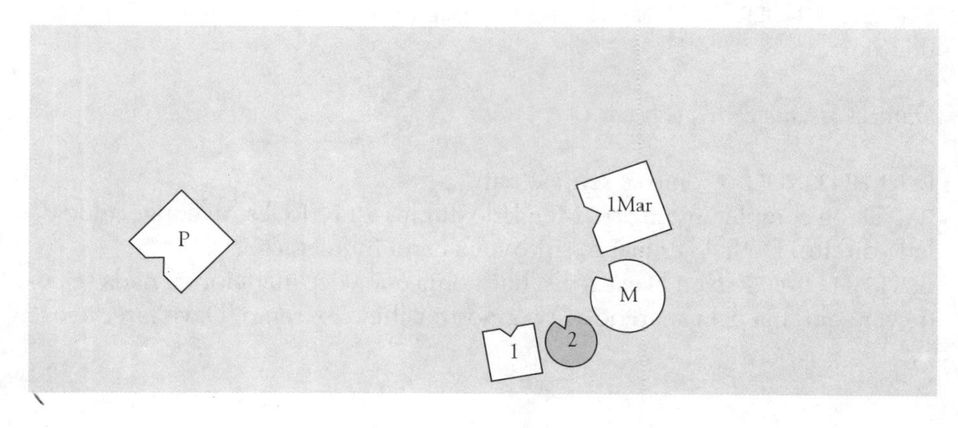

BERT HELLINGER *para a representante de Daniela* Que tal?
SEGUNDO FILHO, MULHER Muito bom.
BERT HELLINGER *para a mãe* Para você?

MÃE O filho me pertence. Ele precisa ficar mais perto de mim. Está longe demais.
BERT HELLINGER *para o primeiro marido* Como você se sente?
PRIMEIRO MARIDO Estranho. Estava muito agradável quando a representante de Daniela se encontrava aqui. Era a única pessoa pela qual tinha sentimentos muito positivos neste sistema. Sinto pena do segundo marido.
BERT HELLINGER *explicando* Isso tudo é uma loucura, uma loucura total. É engraçado. O que se pode fazer aqui?
MATTHIAS Mas os filhos são do segundo marido.
BERT HELLINGER Eu sei disso.

Alguns casais riem.

BERT HELLINGER Isso é a loucura! São as imagens interiores distorcidas.

Hellinger modifica a constelação.

Figura 5

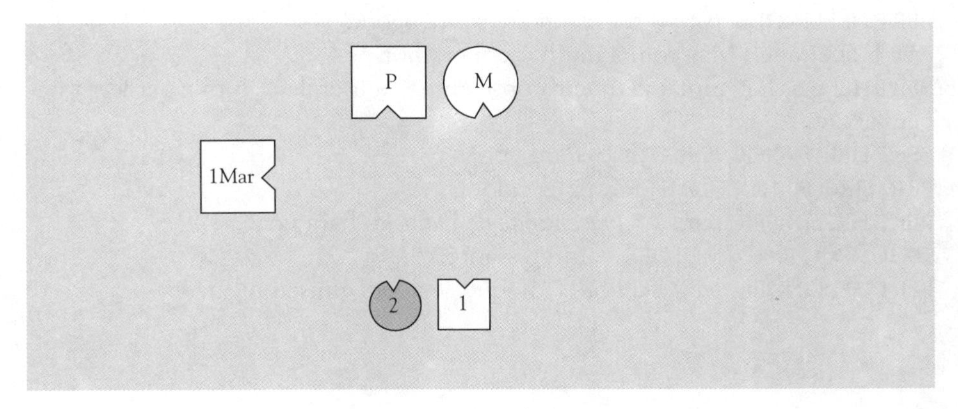

BERT HELLINGER Como está o pai?
PAI Sinto-me muito bem ao lado da mulher.
BERT HELLINGER Como está a mulher?
MÃE Sentia-me melhor ao lado de meu primeiro marido. Era mais agradável e havia mais calor. Assim está bem, nada mais que isso.
BERT HELLINGER *para o filho mais velho* Como está você agora?
PRIMEIRO FILHO, HOMEM Bem, no início era mais intenso entre mim e minha mãe.
BERT HELLINGER *para a representante de Daniela* Como é para você?
SEGUNDO FILHO, MULHER Agora está quente aqui. Sinto-me atraída por meu pai. O outro homem não é o meu pai, mas ainda me sinto atraída por ele.

Hellinger posiciona o primeiro marido da mãe alguns passos para o lado e de costas. Coloca a mãe de Daniela ao seu lado. Então, coloca a filha e o filho em frente do pai.

Figura 6

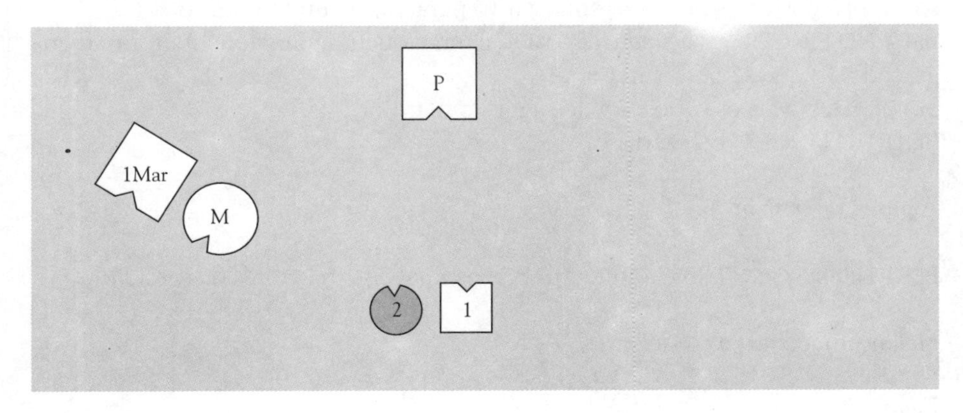

BERT HELLINGER *para o pai* Como se sente agora?
PAI É aceitável. Mas com a mulher era melhor.
BERT HELLINGER Sim, mas quem conseguiu a mulher dessa forma perde-a também assim.
BERT HELLINGER *para o filho* Para você?
PRIMEIRO FILHO, HOMEM Equilibrado.
BERT HELLINGER *para a representante de Daniela* Para você?
SEGUNDO FILHO, MULHER Interessante.
BERT HELLINGER *para Daniela* Coloque-se agora em seu lugar.

Hellinger vira a mãe e o seu primeiro marido para que Daniela possa vê-los.

Figura 7

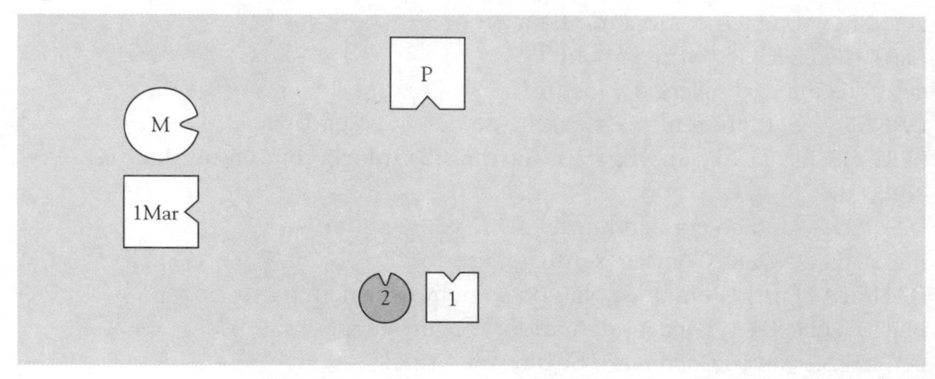

BERT HELLINGER *para Daniela* Olhe para a mãe. Como a chamava?
DANIELA Mamãe.
BERT HELLINGER Diga: "Mamãe".
DANIELA Mamãe.
BERT HELLINGER "Eu deixo você partir."

Daniela tenta reprimir as lágrimas e desvia o olhar.

BERT HELLINGER *para Daniela* Olhe para a mãe.
DANIELA *um pouco amuada* Eu deixo você partir.
BERT HELLINGER Diga com uma voz normal: "Mamãe, eu deixo você partir".
DANIELA Mamãe, eu deixo você partir.
BERT HELLINGER "Eu fico com o papai."
DANIELA Eu fico com o meu pai.
BERT HELLINGER "Aqui é o meu lugar."
DANIELA Aqui é o meu lugar
BERT HELLINGER "Olhe-me com benevolência se fico com o papai."
DANIELA Olhe-me com benevolência se fico com o papai.
BERT HELLINGER Que tal para a mãe?
MÃE Está bem.
BERT HELLINGER Esse divórcio não foi justificado. Não há futuro para o segundo casamento.
BERT HELLINGER *para Daniela* Diga ao pai: "Papai, eu fico com você".
DANIELA Papai, eu fico com você.
BERT HELLINGER Que tal?
DANIELA Sim, é assim. Está bem. Mas a mãe me faz falta. *Ela aponta para o lugar vazio ao lado do pai.* Mas está certo. É assim. *Limpa as lágrimas das faces.*
BERT HELLINGER *para o marido de Daniela* Matthias, coloque-se a alguns passos de distância, em frente a ela.
para Daniela Diga-lhe: "Eu faço como a minha mãe".

Daniela vacila e sacode a cabeça.

BERT HELLINGER Diga-lhe uma vez: "Eu faço como a minha mãe".
DANIELA Eu faço como a minha mãe.
BERT HELLINGER "Vou embora."
depois de um curto silêncio É assim?
DANIELA Sempre tenho a sensação de que devo partir.
BERT HELLINGER Sim, diga ao Matthias: "Eu faço como a minha mãe. Vou embora".
DANIELA Eu faço como a minha mãe. Vou embora.
BERT HELLINGER Como se sente ao dizê-lo?
DANIELA Partida em dois. Não posso nem ficar nem partir.
BERT HELLINGER Diga a seu marido: "Segure-me, por favor".
DANIELA *com voz lacrimosa* Segure-me firme!
BERT HELLINGER "Para que eu fique."
DANIELA Para que eu fique.
BERT HELLINGER Vá até ele e diga-lhe mais uma vez.
Daniela vai até o marido e diz Segure-me firme, para que eu fique.

Os dois se abraçam afetuosamente. Daniela começa a soluçar.

BERT HELLINGER Respire profundamente.

Daniela soluça várias vezes alto e profundamente.

BERT HELLINGER Respire silenciosamente. Inspire e expire profundamente.

Enquanto os dois continuam abraçados a respiração de Daniela vai ficando mais ritmada, mais profunda e mais serena.

BERT HELLINGER *para Daniela* Agora olhe para o seu marido, em seus olhos, e diga-lhe: "Fico com você com muito prazer".
DANIELA Fico com você com muito prazer.
BERT HELLINGER Está bem assim?
DANIELA Sim!
BERT HELLINGER Ótimo. Foi isso.

Matthias estreita Daniela em seus braços.

BERT HELLINGER *para o grupo, ao ver que muitos casais tinham acompanhado a colocação com muita emoção* Algumas vezes ainda existe solução. É bonito ver isso.
para o representante do primeiro marido Você queria dizer mais alguma coisa?

PRIMEIRO MARIDO A melhor posição para mim foi quando estava sozinho ali. Quando dei alguns passos à frente com a representante de minha ex-mulher, tive a sensação de que isso era irresponsável ou leviano.
BERT HELLINGER O primeiro marido era um bom homem. Não mereceu ser tratado dessa forma pela mulher. Naturalmente, na realidade é assim: que a mulher vai embora sozinha e expia. O primeiro marido fica livre e o pai de Daniela fica livre.
para Daniela Mas se você quer imitar a mãe de qualquer jeito...
DANIELA Não.
BERT HELLINGER Eu concordo.

Depois de uma pausa

DANIELA Sinto-me aliviada. Depois da constelação olhei pela primeira vez para cima e observei o teto da sala. A pressão nas costas não é mais tão forte.
BERT HELLINGER Ótimo.
DANIELA Isso é novo. Abre novos horizontes. Depois de minha constelação familiar fiquei com a consciência pesada em relação a Matthias porque ele também queria colocar a sua constelação. Pensei: Agora tirei algo dele.
BERT HELLINGER Olhe para ele e diga: "Isso não irá prejudicá-lo".
DANIELA Isso não irá prejudicá-lo.
MATTHIAS *ri* Está bem.
BERT HELLINGER *para Daniela* Você procura o equilíbrio. Isso é um sinal de amor. Mas eu não me esqueci de Matthias.
MATTHIAS Sinto um alívio depois da colocação. Sinto-me mais seguro em meu relacionamento com Daniela. Também aproveitei muito de sua constelação.

É imprescindível que as filhas estejam na esfera de influência da mãe?

BERT HELLINGER Alguma pergunta em relação à constelação?
DANIELA Sim, tenho uma pergunta. Na constelação de Sílvia você disse que é importante para a filha ficar ao lado da mãe. A minha colocação foi bastante diferente. Eu disse para a mãe: Eu a deixo partir. Na constelação de Sílvia, soou-me ser melhor que a filha ficasse ao lado da mãe.
BERT HELLINGER Via de regra é assim, mas no seu caso é exatamente o contrário. Quando o sistema da mãe é comprometedor, então a criança deve se colocar na esfera de influência do pai. Não importa se é a filha ou o filho.
DANIELA E a força da mãe, eu a recebo assim mesmo?
BERT HELLINGER Você não a recebe, você já a tem!
DANIELA É verdade, já a tenho. *Ela ri aliviada.*
BERT HELLINGER *para o grupo* Não se deve construir tão depressa uma teoria. Dessa forma não se faz justiça à plenitude da vida. Isso seria terrível. Tampouco me atenho ao que disse há uma hora atrás. Mesmo assim foi bom.

O grupo todo ri.

Um dia depois

Matthias: "Agora eu o aceito como meu pai"

A família de origem

BERT HELLINGER *para Matthias, o marido de Daniela* Coloque hoje a sua família de origem. Você sabe como funciona. Um de seus pais teve anteriormente um relacionamento firme?
MATTHIAS Não é nada oficial, mas existe um segredo de família que todos conhecem: Minha mãe teve antes um relacionamento.

Figura 1

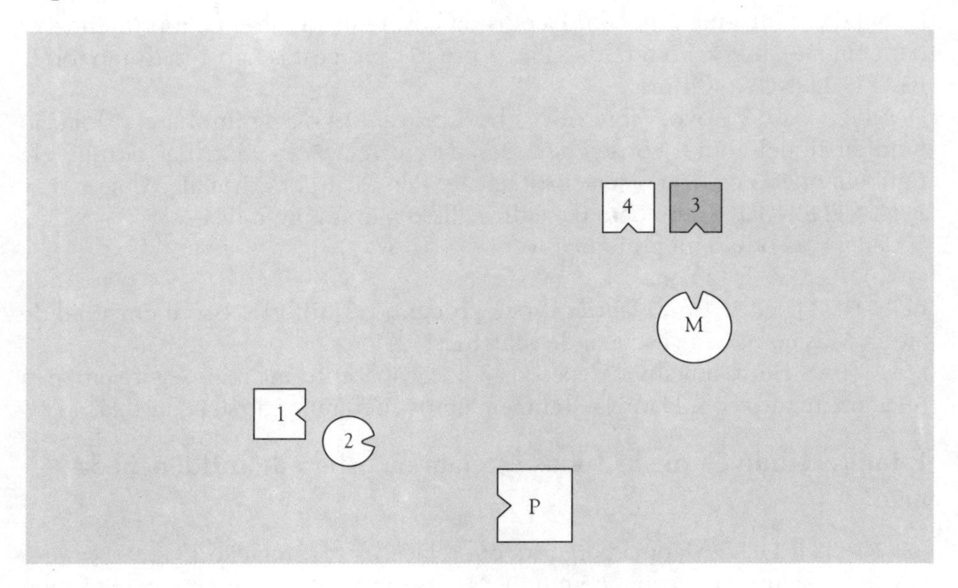

P	**pai**
M	**mãe**
1	**primeiro filho, homem**
2	**segundo filho, mulher**
3	**terceiro filho, homem (= Matthias)**
4	**quarto filho, homem**

BERT HELLINGER *para Matthias* O que aconteceu na família de origem de sua mãe?
MATTHIAS Ela tem um irmão. Houve um aborto espontâneo. Mas não sei se a criança nasceu viva ou morreu muito cedo. Além disso não sei de nenhum acontecimento significativo.

BERT HELLINGER *para a mãe* Como você se sente?
MÃE Sinto duas coisas: Por um lado, tenho a sensação de que os dois filhos me barram o caminho. Por outro, veio-me a imagem: Eles não são os certos. Eles não deviam estar ali.
BERT HELLINGER *para o grupo* Esta constelação mostra que os filhos barram o caminho da mãe para que ela não se vá. Essa é uma tarefa difícil para os filhos. Eles devem vir para cá, está claro.

Hellinger coloca os irmãos alguns passos afastados da mãe, à sua esquerda.

BERT HELLINGER *para a mãe* Como está você agora?
MÃE Agora posso respirar livremente. Agora tenho a minha posição.

A mãe mostra com gestos o espaço livre à sua frente.

BERT HELLINGER Siga o seu impulso. Vá para a frente.

Ela dá alguns passos para a frente.

BERT HELLINGER Pode ser que o vínculo a um companheiro anterior tenha algum significado aqui.

Hellinger coloca o companheiro anterior em frente à mãe.

Figura 2

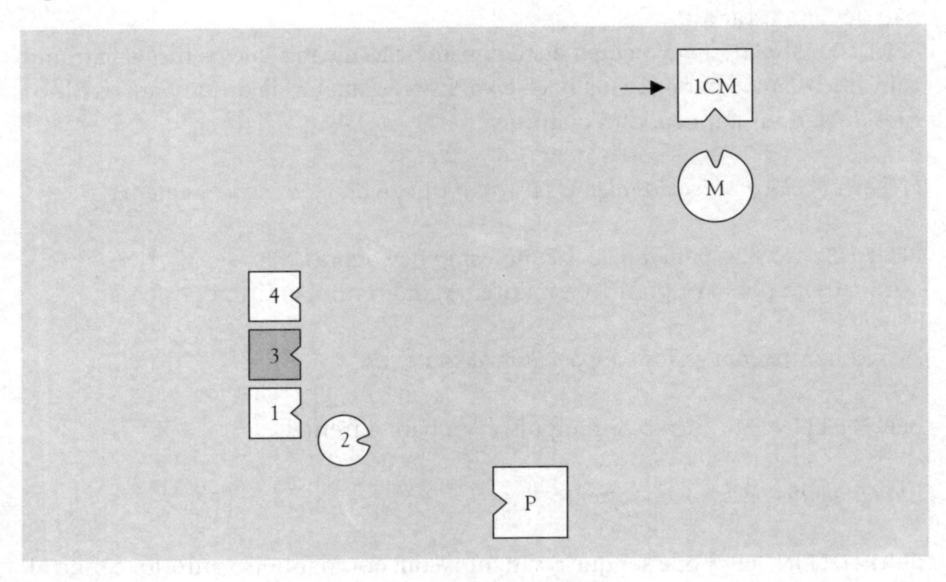

1CM primeiro companheiro da mãe

BERT HELLINGER Que tal para a mãe?
MÃE É um reconhecimento. Mas não é cem por cento.
BERT HELLINGER Para você?
PRIMEIRO COMPANHEIRO DA MÃE Algo está chegando. *Ele aponta para a mãe de braços abertos.* É bem forte. Sinto calor por todo o corpo.
BERT HELLINGER *para a mãe* Posicione-se ao seu lado.

Figura 3

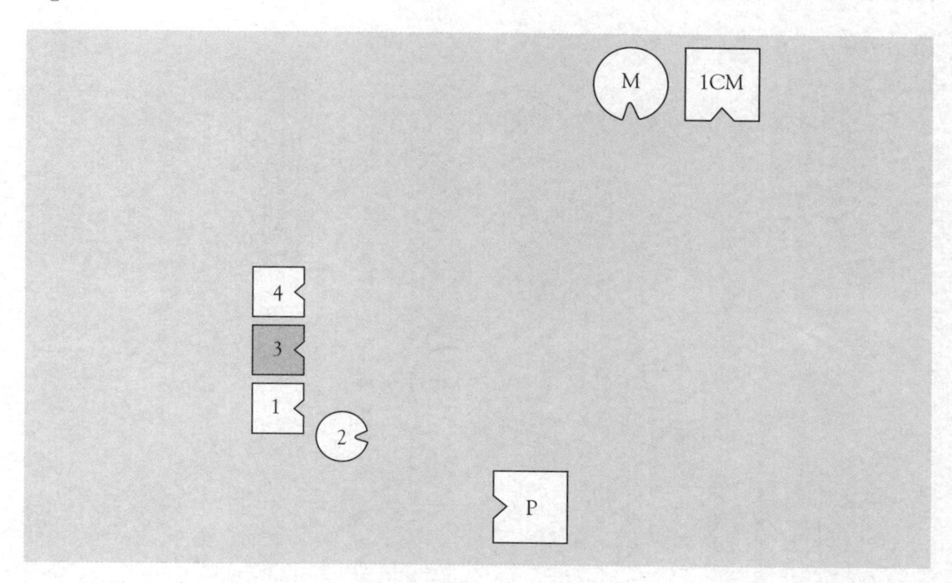

MÃE Assim é melhor.
BERT HELLINGER *para Matthias* Vê-se o primeiro vínculo. Você representa o primeiro namorado. Com isso você entra em conflito com o seu pai porque representa o homem desconhecido. É assim?
MATTHIAS *assente com a cabeça* Sim.
BERT HELLINGER O que aconteceu na família de seu pai?
MATTHIAS A sua mãe é considerada louca por todo mundo.
BERT HELLINGER O que significa "louca"?
MATTHIAS Ela tem acessos de pânico que parecem muito estranhos. Por isso fala-se dela muito depreciativamente.
BERT HELLINGER Vamos colocá-la na constelação.
MATTHIAS A avó?
BERT HELLINGER Sim.

Matthias coloca a representante da avó na constelação.

BERT HELLINGER Como se sentia o pai antes de a mãe entrar?
PAI Agora está horrível. Quando ela foi colocada e passou ao meu lado tive o impulso de me virar para não vê-la. Antes de ela chegar não sabia por que estava aqui.

Hellinger o coloca ao lado de sua mãe.

Figura 4

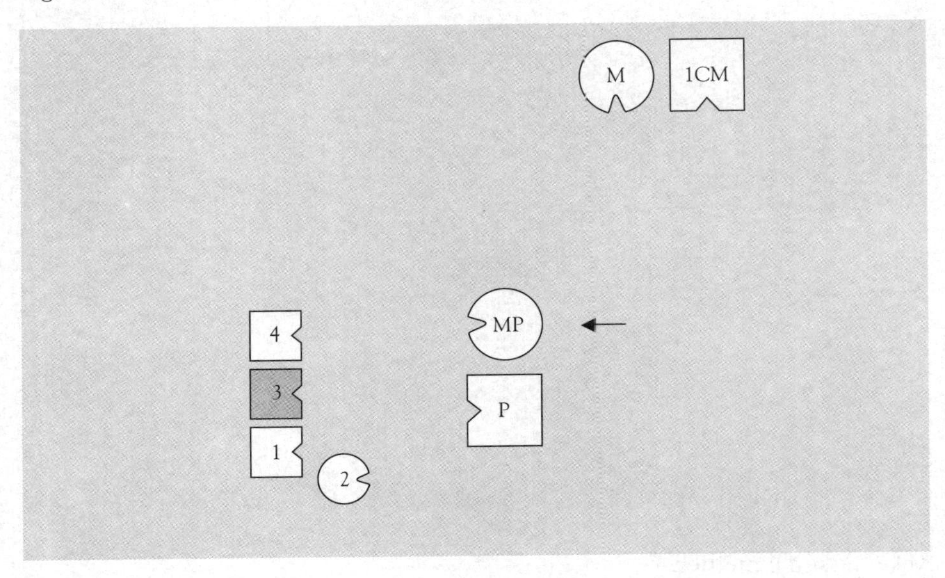

MP mãe do pai

BERT HELLINGER Que tal?
PAI Está melhor, mas algo não está certo.
BERT HELLINGER *para a filha* O que mudou para você desde que ela está aqui?
SEGUNDO FILHO, MULHER Eu não gosto dela. Gostaria de me esconder atrás de meu irmão ou ficar entre os meus irmãos. Preciso de uma proteção.
BERT HELLINGER Quem ela representa?
MATTHIAS A avó.
BERT HELLINGER Sim, a avó. Faz sentido?

Matthias assente afirmativamente.

BERT HELLINGER O que se passa com o pai do pai?
MATTHIAS Também existem boatos. Mas não consegui me inteirar de nada. Diz-se que uma irmã de meu pai seria de um outro homem. Não consegui esclarecer se é realmente assim.
BERT HELLINGER Que irmã seria?
MATTHIAS Seria a irmã mais nova de meu pai.
BERT HELLINGER Pode ser também que a sua irmã a represente.
para a avó Como você se sente agora?
MÃE DO PAI Sinto uma ligação com o meu filho, de resto não sinto nada.
PAI Sinto-me ameaçado pelo filho mais velho. De certa forma, tenho a sensação de que ele quer algo de mim.

Hellinger coloca o representante do homem com o qual a mãe do pai teve presumivelmente um relacionamento extraconjugal.

Figura 5

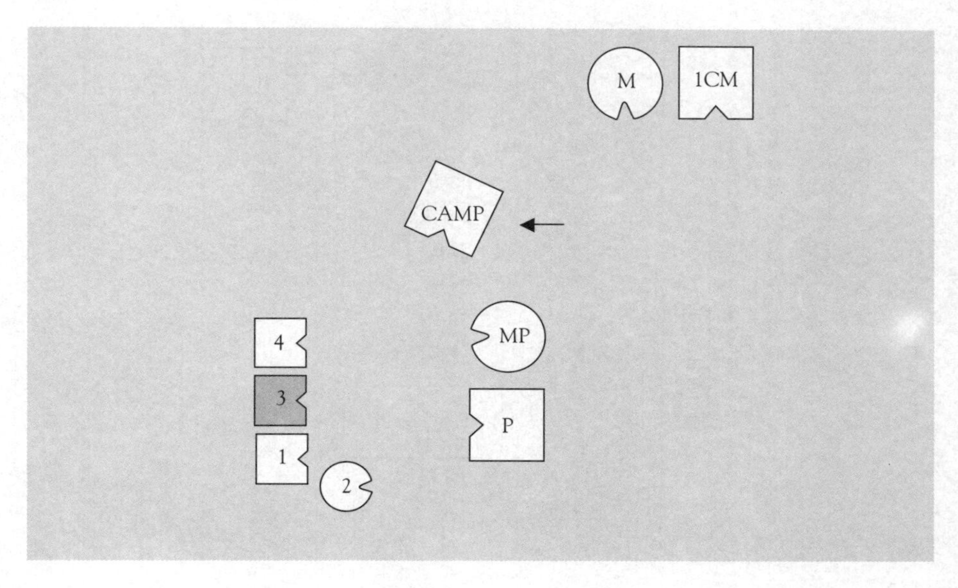

CAMP companheiro antigo da mãe do pai

BERT HELLINGER Portanto você seria esse outro homem, o pai da irmã mais nova do pai de Matthias. Que tal agora?
PAI Sim, assim é melhor.
BERT HELLINGER Sim, o filho mais velho o representa.

O primeiro filho acena com a cabeça concordando.

BERT HELLINGER *para Matthias* Em sua família cada um de vocês tem uma função especial como representante.
QUARTO FILHO, HOMEM Sinto-me muito mal. Meus pés estão formigando. Tenho palpitações. Sinto um aperto na garganta. Tenho vertigens.

Hellinger coloca a mãe do pai ao lado de seu companheiro extraconjugal. O pai é posicionado em frente aos filhos. Seu pai é colocado atrás dele.

Figura 6

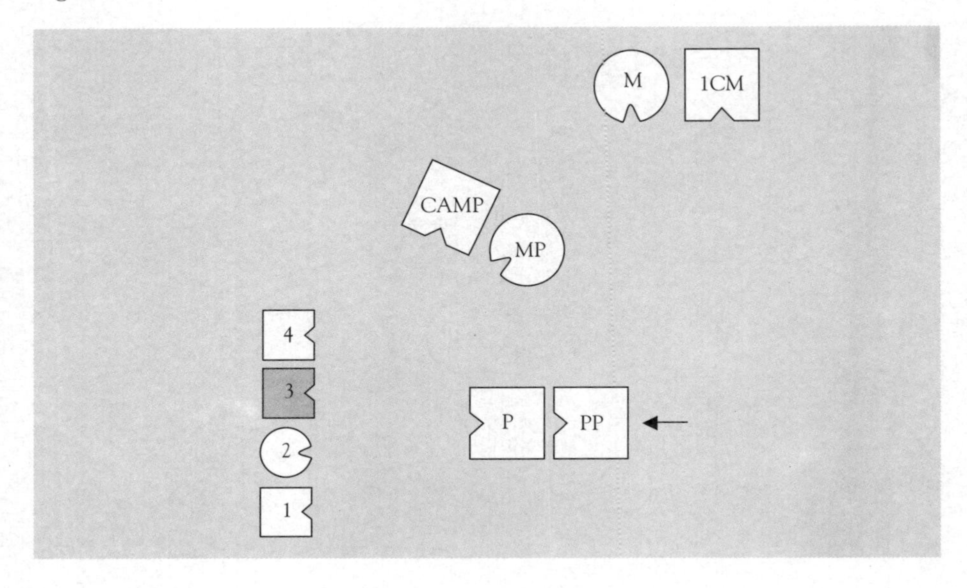

PP pai do pai

BERT HELLINGER *para o filho mais velho* Como se sente agora?
PRIMEIRO FILHO, HOMEM Melhor.

Hellinger posiciona os filhos de acordo com a idade.

BERT HELLINGER *para o pai* Como é para você agora?
PAI Está bem. Agora posso levantar a vista e perceber os filhos. Agora estou um pouco mais ligado a eles. Antes tinha de olhar para o chão diante de mim.
PRIMEIRO FILHO, HOMEM Tinha o tempo todo a sensação de que o pai ia cair para a frente e eu ia cair para trás. Quando o pai do pai chegou tudo isso desapareceu.
BERT HELLINGER *para o representante de Matthias* E para você?
TERCEIRO FILHO, HOMEM Tinha sintomas muito fortes na região do coração. Desde que o pai do pai está atrás dele posso respirar mais facilmente. O tórax está se abrindo.

Hellinger posiciona a mãe do pai e o companheiro extraconjugal no lado oposto. Ele coloca a mãe e o seu companheiro anterior à vista de todos.

Figura 7

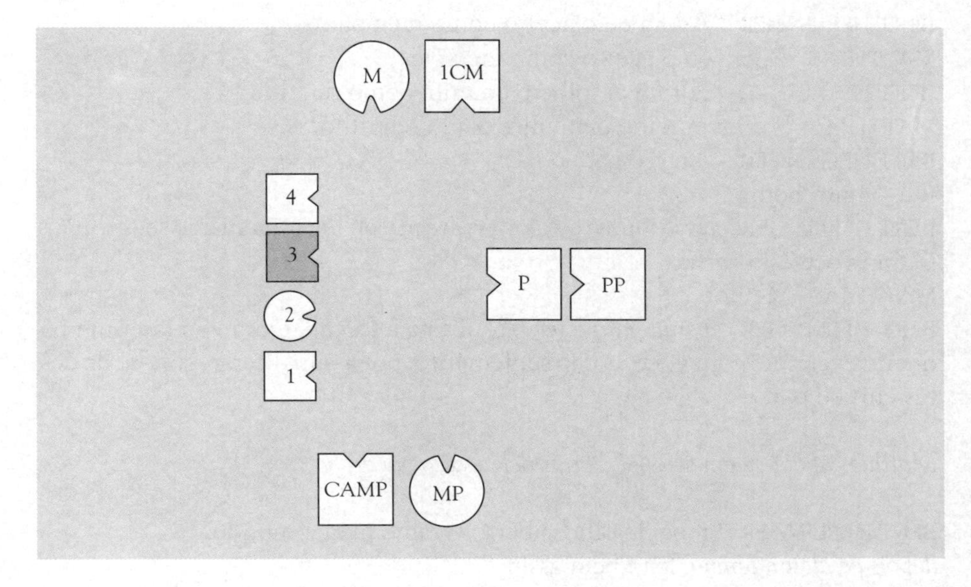

BERT HELLINGER *para Matthias* Posicione-se agora no seu lugar. Olhe para a mãe. Como você a chamava?
MATHIAS Mãe.
BERT HELLINGER Diga-lhe: "Mãe, eu deixo você partir".
MATTHIAS *comovido* Mãe, eu deixo você partir.
BERT HELLINGER "Eu fico com o pai."
MATTHIAS Eu fico com o pai.
BERT HELLINGER "Este é o lugar certo para mim."
MATTHIAS *soluça* Este é o lugar certo para mim.
BERT HELLINGER *para Matthias* Coloque-se ao lado do pai e diga de novo para a mãe: "Eu deixo você partir".
MATTHIAS *mais calmo e mais claro* Mãe, eu deixo você partir.
BERT HELLINGER "Eu fico com o pai."
MATTHIAS Eu fico com o pai.
BERT HELLINGER "Este é o lugar certo para mim."
MATTHIAS Este é o lugar certo para mim.
BERT HELLINGER "Ele é o certo para mim."
MATTHIAS Ele é o certo para mim.
BERT HELLINGER "Não tenho nada a ver com outros homens."
MATTHIAS Não tenho nada a ver com outros homens.

BERT HELLINGER Como é isso para a mãe?
MÃE Eu o amo muito e assim está bem.
BERT HELLINGER *para Matthias* Olhe para o pai e diga: "Pai".
MATTHIAS Pai.
BERT HELLINGER "Agora eu o aceito como meu pai."
MATTHIAS Agora eu o aceito como meu pai.
BERT HELLINGER "Por favor, olhe para mim como seu filho."
MATTHIAS Por favor, olhe para mim como seu filho.
BERT HELLINGER Como é para o pai?
PAI Muito bom.
BERT HELLINGER *para Matthias* Agora volte ao seu lugar na fila de seus irmãos. Como você está agora?
MATTHIAS Melhor.
BERT HELLINGER *aponta para o pai* Aqui está a força. Agora vou fazer um pequeno exercício com você, como suplemento, por assim dizer. Apóie-se de costas em seu pai.

Matthias apóia-se em seu pai. Atrás dele está o pai do pai.

BERT HELLINGER Fique de olhos abertos e olhe para o mundo.
depois de algum tempo Está bem assim?
MATTHIAS *assente com a cabeça e sorri* Está.
BERT HELLINGER Foi isso.

Depois de uma rodada

MATTHIAS Dou-me conta de que a força vem do pai. Antes de tudo preciso aproximar-me deste "posto de gasolina".
DANIELA Fiquei muito feliz com a constelação: Em primeiro lugar, quando a mãe disse que o amava. Isso abriu o meu coração. Em segundo, logo que vi os dois homens atrás dele, isto é, o seu pai e o seu avô. A força que emana desses homens é algo belo. Não preciso mais dar para Matthias essa força. Ele já a recebe de seu pai.
BERT HELLINGER *para Daniela* Até mesmo você recebe a força dele.
DANIELA Sim, é isso mesmo. Isso é muito bonito.

Não existe uma melhor edição do companheiro

DANIELA Uma coisa me deprime. Quando você disse a um casal, em uma rodada anterior, que se deve aceitar em seu parceiro também os seus pais, percebi que guardo um rancor secreto contra os pais de Matthias, porque penso que eles sejam culpados. Quando algo não está bem com Matthias, penso: Porque os seus pais eram assim, ele agora é assim.

BERT HELLINGER Sim, exatamente. Porque os seus pais eram assim, ele é assim. E porque os seus pais eram assim, você é assim.

Daniela e Matthias acenam com a cabeça.

DANIELA Eu sei.
BERT HELLINGER Não existe uma edição melhor do que essa que aí está.

Matthias e Daniela olham-se nos olhos e riem.

BERT HELLINGER Dele não existe edição melhor. A melhor você já a recebeu.
DANIELA Sim.

Continuação de Daniela na página 151

A separação

STEFFEN Minha expectativa com relação a esta oficina é esclarecer se para mim o caminho a seguir será sozinho ou a dois.
BERT HELLINGER Vocês são casados?
STEFFEN Não, mas no momento falamos muito em separação.
BERT HELLINGER Há quanto tempo vocês já estão juntos?
STEFFEN Há cinco anos.
BERT HELLINGER Você já se decidiu.

Depois de um longo silêncio Steffen e sua companheira assentem levemente com a cabeça.

BERT HELLINGER Está claro?
STEFFEN Não realmente.
BERT HELLINGER Você já se decidiu.
SABINE Para mim trata-se no fundo da mesma coisa. Não encontro nem um claro sim e nem um claro não. É isso que desejo.
BERT HELLINGER Parece-me que você também já se decidiu.
SABINE Mas tenho algo...
BERT HELLINGER Aconteceu algo significativo entre vocês?

Sabine começa a chorar.

Deixo aqui. Está bem?

Sabine concorda.

BERT HELLINGER Volto mais tarde a vocês.

Depois de uma outra rodada

Quando um parceiro rejeita o desejo do outro de ter filhos

STEFFEN Estou calmo apenas na aparência, interiormente estou em ebulição.
SABINE Estou pensando na sua pergunta anterior, se algo aconteceu. Antes, no primeiro momento, nada me ocorreu. Não existe um acontecimento especialmente dramático. No começo tive dificuldades em procurar um ponto fixo. Eu acho que é uma soma de muitos ferimentos.
BERT HELLINGER É um acontecimento decisivo.
SABINE Não consigo chegar ao ponto. No fundo, começou quando desejei ter um filho.
BERT HELLINGER Como ele reagiu?
SABINE Com muita rejeição.
BERT HELLINGER Sim, isso é o fim do relacionamento. É esse o resultado. É esse o ponto exato. Essa é a ferida.

Sabine concorda com a cabeça. Mais tarde Steffen concorda também.

Dois dias depois

Na maioria das vezes é justamente o contrário do que se diz

SABINE Hoje acordei pensando que, na verdade, sou eu quem não deseja ter filhos. Foi assim nos últimos anos. Por uns meses foi diferente.
BERT HELLINGER Você é muito sincera. Isso é então o que cura. Em meu trabalho descobri algo bem importante, ou seja, quase sempre é o contrário do que se diz.
SABINE Você quer dizer com isso que, na verdade, eu é que desejo ter filhos?
BERT HELLINGER Não. Você disse que Steffen não deseja ter filhos. Agora você viu que era o contrário. Quando a gente vê assim, chega-se a um nível melhor. Então acaba a superioridade e cada um permanece em um nível humano. A partir desse nível podemos falar um com o outro de igual para igual.
SABINE No entanto, eu tenho agora a sensação de que não é igual. Porque, na verdade, Steffen desejaria ter filhos.
BERT HELLINGER Agora é a sua vez.

Sabine ri.

BERT HELLINGER Está bem?
SABINE Não, porque você disse no início deste curso que em um caso assim o relacionamento acaba.
BERT HELLINGER *com muito humor* Desde quando se pode atar alguém às suas próprias palavras?

Sabine e Steffen riem.

BERT HELLINGER O que teria acontecido se ontem eu me tivesse deixado amarrar por você? Não teria acontecido nada. Acontece algo porque uma vez ou outra desisto de minhas próprias palavras. São estímulos que dou. Agora você tem uma outra compreensão, uma nova base. Agora vocês esperam – você espera, ele espera – até que a alma fique clara. Isso pode demorar. Não é preciso pressa. Não é necessário tomar nenhuma decisão, por assim dizer. Nesse nível as coisas simplesmente acontecem, porque não há luta. Mas antes de ter um filho vocês poderiam se casar.

Sabine e Steffen riem.

Um pouco mais tarde

Steffen: "Com o papai posso ficar"

A família de origem

STEFFEN Sinto-me um pouco fora de lugar aqui. Acho difícil ver todos esses casais. Não me sinto relacionado aqui. Isso está ficando bem claro para mim.
BERT HELLINGER *para Steffen e Sabine* Venham vocês dois para o meu lado. Vamos fazer algo?
STEFFEN Sim.
BERT HELLINGER Creio que agora você está maduro.

Steffen sorri.

BERT HELLINGER O que aconteceu em sua família de origem?
STEFFEN Há trinta anos que minha mãe tem profundas depressões. Durante muito tempo, era minha tarefa aliviá-la nessa sina.
BERT HELLINGER Certa vez um conhecido meu contou-me uma pequena história: Um homem tinha um amigo que ficou gravemente enfermo. O enfermo ficou de cama. O outro permaneceu durante a noite toda de vigília ao seu lado e morreu na manhã seguinte. Aquele que estava de cama voltou a levantar-se.

Steffen sorri e assente com a cabeça.

BERT HELLINGER Faz sentido para você?
STEFFEN Sim.
BERT HELLINGER O que aconteceu com o seu pai?
STEFFEN Tenho a sensação de que não estava presente. Viu-me pela primeira vez sete dias depois de meu nascimento. Quando soube disso, fiquei muito magoado com a idéia de que ele não tinha querido me ver antes.
BERT HELLINGER Você conhece a realidade? Você sabe o que aconteceu naquele tempo? Talvez algo o tenha impedido. Pode ser. Em que ano você nasceu?

STEFFEN 1962.
BERT HELLINGER O que o seu pai faz profissionalmente?
STEFFEN Está se aposentando agora.
BERT HELLINGER Qual era a sua profissão?
STEFFEN Engenheiro mecânico.
BERT HELLINGER Viajava?
STEFFEN Não, naquela época estava encarregado de um curso na universidade da mesma cidade. Meus pais nunca tiverem outro relacionamento e ainda vivem juntos.
BERT HELLINGER Os seus pais eram casados naquela época?
STEFFEN Quando me geraram, ainda não eram casados. Casaram-se por minha causa. Mas me asseguraram que teriam se casado de qualquer jeito.
BERT HELLINGER Você acreditou neles?
STEFFEN Sim.
BERT HELLINGER *para a companheira de Steffen* Ele acreditou neles?
SABINE *fita Steffen nos olhos* Escutei também outras versões.

Steffen assente levemente com a cabeça.

BERT HELLINGER *para Steffen* Você não acreditou neles. Senão não teria se sentido tão responsável por sua mãe. Vou lhe explicar o que acontece quando os pais se casam por obrigação: Quando se contrai um matrimônio por obrigação e um dos pais é infeliz ou depressivo então a criança se sente culpada. Sabe qual é a solução?
STEFFEN Devo confessar que não pude ouvir o que você disse. Estava com o pensamento em outro lugar.
BERT HELLINGER Não importa. A alma escutou.
STEFFEN Então vou confiar nela.
BERT HELLINGER Vamos montar a sua família de origem. Assim vamos poder ver melhor ainda. Você tem irmãos?
STEFFEN Uma irmã mais nova.
BERT HELLINGER Coloque pai, mãe, você e sua irmã mais nova.

Figura 1

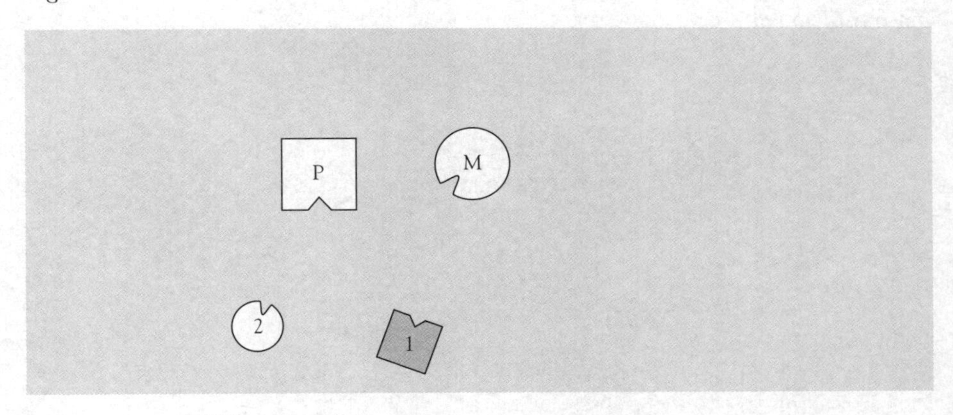

P	**pai**
M	**mãe**
1	**primeiro filho, homem (= Steffen)**
2	**segundo filho, mulher**

BERT HELLINGER *para Steffen* Seu pai ou sua mãe teve antes um relacionamento firme?
STEFFEN Não.
BERT HELLINGER Como se sente o pai?
PAI Não sinto nenhuma relação especial com ninguém. Sinto-me isolado.
BERT HELLINGER Como se sente a mãe?
MÃE Sinto dores nas costas do lado esquerdo. Quando o companheiro veio para o meu lado direito senti dores no ombro direito. Sinto intensa palpitação.
BERT HELLINGER *novamente para a mãe* Como está você?
MÃE Tenho problemas com os filhos.
BERT HELLINGER *para o representante de Steffen* Como se sente você?
PRIMEIRO FILHO, HOMEM Sinto-me como um saco.
BERT HELLINGER *para a irmã mais nova* E como você se sente?
SEGUNDO FILHO, MULHER Estou com palpitações. Sinto um pouco de calor pelo meu irmão. Mas não sinto nada em relação aos pais.
PRIMEIRO FILHO, HOMEM Também estou com palpitações.

Hellinger coloca a mãe cinco passos para o lado e de costas; o filho e a filha coloca em frente ao pai

Figura 2

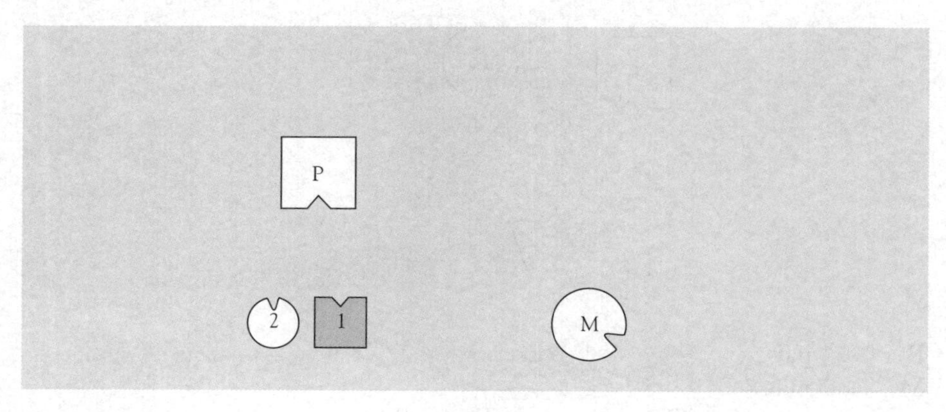

BERT HELLINGER *para o pai* Que tal?
PAI Agora sinto que eles são meus filhos. Está melhor.
BERT HELLINGER *para o representante de Steffen* Como está você?
PRIMEIRO FILHO, HOMEM Eu me sinto mais leve, aliviado, agradável.
BERT HELLINGER *para a irmã* E você?
SEGUNDO FILHO, MULHER Também melhor.
BERT HELLINGER *para Steffen* O que você diz disso?
STEFFEN *perplexo* Sim?
BERT HELLINGER A mãe quer partir e você quer impedi-la.
MÃE Gostaria imensamente de ir em direção àquele maravilhoso ornamento em flores que está à minha frente. *(Ela está voltada para uma parede decorada com lindas flores.)* Isso me daria muita satisfação.
BERT HELLINGER Essa é a ânsia de ir para o céu.
para Steffen O que aconteceu na família de origem de sua mãe?
STEFFEN O pai de minha mãe morreu na guerra quando ela tinha três anos.
BERT HELLINGER É isso. Ela quer ir para o pai.
STEFFEN Há algo mais. A sua irmã mais velha foi atropelada por um caminhão no décimo sexto aniversário de minha mãe. Desde então esse dia é festejado como o aniversário da morte.
BERT HELLINGER Sim, mas é o pai. Ele é a figura decisiva.

Hellinger escolhe um representante para o pai da mãe e o coloca à sua frente.

Figura 3

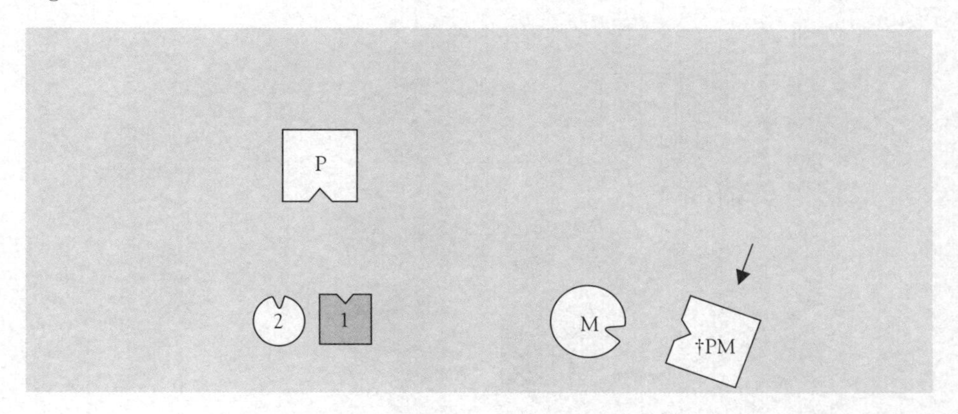

†PM pai da mãe, falecido na guerra quando a mãe tinha 3 anos de idade

BERT HELLINGER *para a mãe* Que tal agora para você?
MÃE Ele esconde as flores lá atrás. É difícil ver nele o pai.
BERT HELLINGER *para o pai* Como se sente?
PAI DA MÃE† Tenho uma relação com ela. É uma relação entre pai e filha.

Hellinger coloca a mãe agora à esquerda, perto do marido, e o pai dela ao seu lado.

BERT HELLINGER *para a mãe* Ou ele deve ficar atrás de você? O que é melhor?
MÃE Podemos experimentar?
BERT HELLINGER Sim.
MÃE Atrás de mim é melhor.

Hellinger coloca ainda a irmã que morreu tragicamente em um acidente ao lado da mãe. Então coloca o pai atrás de suas duas filhas.

Figura 4

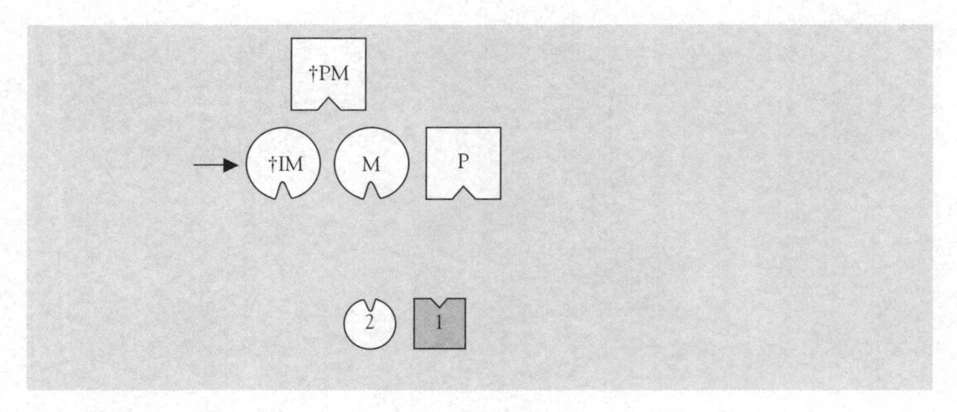

†IM irmã da mãe, que morreu em um acidente

BERT HELLINGER *para a mãe* Como você está agora?
MÃE Sinto uma relação muito forte com o pai e com a minha irmã. Agora posso também perceber meus filhos à minha frente.
BERT HELLINGER Como está o marido?
PAI A sensação boa continua.
BERT HELLINGER Vá um pouquinho mais para perto de sua mulher.

O marido se aproxima meio passo da mulher.

PAI Agora é uma sensação de família.
BERT HELLINGER *para o representante de Steffen* E você?
PRIMEIRO FILHO, HOMEM Quando a mãe veio para cá voltei a ter fortes palpitações. Mas assim mesmo é agradável.
BERT HELLINGER *para o representante de Steffen e sua irmã* Vocês precisam ir para o lado do pai. Vocês precisam ficar na esfera do pai porque o sistema da mãe está sobrecarregado.

Figura 5

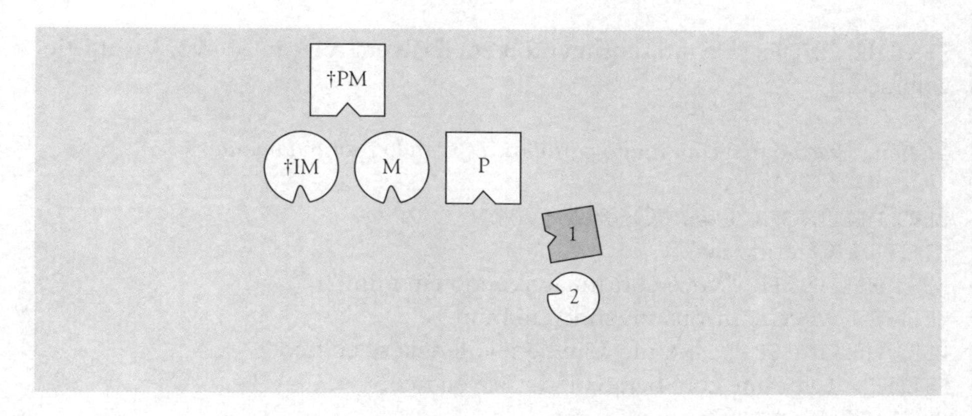

BERT HELLINGER *para o pai* Como se sente quando os filhos estão ao seu lado?
PAI Bem.
BERT HELLINGER *para o representante de Steffen* Como vai você?
PRIMEIRO FILHO, HOMEM Bem.
BERT HELLINGER *para a filha mais nova* Como vai você?
SEGUNDO FILHO, MULHER Melhor.

Steffen ocupa então seu lugar.

BERT HELLINGER *para Steffen* Você tem de olhar para todos.
STEFFEN É uma sensação boa. Tenho a sensação de que posso ficar aqui. Sinto-me acolhido e seguro.
BERT HELLINGER Diga à mãe: " Posso ficar aqui". Olhe para ela enquanto diz isso.
STEFFEN Posso ficar aqui.
BERT HELLINGER "Posso ficar com o papai."
STEFFEN Posso ficar com o papai.
BERT HELLINGER "Olhe-me com benevolência se fico com o papai."
STEFFEN Olhe-me com benevolência se fico com o papai.
BERT HELLINGER Como se sente a mãe ao ouvir isso?
MÃE Sinto um alívio muito grande.

Hellinger coloca Steffen em frente ao avô.

BERT HELLINGER Olhe para o avô. Incline-se diante dele e diga: "Querido avô, eu o reverencio".
STEFFEN *depois de muito silêncio* Querido avô, eu o reverencio.

Steffen está muito comovido.

BERT HELLINGER Há um sentimento bem forte em relação ao avô. Vá até ele e abrace-o.

Steffen abraça o avô com muito carinho, respirando profundamente.

BERT HELLINGER Diga: "Querido avô".
STEFFEN Querido avô.
BERT HELLINGER "Você continua vivendo em mim."
STEFFEN Você continua vivendo em mim.
BERT HELLINGER "Olhe-me com benevolência se eu fico."
STEFFEN Olhe-me com benevolência se eu fico.
BERT HELLINGER Como vai o avô?
PAI DA MÃE† Sinto uma outra coisa.
BERT HELLINGER O que você sente?
PAI DA MÃE† Sinto mais uma aversão. Tenho a sensação de que lhe tomei a mãe.
STEFFEN Senti repentinamente a minha avó diante de mim, e minha sensação foi: Não sei se ela me permite. Pois a minha avó olha-me às vezes cheia de saudades e me diz: "Você é como o meu marido". Isso é uma grande carga para mim. Preciso representar o marido para a minha avó. Percebo que isso se interpõe aqui.

Hellinger escolhe uma representante para a avó e a coloca ao lado do marido. Aí ele coloca Steffen ao lado de seu pai.

Figura 6

MM **mãe da mãe**

BERT HELLINGER *para Steffen* Diga à mãe: "Não importa o que aconteceu em sua família, eu fico com o pai".
STEFFEN Querida mãe, não importa o que aconteceu em sua família, eu fico com o pai.
BERT HELLINGER Agora diga também para o avô: "Eu fico com o meu pai".
STEFFEN Querido avô, eu fico com o meu pai.
BERT HELLINGER Diga isso também para a avó.

Steffen hesita.

BERT HELLINGER Diga: "Eu fico com o meu pai".
STEFFEN Eu fico com o meu pai.
BERT HELLINGER "Aqui é o lugar certo para mim."
STEFFEN Aqui é o lugar certo para mim.
BERT HELLINGER Que tal agora para o avô?
PAI DA MÃE† Bom.
BERT HELLINGER Para a avó?

A avó assente com a cabeça.

BERT HELLINGER Para a mãe?
MÃE Sempre tive a sensação de que o filho fizera isso por mim.
BERT HELLINGER Diga-lhe: "Por mim você está livre".
MÃE Por mim você está livre.
BERT HELLINGER "Eu o deixo com o seu pai."
MÃE Eu o deixo com o seu pai.
BERT HELLINGER "Com amor."
MÃE Com amor.
BERT HELLINGER Como se sente agora?
STEFFEN Está tudo bem. De repente ficou tudo tão fácil.
BERT HELLINGER Onde está a sua companheira?
SABINE Aqui.

Hellinger coloca Sabine alguns passos à frente de Steffen. Ambos fitam-se nos olhos.

BERT HELLINGER *para Steffen* Diga-lhe: "Eu fico. Agora eu fico".
STEFFEN Agora eu fico.
BERT HELLINGER *para Sabine* Como você se sente ao ouvir isso?
SABINE *chora* Não consigo acreditar.
STEFFEN Eu percebo...
BERT HELLINGER *para Steffen* Não, deixe estar. Agora estou com ela. Você não tem nada a ver com isso. Tem a ver com ela.

para Sabine depois de curto silêncio Você já esteve apaixonada por ele alguma vez?
SABINE Sim.
BERT HELLINGER Realmente?

Sabine ri descontraída e abertamente.

BERT HELLINGER Você poderia se lembrar.
sorrindo para Steffen Vou lhe dizer algo: Com ela você pode continuar a preocupação por sua mãe.
para Sabine Assim como ele ficou cuidando de sua mãe durante 30 anos, ele o faz com você também. Você quer que ele faça isso?
SABINE Não.
BERT HELLINGER E o que você diz agora?
SABINE *para Hellinger, depois de ter olhado longamente para Steffen* Não sei.
BERT HELLINGER Interrompo aqui. Preciso trabalhar com Sabine à parte mais tarde.
para Steffen Permaneça em sua boa posição. A força aí está agora. De acordo?

Steffen e Sabine assentem com um gesto e se sentam.

"Nós nos permitimos começar de novo"

BERT HELLINGER Gostaria de dizer algo sobre um segredo da felicidade: A felicidade tem memória curta. Não se recorda do que aconteceu antes. Entretanto, a infelicidade tem uma memória muito longa.

Quando houve dificuldades em um relacionamento é uma regra muito boa quando o casal diz: Nós nos permitimos começar de novo. E sobre o que aconteceu antes não se falará nunca mais. Nem sequer em pensamento. Esse seria o segredo da felicidade. Mas isso é fácil demais.

Steffen, Sabine e outros casais riem.

SABINE *sorrindo* É o que também me parece.

Um dia depois

As soluções simples são freqüentemente encaradas como uma ofensa

STEFFEN Quando penso na constelação de ontem, percebo que algo contradiz o meu conceito de vida, porque foi fácil demais.
BERT HELLINGER Exatamente.
STEFFEN Sempre vejo tudo como tão complicado e...

BERT HELLINGER Posso também fazer de maneira complicada, se você quiser. Faço isso quando alguém quer fazer um desvio. É quase uma ofensa que seja tão fácil.
STEFFEN Sim, porque coloca tudo o que houve antes em questão.
BERT HELLINGER A gente sente que muita coisa foi em vão. Depois da primeira Guerra Mundial houve a moeda de inflação. Com uma cédula de dez bilhões de marcos podia-se comprar um pãozinho. Algumas pessoas guardaram essas cédulas dizendo: Algum dia elas voltarão a ter valor.

Steffen ri e assente com a cabeça.

Alguns parceiros empregam seus sonhos para pregar uma peça no outro

SABINE Fiquei também totalmente surpreendida ao ver quão fácil foi a constelação de Steffen. Porque sempre parti do pressuposto de que...
BERT HELLINGER Não repita! Por favor!

Sabine ri.

SABINE Tive a sensação de que a culpa é minha.
BERT HELLINGER Sim, é sua. Vimos isso ontem bem nitidamente. Ele estava disposto e você o recusou.

Sabine acena levemente com a cabeça.

BERT HELLINGER Vou lhe contar um segredo: dois pecadores se entendem melhor. Você contou ontem que ele a magoara naquela época.
SABINE Hum-hum.
BERT HELLINGER Ontem você o magoou. Foi a compensação. Agora vocês podem começar de novo.
SABINE Percebo que já há muito tempo que estou pensando em separação e, na verdade, já estou indo. Mas não posso ir.
BERT HELLINGER Você sabe por quê?
SABINE Não.
BERT HELLINGER Você lhe deve algo.
SABINE Mas eu não sei por quê.
BERT HELLINGER Eu lhe disse: Você lhe deve algo.
SABINE Não sei o quê. Esta noite tive dois sonhos, onde eu...
BERT HELLINGER *interrompe-a* Quero lhe dizer algo sobre sonhos: eles são "somente" sonhos. Alguns parceiros empregam seus sonhos para pregar uma peça no outro. Eles dizem: Sonhei que você... Tomam isso como se fosse uma revelação divina. A maioria dos sonhos sobre outros são um truque astuto se

são relatados. Eles não têm nada a ver com a outra pessoa; mas só com aquele que sonhou.
SABINE Sei disso. Também não queria contar isso assim, agora.
BERT HELLINGER Bom.
SABINE No primeiro sonho uma casa desabou e eu me senti responsável pela sua reconstrução. No outro sonho havia uma escada, que era velha e estava consertada e eu a quebrara. Senti-me responsável, mas percebi que não tinha nenhuma vontade de reconstruí-la.
BERT HELLINGER Quero dizer-lhe algo sobre sonhos. A primeira frase é que conta. Qual foi a primeira frase? A casa desabou. Ponto. É este o sonho. O sonho atua se você ficar com a primeira frase. Está bem?
SABINE Gostaria de trabalhar hoje porque tenho a sensação de...
BERT HELLINGER Não tenho certeza de que seja o certo.
SABINE Tenho a sensação de que há algo que não entendo.
BERT HELLINGER *depois de uns instantes* Tenho um teste bem simples para você. Imagine as duas situações: na primeira, eu trabalho com você. Na segunda, eu me recuso a fazê-lo, mas com a atenção dirigida a você. Quando você é mais forte? Se eu o faço ou se eu não o faço?
SABINE Se você o faz.
BERT HELLINGER Não, se não o faço. Esse é o desafio maior. Pergunto-me também: Quando sou mais forte? Não no sentido de superioridade, mas quando guardo a minha dignidade? Se eu o faço ou se não o faço? Para mim está bem claro. Eu guardo a minha dignidade, conservo a minha força se não o faço. Caso contrário, deixo-me utilizar para algo que vejo de antemão não ter nenhum sentido.

Sabine assente com a cabeça.

Um pouco mais tarde

Sabine: "Mamãe, meu lugar é com você"

A família de origem

BERT HELLINGER Está bem, podemos continuar a trabalhar.
para Sabine Vou fazer uma constelação com você.
SABINE *surpreendida* Como assim?!
BERT HELLINGER Como você vê, estou sempre pronto para surpresas.

Sabine ri.

BERT HELLINGER Está bem, coloque a sua família de origem. Quantos filhos vocês são?

SABINE Oito.
BERT HELLINGER Oito filhos! Qual o lugar que você ocupa entre os irmãos?
SABINE Sou o quarto filho.
BERT HELLINGER Morreu talvez alguma criança?
SABINE Não, houve um aborto espontâneo no terceiro mês.

Figura 1

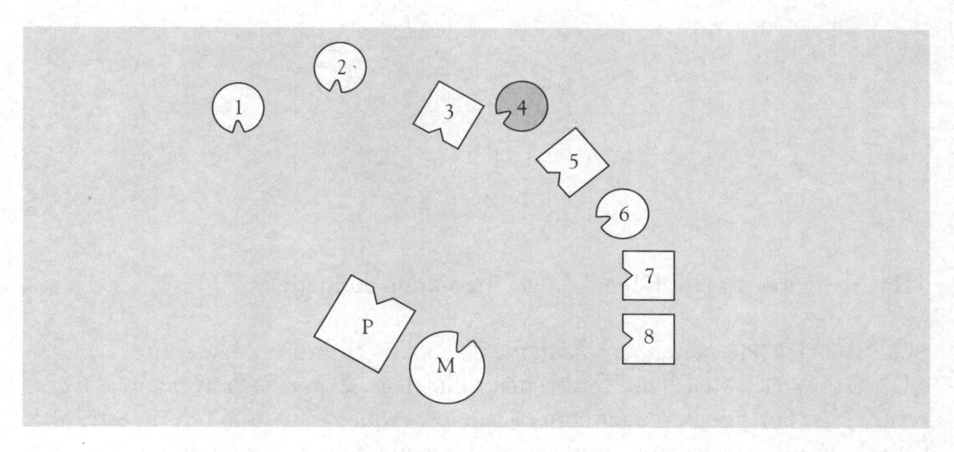

P **pai**
M **mãe**
1 **primeiro filho, mulher**
2 **segundo filho, mulher**
3 **terceiro filho, homem**
4 **quarto filho, mulher (= Sabine)**
5 **quinto filho, homem**
6 **sexto filho, mulher**
7 **sétimo filho, homem**
8 **oitavo filho, homem**

BERT HELLINGER *para Sabine* Aconteceu algo de especial na família de seu pai?
SABINE Eram três filhos. A irmã mais nova morreu com 5 anos.
BERT HELLINGER *para Sabine* Quem você representa? Olhe uma vez para a sua constelação. Coloque a irmã mais nova de seu pai.

Figura 2

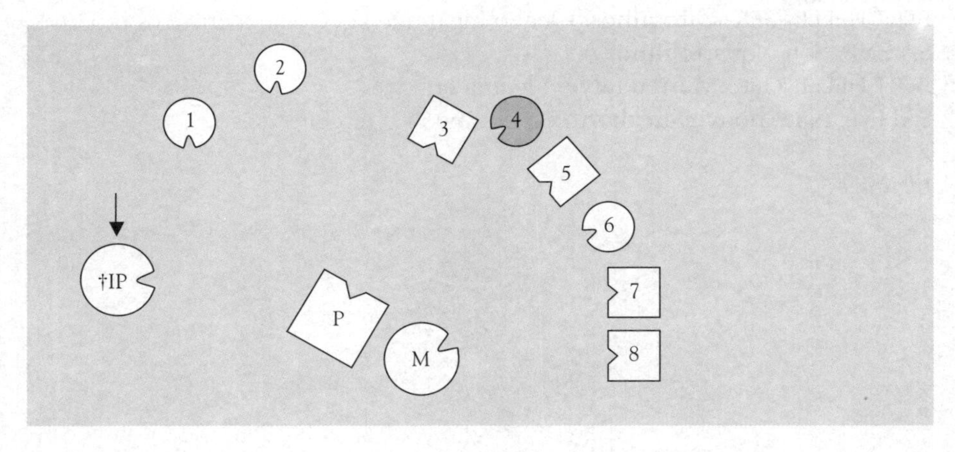

†IP irmã do pai, falecida aos cinco anos de idade

BERT HELLINGER *para a representante de Sabine* Como você se sente?
QUARTO FILHO, MULHER Tenho mãos elétricas. Como se estivessem sob corrente. Não consigo perceber bem os irmãos. Aqui existe uma tensão estranha. Olho por entre os irmãos, desde que apareceu a falecida irmã de meu pai. Ela é interessante. Mas não olho realmente para lá, só mais ou menos, assim, um pouquinho.
BERT HELLINGER Como se sente o pai?
PAI O mais interessante são os filhos que se encontram à esquerda. A minha direita esquentou quando os filhos apareceram. Em princípio, sinto-me bem. Quando a irmã falecida foi colocada perto de mim, senti calafrios. Quando foi colocada alguns passos para trás ficou neutro.

Hellinger faz o marido e a mulher trocarem de lugar. Então coloca a irmã falecida à direita ao lado do marido. Os filhos à sua direita retrocedem dois passos.

Figura 3

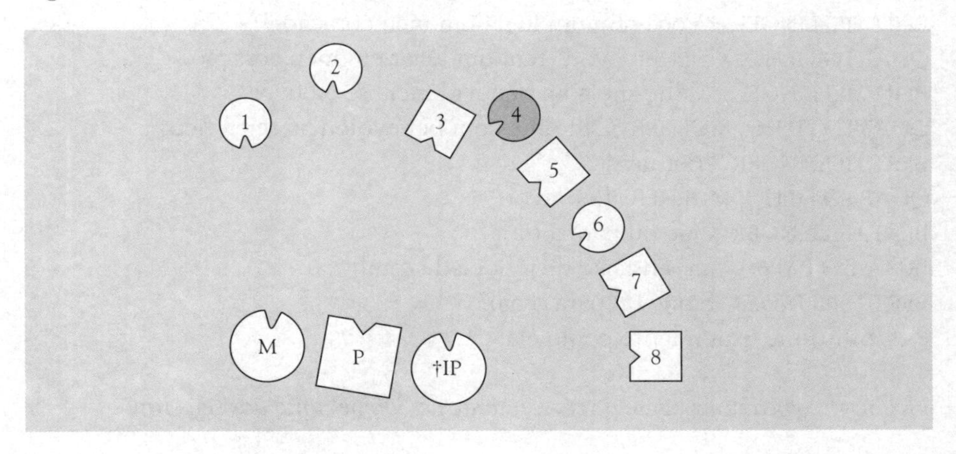

BERT HELLINGER O que mudou para o pai?
PAI Está agradável.
BERT HELLINGER *para a representante de Sabine* Para você?
QUARTO FILHO, MULHER Agora preciso olhar para o pai, para a mãe e para a irmã falecida do pai.

Hellinger coloca a representante de Sabine um pouco mais para a frente.

Figura 4

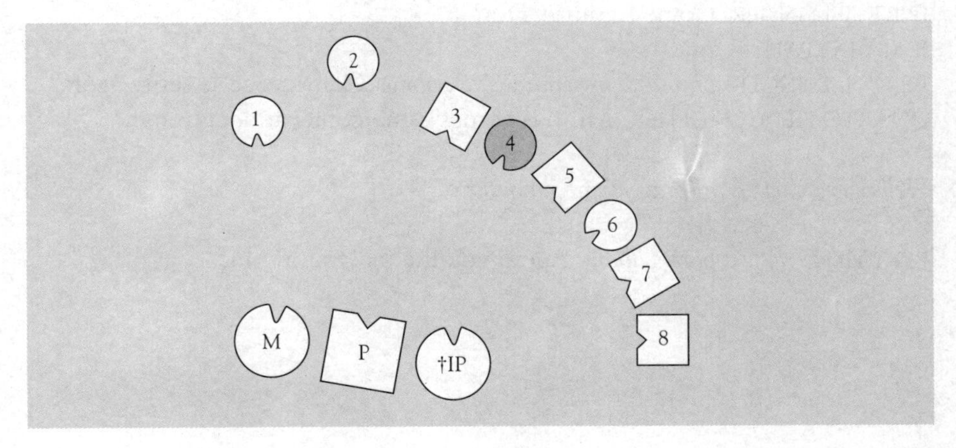

QUARTO FILHO, MULHER Dói-me olhar para a tia falecida. *Ela está comovida.* Gostaria de correr para ela. Sinto-me atraída por ela.
BERT HELLINGER Faça isso. Vá até ela e diga: "Querida tia".
QUARTO FILHO, MULHER *depois de ter-se colocado à sua frente* Querida tia.
BERT HELLINGER "Você tem um lugar em meu coração."
QUARTO FILHO, MULHER Você tem um lugar em meu coração.
BERT HELLINGER "Olhe-me com benevolência se eu fico."
QUARTO FILHO, MULHER Olhe-me com benevolência se eu fico.
BERT HELLINGER "Por favor."
QUARTO FILHO, MULHER Por favor.
BERT HELLINGER Que tal para a tia?
IRMÃ DO PAI† Uma sensação de felicidade total.
BERT HELLINGER E que tal para o pai?
PAI Sinto-me exatamente como ela.

Hellinger coloca novamente a representante de Sabine junto aos seus irmãos.

BERT HELLINGER *para o pai* Diga à sua irmã: "Esta é a minha mulher e estes são todos os meus filhos".
PAI Esta é a minha mulher e estes são todos os meus filhos.
BERT HELLINGER "Oito filhos."
PAI Oito filhos.
BERT HELLINGER "Olhe-nos com benevolência."
PAI Olhe-nos com benevolência.
BERT HELLINGER "Você tem um lugar em meu coração."
PAI Você tem um lugar em meu coração.
BERT HELLINGER Como se sente a tia?
IRMÃ DO PAI† Bem.
BERT HELLINGER *para a representante de Sabine* Como você se sente agora?
QUARTO FILHO, MULHER Minhas pernas estão começando a tremer.

Hellinger coloca a própria Sabine no quadro.

BERT HELLINGER *para Sabine* Agora vou lhe mostrar a solução.

Bert Hellinger coloca-a ao lado da mãe, do pai e da falecida irmã do pai.

Figura 5

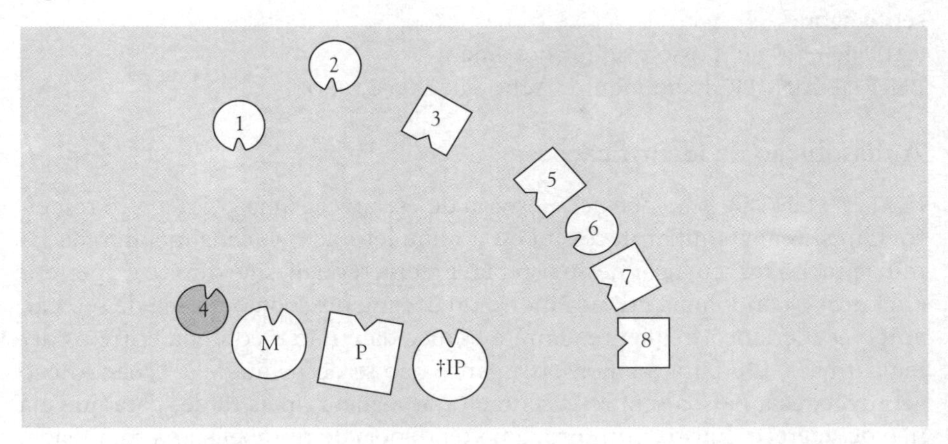

Sabine está muito comovida e chora.

BERT HELLINGER Olhe para a mãe e diga-lhe: "Meu lugar é com você". *Sabine chora e abaixa a cabeça.* Olhe para ela. Como você a chamava?
SABINE Mamãe.
BERT HELLINGER Diga-lhe: "Mamãe, meu lugar é aqui com você".
SABINE *chorando* Mamãe, meu lugar é aqui com você.
BERT HELLINGER "Segure-me para que eu fique."
SABINE Segure-me para que eu fique com você.
BERT HELLINGER *para a mãe* Tome-a nos braços.

Sabine permanece por algum tempo chorando nos braços da mãe e respira profundamente.

BERT HELLINGER *para Sabine* Agora coloque-se novamente ao lado de sua mãe e olhe para o pai. Como você o chamava?
SABINE Papai.
BERT HELLINGER "Papai, eu fico com a mamãe."
SABINE Papai, eu fico com a mamãe.
BERT HELLINGER "Eu amo a sua irmã e fico com a mamãe."
SABINE *comovida* Eu amo a sua irmã e fico com a mamãe.
BERT HELLINGER "Olhe-me com benevolência".
SABINE Olhe-me com benevolência.
BERT HELLINGER Que tal para o pai?
PAI Bom.

BERT HELLINGER Diga à sua filha: "O seu lugar é com a sua mãe".
PAI O seu lugar é com a sua mãe.
BERT HELLINGER Agora coloque-se novamente entre os seus irmãos. Como se sente agora?
SABINE *aliviada* Posso respirar novamente.
BERT HELLINGER Exatamente. Acho que isso é tudo.

A dissolução de identificações

BERT HELLINGER *para Sabine* Gostaria de esclarecer uma coisa a esse respeito: Um sistema familiar necessita estar completo. Isto é, cada membro da família precisa ter seu lugar nesse sistema. Precisa ter o mesmo direito de pertencimento. Quando uma criança morre precocemente, como a irmã de seu pai, então essa criança freqüentemente é esquecida e não é contada entre os demais irmãos. Ou falta o amor, ou a gente não se despediu dela. Quando isso acontece, essa pessoa será representada por alguém, mais tarde, para que ela não desapareça. Existe, portanto, uma tendência de restabelecer a totalidade, pelo menos de forma substitutiva. Então, pessoas inocentes são tomadas a esse serviço sem que ninguém seja culpado, sem que ninguém o deseje. Ninguém obrigou ou disse algo a ela. Isso vem das profundezas. Existe essa identificação. Então você se sente como a irmã de seu pai. Você se coloca de fora, como se não pertencesse ao sistema. Assim como você fez aqui. Você não pode se dirigir a outros porque não se sente pertencente. Está relacionado com isso. Essa é a identificação.

A pergunta é: Como se dissolve isso? A identificação atua fazendo com que eu seja como a outra pessoa, mas eu não a vejo, porque sou como ela. Na constelação essa pessoa é colocada em frente à outra. Portanto, a tia foi colocada à sua vista. E agora o amor flui de você para ela. Esse amor dissolve a identificação.

Esse é o primeiro passo. Mas ele não basta, aqui. Necessita-se dar mais um passo adiante em direção à solução. Se a filha está identificada com a irmã do pai precocemente falecida, então tiro a filha da esfera de influência da família paterna e a coloco na esfera de influência da mãe. Isso também dissolve a identificação. Para as meninas é especialmente bom ficar ao lado da mãe.

Depois de colocarmos isso em ordem você pode ficar entre os seus irmãos e agora está livre. Mas somente se você quiser.

Sabine ri e assente com a cabeça.

Quando os casais descobrem os emaranhamentos nas famílias de origem podem agir melhor.

SABINE Estou ainda totalmente perturbada pela minha constelação. Isso é tão novo. Sinto que tenho primeiramente de me acostumar a essa nova visão.

BERT HELLINGER Você conhece a minha história do esquimó?
SABINE Não.
BERT HELLINGER O esquimó foi de férias para o Caribe. Acabou se acostumando.

Sabine e Steffen riem.

STEFFEN Estou começando a pensar no que será de nós agora. Percebo que aí estava a história de minha origem, ali a história de sua família e agora? Sim, e agora?
BERT HELLINGER A gente vê como os relacionamentos são influenciados pelos emaranhamentos na família de origem e também são freados por eles. Quando se vê o que há na família do outro então a compreensão mútua dá-se de maneira totalmente diferente. Talvez a gente possa ver o outro direito pela primeira vez, porque na verdade não o tínhamos visto antes. Não importa que decisão vocês tomem, vocês têm agora um quadro mais claro.

A pergunta pelo porquê

STEFFEN Sinto-me bem enquanto não coloco minha cabeça para funcionar. A cabeça quer sempre fazer inúmeras perguntas e receber respostas. Entretanto, se deixo estar, sinto que está tudo bem.
BERT HELLINGER O que você acaba de descrever é o separar-se do eu em direção à alma. A alma não precisa de respostas. Sabe exatamente como se movimentar. Freqüentemente desejamos dirigir ou controlar o que se passa na alma. Então a alma se retrai novamente. A alma sabe mais do que a cabeça. Não é que a gente deva desligar a cabeça, isso seria absurdo. Mas a pergunta é: Quem dirige? A cabeça ou a alma? Quando a cabeça é colocada a funcionar então ocorre o mesmo que aos habitantes de Colônia com os duendes. Você conhece a história?

Steffen dá a entender que só a conhece em parte.

BERT HELLINGER Naquele tempo os habitantes de Colônia só precisavam ir dormir e na manhã seguinte todo o trabalho tinha sido feito. Isso continuou assim até que um dia alguém quis saber o porquê. A pergunta: "Por quê?" é, na verdade, uma má pergunta. A curiosidade vem da cabeça. A alma não é curiosa. A alma flui.
SABINE Ainda estou pensando na pergunta: Qual é a minha culpa? Ou o que lhe devo? Noto que não consigo ir adiante.
BERT HELLINGER Algo assim pode ocupá-la a vida toda. Se você agora esquecesse essa pergunta, o que você faria?
SABINE Ficaria mais aliviada.

BERT HELLINGER Exatamente. Ou eu olho para a frente ou eu olho para trás. Um processo sumamente importante num relacionamento de casal é o ponto final quando algo não deu certo. Não se fala nunca mais sobre isso. Isso é muito importante. A gente se decide de novo e começa de novo: apaixonando-se, ficando noivo e casando-se. Começa-se com o primeiro ramalhete de flores.

Sabine e Steffen sorriem e acenam com a cabeça.

BERT HELLINGER Entretanto, é preciso estar em concordância com a alma. Não se pode fazer isso artificialmente. O bom caminho consiste em colocar um ponto final no passado e olhar para a frente. Tampouco tem-se tanto tempo para ficar constantemente se ocupando com o passado.
SABINE Mas você também disse no curso: Quando um fere o outro, então a pessoa que foi ferida deve devolver também algo mau, mas um pouquinho menos mau. Agora você diz que não devo compensar dessa forma, mas colocar um ponto final.
BERT HELLINGER *sorrindo* Esse é o segundo método.

Sabine e Steffen riem.

BERT HELLINGER De acordo?
SABINE Sim.

Continuação de Sabine e Steffen na página 152

Muitas pessoas correm atrás da felicidade

Continuação da página 40

MARGIT Estou nervosa e também gostaria de conseguir um espaço aqui.
BERT HELLINGER Sim, e então?
MARGIT Não gostaria de lutar contra o tempo. O curso não vai durar muito.
BERT HELLINGER Você me conquistou agora?
MARGIT Não, mas descarreguei uma parte do meu aborrecimento.
BERT HELLINGER Ganhou-me agora?
MARGIT Não.
BERT HELLINGER E como pode ganhar-me?
MARGIT Não sei no momento.
BERT HELLINGER *para o grupo* O que está acontecendo agora é algo que ocorre de forma semelhante em um relacionamento de casal. Em um de meus cursos havia uma mulher que contou que todos os domingos acontecia o mesmo drama em sua casa. No domingo o marido levanta mais cedo, veste os filhos, prepara o café da manhã e a mulher pode ficar descansando na cama. Depois

de ter preparado tudo o marido e os filhos chamam a mãe: "Mamãe, o café da manhã está pronto". Às vezes ela ainda está na cama ou tomando banho e responde: "Vocês podem começar sem mim". Mas eles não o fazem. Todos os domingos esperam até que a mãe chegue. Então ela fica zangada com eles.

Eu lhe disse que existia uma solução bem simples. Na próxima vez bastaria dizer: "Fico feliz que tenham esperado por mim". Aí ela ficou brava comigo. No curso, ficou três dias sem dizer-me uma palavra. Então lhe perguntei: Qual seria a melhor solução? Ela me respondeu: "Quando eu digo, comecem, eles devem começar!"

Todos os participantes do grupo riem.

Então pensei: O que acontece se a mulher disser isso e o que acontece se disser: "Fico feliz que tenham esperado por mim"?
MARGIT Assim ela valoriza e reconhece a maneira de ser do marido.
BERT HELLINGER Algo se transforma nela, no marido e em seus filhos. Mas ela não tem qualquer controle sobre isso. Mas se ela disser, comecem e eles começarem, então ela tem o controle. Porém, que benefício traz isso?

Margit assente com a cabeça.

BERT HELLINGER Ocorreu-me algo sobre a felicidade quando estava refletindo: Alguns correm atrás da felicidade, mas não conseguem alcançá-la. Você sabe por quê? Porque, na verdade, a felicidade corre atrás deles e não pode alcançá-los porque eles correm atrás da felicidade.

Continuação de Margit e Dieter na página 120

O principal obstáculo para a reconciliação é o companheiro que pensa estar com a razão

GEORG Estou casado com Katharina há 11 anos. Estamos vivendo separados há cinco meses. Gostaria de descobrir se a base emocional que, no momento, penso estar perdida, ainda existe para a minha mulher. Se existe para nós um futuro em comum.
BERT HELLINGER Para você ainda existe. Mas a pergunta é se para ela ainda existe.
para a mulher de Georg Você está zangada com ele?

Katharina assente afirmativamente com a cabeça.

BERT HELLINGER É uma sensação boa?

Katharina nega, sacudindo levemente a cabeça.

BERT HELLINGER É uma boa sensação estar zangada. Especialmente quando se tem razão.

Katharina assente com a cabeça.

BERT HELLINGER O principal obstáculo para a reconciliação é sempre aquele que pensa estar com a razão. Dei-lhe uma dica?

Katharina acena com a cabeça.

KATHARINA Gostaria de ver se é uma separação de verdade.

Bert Hellinger faz um gesto afirmativo

Um dia mais tarde

Katharina e Georg: "Olhe-nos com benevolência"

A família atual e as famílias de origem

BERT HELLINGER Está bem, vou trabalhar com vocês dois agora. Vocês são casados?
GEORG Sim.
BERT HELLINGER Há quanto tempo?
GEORG Há 11 anos.
BERT HELLINGER Algum de vocês já foi casado anteriormente?
GEORG Não.
BERT HELLINGER Vocês têm filhos?
GEORG Três filhos.
BERT HELLINGER *para Katharina* Vamos colocar o sistema atual: o marido, a mulher e os três filhos. Morreu algum filho?
GEORG Não.
BERT HELLINGER Qual é a idade dos filhos?
KATHARINA Seis, oito e dez anos.

Figura 1

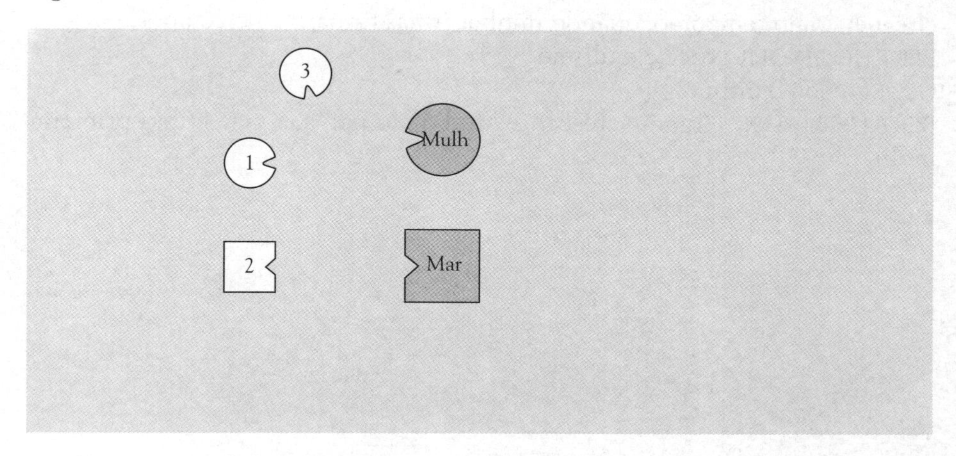

Mar	**marido (= Georg)**
Mulh	**mulher (= Katharina)**
1	**primeiro filho, mulher**
2	**segundo filho, homem**
3	**terceiro filho, mulher**

BERT HELLINGER *para o representante de Georg* Como se sente o marido?
MARIDO Tenho a ver demais com o filho. Há homens demais aqui. Sinto pouco a minha mulher. Gostaria de ter a filha mais velha no lugar do filho. E a filha menor de certa maneira está de fora.
BERT HELLINGER *para a representante de Katharina* Como se sente a mulher?
MULHER O meu braço esquerdo está muito pesado. Tenho fortes palpitações. Gostaria de ter o filho mais perto de mim.
BERT HELLINGER Como a filha mais velha se sente?
PRIMEIRO FILHO, MULHER Sinto-me atraída em direção ao meu irmão. Mas tenho um sentimento de afeto para ambos os lados.
BERT HELLINGER Como se sente o filho?
SEGUNDO FILHO, HOMEM Gostaria de passar entre os pais e sair.
TERCEIRO FILHO, MULHER Estou um pouco só. Mas a minha irmã toma conta de mim.
GEORG Esta constelação está cem por cento certa.
BERT HELLINGER *para Georg* O filho está em perigo. Você sabe por quê? O que aconteceu em sua família de origem? Aconteceu algo de especial?
GEORG A filha mais velha do primeiro casamento de meu pai abandonou a família. Rompeu com todos. Ela nasceu do primeiro casamento de meu pai. Meu pai foi casado duas vezes. A sua primeira mulher morreu de câncer. Não sei quando faleceu. Para mim é difícil ordenar os fatos cronologicamente. Minhas irmãs tinham entre nove e onze anos de idade. Meu pai casou-se então

com a minha mãe. Minhas irmãs tinham naquela época 13 e 15 anos. Aí eu cheguei como temporão, quando minhas irmãs tinham 18 e 20 anos.
BERT HELLINGER Você é o último?
GEORG Sou o último.
BERT HELLINGER Agora acrescente ainda: seu pai, sua mãe e essa primeira mulher.

Figura 2

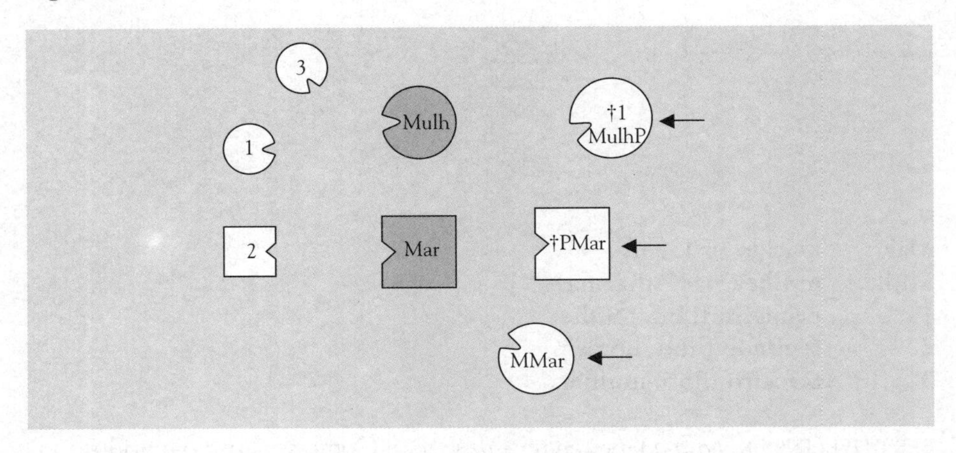

†PMar **pai do marido, que faleceu quando Georg tinha 15 anos de idade**
MMar **mãe do marido**
†1MulhP **primeira mulher do pai, que morreu de câncer**

BERT HELLINGER O que mudou para o filho?
SEGUNDO FILHO, HOMEM Senti um bem-estar repentino. Senti-me imediatamente aliviado e agora posso ficar muito bem aqui.
BERT HELLINGER Como vai o marido?
MARIDO No momento em que meu pai se postou atrás de mim, o filho dirigiu para mim o seu olhar e nós temos uma relação. Sinto-me bem com o meu filho. Antes lamentava que o meu filho quisesse passar por mim e partir.
BERT HELLINGER *para Georg* Seu filho representa provavelmente o seu pai. O seu pai queria suicidar-se? Ele queria morrer?
GEORG Não, mas morreu cedo. Ele morreu quando eu tinha 15 anos.
BERT HELLINGER Seu pai seguiu a sua primeira mulher. Faz sentido?
GEORG Sim, faz sentido.
BET HELLINGER Agora vou configurar uma imagem da ordem.

Hellinger faz o marido e a mulher trocarem de lugar. Então coloca a falecida primeira mulher do pai e sua segunda mulher, a mãe de Georg, ao lado do representante de Georg.

BERT HELLINGER *para o representante de* Georg Que tal? Melhor ou pior?
MARIDO É diferente. Estava tão bom com o filho.
BERT HELLINGER *para* Georg Você está totalmente fixado em seu pai. Por isso você não está livre para a sua mulher. Faz sentido?

Georg assente levemente com a cabeça.

Hellinger coloca a falecida primeira mulher de seu pai para o lado, atrás dela seu falecido pai e atrás dele seu filho.

Figura 3

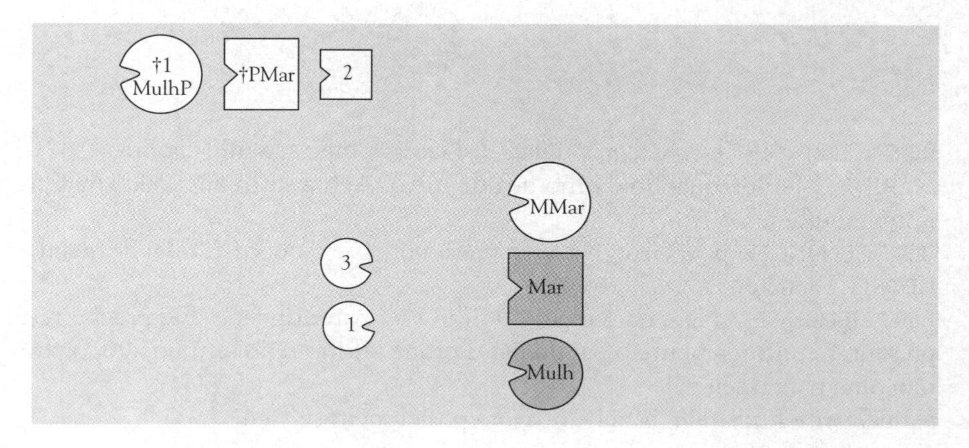

BERT HELLINGER A dinâmica é a seguinte: A primeira mulher morre, o pai morre, Georg quer seguir o pai, e o seu filho o faz em seu lugar.
para o representante de Georg Que tal se o filho está lá?
MARIDO Muito ruim.
BERT HELLINGER Sim, exatamente. Mas essa é a dinâmica secreta na família.
BERT HELLINGER *para o pai do marido* Como se sente aí?
PAI DO MARIDO† Eu me sinto bem. Melhor do que antes.
BERT HELLINGER Exatamente, o pai quer seguir a sua mulher. Provavelmente Georg quer partir no lugar do pai. Essa também seria uma possível dinâmica. Em todo o caso deixo as especulações e trago diretamente a boa solução.

Figura 4

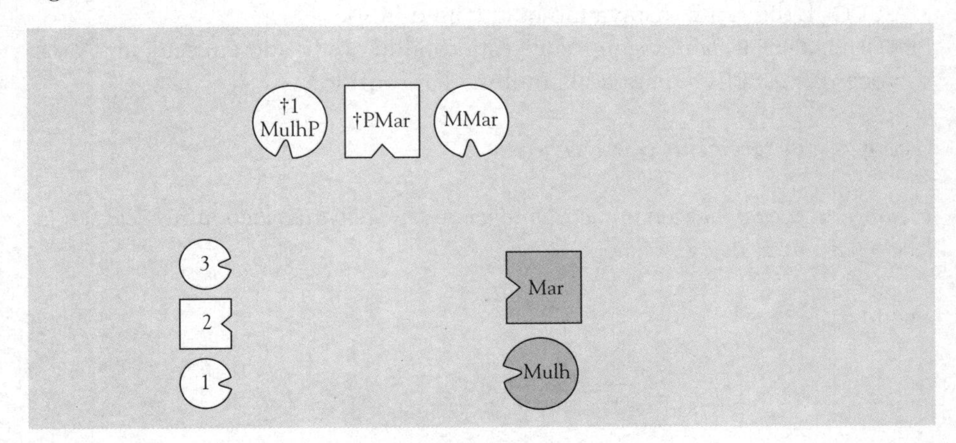

BERT HELLINGER *para o representante de Georg* Como se sente agora?
MARIDO Melhor, quando o filho fica no meio. Agora sinto um pouco mais a minha mulher.
BERT HELLINGER *para Georg* O seu representante se esquece de falar de quem?
GEORG Da mãe?
BERT HELLINGER Não, de seu pai. O filho está parentificado. Ele precisa representar continuamente o pai do pai. Porque o filho representa o avô, o pai não olha para o seu pai.
para Georg e Katharina Está bem, agora posicionem-se aqui.

Quando Georg e Katharina ocupam seus lugares na imagem de solução, Georg olha fascinado para seu filho.

BERT HELLINGER *para o grupo* Georg faz o mesmo. Ele não olha para o seu pai.

Hellinger coloca Georg em frente ao pai. Então dá-lhe tempo para que este dirija o olhar para seu pai.

BERT HELLINGER *para Georg* Olhe para o seu pai. Diga-lhe: "Foi muito cedo".
GEORG Foi muito cedo.
BERT HELLINGER Diga-o com amor.
GEORG Foi muito cedo.
BERT HELLINGER "Você me fez falta."
GEORG Você me fez falta.
BERT HELLINGER *para o representante do filho de Georg* Coloque-se ao lado de seu pai.
para Georg Tome o filho pela mão e inclinem-se ambos diante de seu pai.

Georg segura o filho pela mão. Ambos inclinam-se profundamente diante do pai.

BERT HELLINGER *para Georg* Como você chamava o seu pai?
GEORG Papai.
BERT HELLINGER "Querido papai."
GEORG Querido papai.
BERT HELLINGER "Este é o meu filho."
GEORG *comovido* Este é o meu filho. Aqui ao meu lado.
BERT HELLINGER "Olhe-nos com benevolência, a nós dois."
GEORG Olhe-nos com benevolência, a nós dois.
BERT HELLINGER "Se ficamos."
GEORG Se ficamos.
BERT HELLINGER "O tanto que pudermos."
GEORG O tanto que pudermos.
BERT HELLINGER *para Georg* Que tal para você?
GEORG Sinto-me quente e sereno.
BERT HELLINGER *para o filho* Para você?
SEGUNDO FILHO, HOMEM Também, muito bem.
BERT HELLINGER Como vai o pai de Georg?
PAI DO MARIDO† Estou muito comovido.
BERT HELLINGER *para Georg* Diga ao seu pai: "Eu me coloco ao lado de minha mãe".
GEORG Eu me coloco ao lado de minha mãe.
BERT HELLINGER "Eu deixo você partir."
GEORG Eu deixo você partir.
BERT HELLINGER "E me coloco ao lado de minha mãe."
GEORG E me coloco ao lado de minha mãe.

Georg coloca-se ao lado de sua mãe. O seu filho volta para o lado de seus irmãos.

BERT HELLINGER *para Georg* Olhe para a mãe e diga-lhe. "Eu fico com você."
GEORG Eu fico com você.
BERT HELLINGER "Mesmo que o papai se vá, eu fico com você."
GEORG Mesmo que o papai se vá, eu fico com você.
BERT HELLINGER Como é isso?
GEORG *sacode a cabeça* Estranho.
BERT HELLINGER *para a mãe* Pegue Georg pela mão e vá com ele até à primeira mulher. Inclinem-se ambos diante dela.

A mãe e Georg inclinam-se profundamente diante da primeira mulher do pai.

BERT HELLINGER *para a mãe* Endireite-se. Diga-lhe: "Eu a reverencio".

MÃE Eu a reverencio.
BERT HELLINGER "Você é a primeira."
MÃE Você é a primeira.
BERT HELLINGER "Eu sou a segunda."
MÃE Eu sou a segunda.
BERT HELLINGER "Eu cuido bem de suas filhas."
MÃE Eu cuido bem de suas filhas.
BERT HELLINGER "Em sua memória."
MÃE Em sua memória.
BERT HELLINGER "E este é o meu filho."
MÃE E este é o meu filho.
BERT HELLINGER "Olhe com benevolência para ele."
MÃE Olhe com benevolência para ele.
BERT HELLINGER "Se ele fica."
MÃE Se ele fica.
BERT HELLINGER Como vai a primeira mulher?
PRIMEIRA MULHER DO PAI† Estou bem.
BERT HELLINGER E a mãe?
MÃE O filho está aqui presente pela primeira vez. Antes era sempre o neto. E agora o meu filho está aqui.
BERT HELLINGER *para* Georg Como se sente agora?
GEORG Melhor, agora sinto a mãe.
BERT HELLINGER Diga-lhe: "Eu fico com você".
GEORG *assente com a cabeça* Eu fico com você.
MÃE *assente com a cabeça* Hum-hum.
BERT HELLINGER Voltem às suas posições.

A mãe coloca-se novamente ao lado de seu marido e de sua primeira mulher.

BERT HELLINGER *para* Georg Agora vá para o lado de sua mulher e diga à sua família de origem: "Esta é a minha mulher e estes são os meus filhos".
GEORG Esta é a minha mulher e estes são os meus três filhos.
BERT HELLINGER "Olhem com benevolência para eles."
GEORG Olhem com benevolência para eles.
BERT HELLINGER Como se sente agora?
GEORG Melhor, mas ainda não totalmente livre.
BERT HELLINGER Como vai a mulher?
KATHARINA Bem, mas não totalmente livre.
BERT HELLINGER A mais velha?
PRIMEIRO FILHO, MULHER Bem.
TERCEIRO FILHO, MULHER Também muito bem.
SEGUNDO FILHO, HOMEM Tenho a constante necessidade de olhar para a mãe.

Hellinger coloca a primeira mulher de costas, um pouco de lado, e o pai atrás dela. Coloca a mãe à vista de Georg.

Figura 5

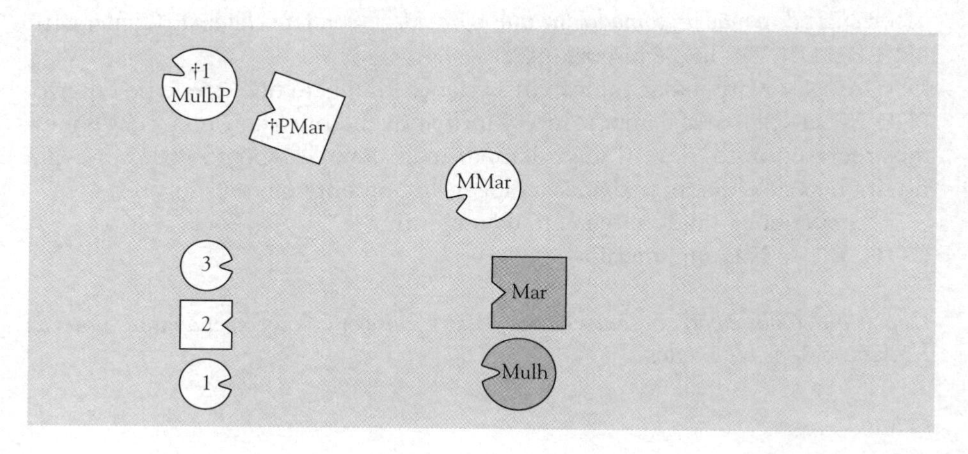

BERT HELLINGER Que tal agora?
GEORG Não mudou nada.
KATHARINA Não.
BERT HELLINGER Deixo assim por ora.

Georg e Katharina assentem com a cabeça.

BERT HELLINGER Está bem, isso é tudo.
para Katharina O que aconteceu em sua família de origem?
KATHARINA Tenho dois irmãos, dois e seis anos mais jovens que eu. Meu pai morreu há três anos atrás, aos 58 anos de idade, de uma apoplexia cerebral. Desde que me lembro meu pai era alcoólatra. Minha mãe se separou dele um ano antes de sua morte. Finalmente. Ela não tinha se separado antes por nossa causa. Sempre nos disse isso. Depois do enterro de meu pai, há três anos, soube pelos meus irmãos que meu pai tinha abusado deles sexualmente. Eu mesma não sei se aconteceu isso comigo ou não. Comecei há três anos um tratamento psicanalítico. Em janeiro fiz a colocação de minha família de origem com uma terapeuta. Queria mais clareza a respeito de meu pai.
BERT HELLINGER Que saiu na constelação?
KATHARINA Que eu, na verdade, tinha ocupado o lugar de minha mãe ao lado de meu pai. Eu não era a filha, mas, por assim dizer, a sua mulher.
BERT HELLINGER De quem sai a dinâmica?
KATHARINA Acho que sai de mim.
BERT HELLINGER Não.

KATHARINA De meu pai?
BERT HELLINGER Não, sai da mãe.
KATHARINA Esqueci-me de dizer que tive ainda um irmão mais novo que morreu cinco dias depois do nascimento. Era talidomídico (*criança deformada em decorrência de a mãe ter tomado durante a gravidez o sonífero chamado* Contergan).
BERT HELLINGER Isso é importante.
KATHARINA Minha mãe nunca viu a criança. Também não esteve no enterro.
BERT HELLINGER Isso é importante. Monte novamente a constelação. Os mesmos representantes devem se posicionar mais uma vez. Como vocês estavam no final. Você e Georg podem se colocar diretamente em seus lugares.
Essa criança talidomídica era uma menina?
KATHARINA Não, um menino.

Depois que todos estão em seus lugares, Bert Hellinger coloca o irmão mais novo de Katharina à vista de todos.

Figura 6

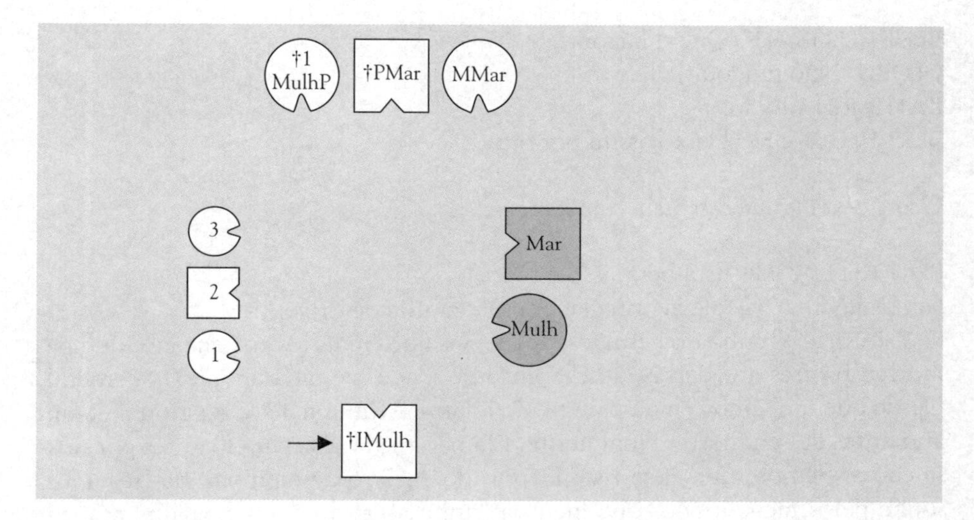

†IMulh irmão mais novo da mulher, talidomídico, que morreu com 5 dias

BERT HELLINGER *para o falecido irmão mais novo de Katharina* Como se sente?

O falecido irmão assente com a cabeça e indica claramente que o lugar para ele está bem.

BERT HELLINGER O que mudou para os filhos?
TERCEIRO FILHO, MULHER Muito comovente.

SEGUNDO FILHO, HOMEM Tenho frio.
BERT HELLINGER Para a mãe?
KATHARINA Não modificou nada. Não sinto frio e tampouco estou suando.
BERT HELLINGER Troque de lugar com o seu irmão falecido.

Katharina e o irmão trocam de lugar. O irmão se encontra agora ao lado de Georg. Katharina à vista de todos.

KATHARINA Agora começo a tremer.
BERT HELLINGER Exatamente. Você sabe por que você é dura?

Katharina sacode a cabeça.

BERT HELLINGER Você é dura. Percebe isso?

Katharina assente com a cabeça.

BERT HELLINGER Porque o seu irmão falecido não tem lugar. É ele que a torna suave.

Hellinger pede a Katharina para colocar-se novamente ao lado de seu marido. Aí ele coloca o irmão morto apoiando nela as suas costas.

Figura 7

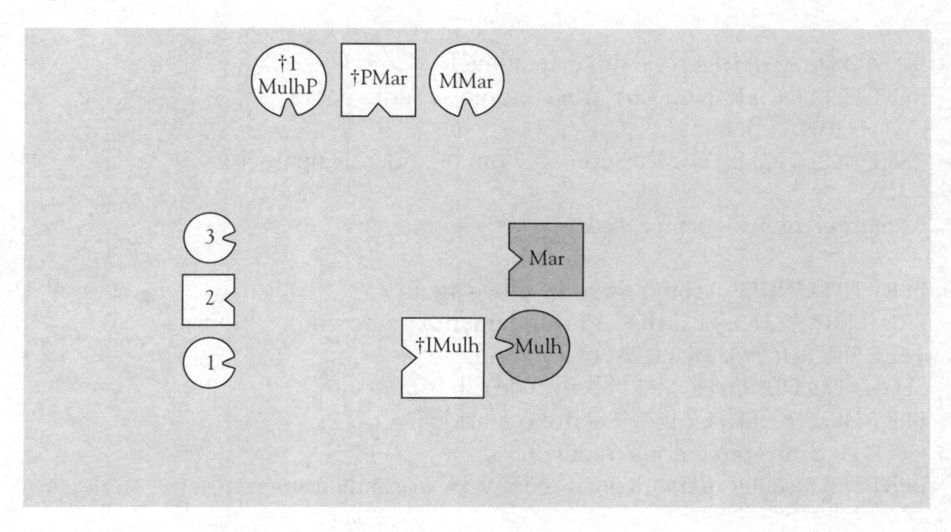

BERT HELLINGER *para Katharina* Abrace o seu irmão.

Katharina soluça. Hellinger pede a Georg para abraçar a sua mulher. Então Katharina abraça seu irmão. Ela chora e respira profundamente.

BERT HELLINGER *para o irmão morto* Como se sente?
IRMÃO DA MULHER† É agoniante.
BERT HELLINGER Agoniante?
IRMÃO DA MULHER† É agradável que ela me abrace agora, mas o sentimento básico é bem pesado.
BERT HELLINGER *para o irmão morto* Coloque-se ao lado de Katharina.

Figura 8

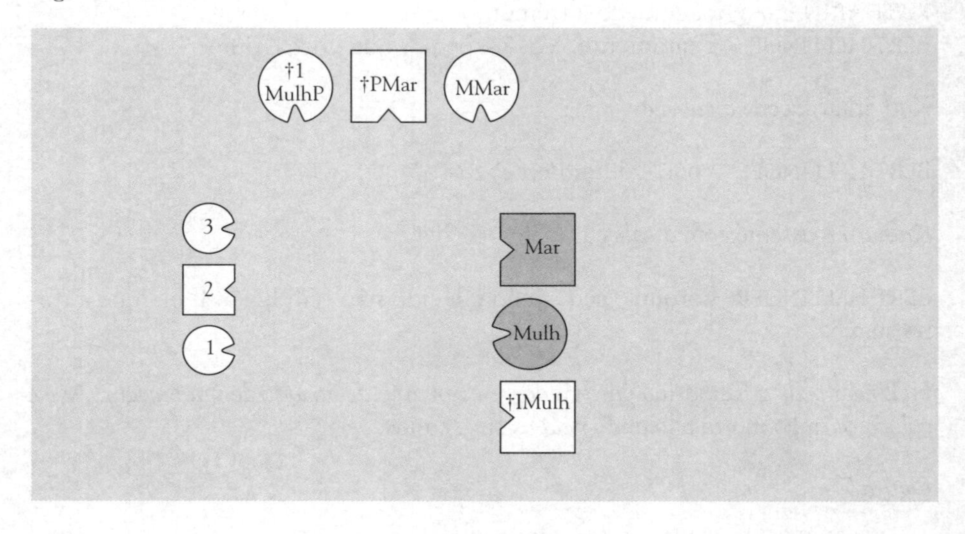

IRMÃO DA MULHER† Assim é agradável.
BERT HELLINGER *para Katharina* Como se sente agora?
KATHARINA Bem.
BERT HELLINGER Você vê como é bom quando ele aparece?

Katharina assente com a cabeça.

BERT HELLINGER Como estão os filhos agora?
PRIMEIRO FILHO, MULHER Profundamente comovida.
TERCEIRO FILHO, MULHER Comovida.
SEGUNDO FILHO, HOMEM Tenho de olhar para eles.
BERT HELLINGER Como se sente o marido agora?
GEORG Sinto um calor agradável.
BERT HELLINGER *para Georg* Agora você entende a sua mulher?

Georg assente comovido.

BERT HELLINGER O irmão morto receberá um lugar junto a vocês?
KATHARINA *assente com a cabeça e sorri* Sim.

BERT HELLINGER Dêem-lhe um bom lugar, para que esteja presente, por assim dizer.

Katharina assente com a cabeça.

BERT HELLINGER Está bem, isso é tudo.

Georg abraça Katharina carinhosamente. Ela está muito comovida.

Palavras como vitória ou derrota destroem o relacionamento de um casal

Continuação da página 52

BERT HELLINGER Vamos continuar com uma rodada.
ELIAS Na pausa do almoço tentei colocar em ordem algumas coisas. Sofri de novo algumas derrotas.
BERT HELLINGER Derrotas?
ELIAS Sim, porque tentei acertar as coisas com a minha mulher. Não deu certo.
BERT HELLINGER Palavras como derrota ou vitória...
ELIAS Ou humilhação, não sei como dizer.
BERT HELLINGER Palavras como humilhação destroem o relacionamento. Essas palavras são veneno para a alma.
ELIAS Sim, percebe-se.
BERT HELLINGER A alma espera pela sua oportunidade. Essa é uma outra imagem.
ELIAS A alma espera muitas vezes por uma oportunidade e alcança vez ou outra uma certa altura e depois novamente a esperada decaída.
BERT HELLINGER Tudo isso são imagens de luta que você tem. Essas imagens de luta destroem o relacionamento. Olhe para a sua mulher e diga-lhe: "Você pode contar comigo".
ELIAS *em voz baixa para a sua mulher* Você pode contar comigo.
BERT HELLINGER *para a mulher* Como você recebeu isso?
ILSE Bem.
BERT HELLINGER Olhe para ele e diga: "Obrigada".
ILSE Obrigada.
BERT HELLINGER "Eu o recebo de você."
ILSE Eu o recebo de você.
BERT HELLINGER "Como um presente."
ILSE Como um presente.
ELIAS *assente com a cabeça e diz em voz baixa* Obrigado.
BERT HELLINGER *para Elias* Essas são outras imagens agora. Você nota isso?

Elias assente com a cabeça.

Um dia depois

Os meus valores são certos, não os seus!

ILSE Dormi mal. Na noite passada tivemos uma longa discussão que terminou em briga.
BERT HELLINGER A maioria das discussões terminam assim. Por isso a gente deve mantê-las tão curtas quanto possível.

Ilse e seu marido Elias riem.

BERT HELLINGER Gostaria de dizer algo sobre as chamadas discussões entre parceiros: Para que serve na verdade uma discussão? Para a maioria das pessoas a discussão devia levar a convencer o outro de algo do qual ele não está convencido.
ILSE Certo.
BERT HELLINGER Isso não adianta nada. Deixe-o com a sua opinião. A sua não é melhor. É somente uma outra.
ILSE Sim, também acho.
BERT HELLINGER É isso mesmo. Se você se conscientizar disso as discussões serão mais curtas. Algo mais?
ILSE Não.
ELIAS A discussão com a minha mulher resultou que quase não dormi. Fiquei pensando muito durante a noite. Algumas coisas mudaram dentro de mim, mas não sei como levar isso a termo.
BERT HELLINGER Nesse contexto gostaria de dizer algo sobre o relacionamento a dois: Cada um dos companheiros tem um sistema de valores e comportamento que assume de sua família. E cada um deles pensa que o seu é o correto. Sua consciência se orienta por aquilo que se vive em sua família. A consciência não diz absolutamente nada sobre o correto, somente sobre o que é válido em minha família. Isso é o que diz a consciência.

O mesmo se dá com o outro parceiro, sem diferença. Ele também tem o seu sistema de valores e o padrão de comportamento de sua família. Ele também pensa que o seu é o correto.

Quando então dois "corretos" se encontram, dá-se uma discussão. No início de muitos relacionamentos existe uma luta secreta na qual cada um tenta impor ao outro o seu sistema de valores. Na maioria das vezes a mulher é quem se impõe, e o homem se retrai. Então a mulher ganha, mas acaba perdendo o marido. Esse é o padrão normal. Não se consegue ver que o sistema do companheiro tem o mesmo valor.

Chega-se a uma solução quando os dois se unem e reconhecem reciprocamente o sistema do outro. Você, Ilse, não reconheceria somente o seu, mas o dele também. Elias não apenas reconhece o dele, mas o seu também. Assim vocês podem procurar um caminho onde ambos se tornem uma unidade em um nível mais elevado. De tal forma que cada um se sinta bem nesse novo sistema de valores. Isso, via de regra, é mais do que quando um impõe o seu sistema de valores. É muito mais.

Quando o casal chega a isso podem juntos, como pais, transmitir esse sistema de valores e padrão de comportamento aos seus filhos. Assim os filhos se sentem bem. Não precisam se comportar com o pai de maneira diferente do que com a mãe. São livres e iguais diante de cada um dos dois. E os pais também. Está certo?

Elias assente com a cabeça concordando. Ilse parece esperar ainda, então olha para Elias.

BERT HELLINGER *para o grupo* Agora vocês viram nesse contexto a diferença entre o homem e a mulher. O homem conseguiu concordar imediatamente. Para ela é um pouco mais difícil.
ELIAS Antes essa aceitação recíproca funcionava muito bem. Mas ultimamente...
BERT HELLINGER Aceitação é muito pouco. A aceitação não une. É preciso mais. Esse mais é a concordância. Trata-se de concordar com o outro assim como ele é, senão ele é apenas suportado. Se você concordar, você o ama. Está bem?
ILSE *assente com a cabeça* Sim.
BERT HELLINGER *para o grupo* Agora a mulher também concordou.

Meio dia depois

A acusação

ILSE Estou perturbada.
ELIAS Eu também, e não consigo mais entender essa perturbação. Por que essa grande aversão, essa inimizade por parte de meus pais? Aqui ainda me falta alguma coisa. Qual é o motivo, qual é a razão?
BERT HELLINGER As perguntas pelo motivo ou pela razão não conduzem a nada. Você poderia agora imaginar que os seus pais se desculpariam diante de você, bateriam no peito e diriam: Sim, nós cometemos um grave pecado contra você. Sentimos muito. Como você se sentiria?
ELIAS Certamente que não me sentiria melhor porque o dano causado não pode ser remediado com algumas palavras.
BERT HELLINGER Exatamente, isso não pode ser mais remediado. Quem pode agir então?
ELIAS Ambos.
BERT HELLINGER Não, você pode agir. Pressupondo que você queira agir.

Gostaria de contar-lhe uma história: Uma médica, amiga minha, esteve, quando jovem, em um campo de concentração. Ela sobreviveu e saiu do campo de concentração de Dachau com dezesseis anos de idade. Um médico americano disse-lhe naquela época: Deixe tudo para trás e siga adiante. Ela fez isso.

Junto com ela esteve uma outra mulher no campo de concentração. Essa mulher vive hoje na África do Sul e ainda está com um processo na justiça. Ela diz: Por ter estado num campo de concentração sou estéril e por isso algo ainda tem de ser reparado. A vida dela está perdida. Assim como a sua. Por causa da acusação.

Elias assente levemente com a cabeça.

No campo de tensão entre o filho e o companheiro

Continuação da página 29

ELKE Temos um filho em comum e para mim é muito difícil dividir-me. Para mim é muito difícil colocar o relacionamento do casal em primeiro plano. O primeiro impulso dirige-se ao filho, porque quando o filho quer algo de mim sou a mamãe. Tenho freqüentemente a sensação de que o nosso relacionamento sofre com isso. Sempre que saímos juntos, como agora, a sensação é completamente diferente. Então estamos realmente juntos. Nosso filho é muito exigente e em casa estou unicamente para ele.
BERT HELLINGER Vou lhe dar uma dica pequena: Quando você se dedicar ao seu filho, dedique-se, no filho, ao pai dele.
ELKE hum-hum.
BERT HELLINGER Ao mesmo tempo.
ELKE Sim.

Continuação de Elke e Holger na página 136

O pedir

Continuação da página 49

SABINE Gostaria de uma solução para o seguinte problema: Às vezes fico insuportável e insatisfeita. Sempre ponho a culpa no Hans por esse estado. Digo que ele é culpado por não conseguir me safisfazer. Sei que com isso coloco-o sob pressão. É como um círculo vicioso, simplesmente não melhora.
BERT HELLINGER Ontem já dei uma pista. Quando você quiser algo de seu marido, deve ser algo concreto. Portanto, não é apenas dizer: "Faça algo por mim". O que ele pode fazer? Você deve ser bem concreta para que ele saiba o que você quer e possa satisfazê-lo. E quando estiver satisfeito o seu desejo, o que você faz então?

SABINE *pensa por uns instantes* Não me sinto bem porque o exigi.
BERT HELLINGER Se você só exige, não poderá sentir-se bem quando ele o satisfez, isso é certo. Entretanto, se você pedir, é totalmente diferente. E o que você faz então?

Sabine pensa longamente.

BERT HELLINGER Você reconhece quando ele o realiza? Você lhe agradece?
SABINE Sim.
BERT HELLINGER Ele também pode desejar algo parecido de você?
SABINE *sorrindo* Sim.
BERT HELLINGER Está bem. Algo mais?
SABINE Acho que deveria ser algo natural, algo espontâneo.
BERT HELLINGER Essa é a atitude de uma criança em relação à mãe. A mãe sabe o que é bom para mim e eu não preciso fazer nada. Entre um casal é um mau padrão.
SABINE Como posso resolver isso?
BERT HELLINGER Acabei de lhe dar a dica.

Sabine assente com a cabeça.

HANS Sempre que falamos sobre esse problema digo-lhe mais ou menos o seguinte: Aceite-me assim como sou. Sou diferente e pronto. Talvez isso seja um princípio de solução.
BERT HELLINGER *para o grupo* Vou fazer um pequeno exercício com vocês. Quando olham para este casal, quem dos dois investe mais no relacionamento? Quem dá mais?
A maior parte dos participantes responde: Ele.
BERT HELLINGER Sim, ele dá mais. Ela exige e ele dá. Isso muitas vezes fracassa. A base de um relacionamento é a igualdade entre ambos e o equilíbrio entre o dar e o receber. Senão é um relacionamento de pais e filhos.
para Sabine Um passo acertado seria dar-lhe algo, de igual para igual. Isso começa com a seguinte afirmação: Assim como é, você é o certo para mim. Essa seria a base de tudo. Toda e qualquer tentativa de reeducar o outro está fadada ao fracasso. Ele já está educado, somente de maneira diferente do que você quer, ou do que o outro quer. Está bem?

Sabine assente com a cabeça.

Hans e Sabine: “Agora aceito você como meu companheiro”

A família atual incluindo os parceiros anteriores e os filhos desses relacionamentos

BERT HELLINGER Vou trabalhar com vocês, isto é, com a família atual. Qual é a situação? Algum dos dois já foi casado?

HANS Já fui casado.

BERT HELLINGER Você teve filhos no primeiro casamento?

HANS Não, minha mulher tinha uma filha de um relacionamento anterior. Ela não era casada com o pai da criança.

BERT HELLINGER A criança criou-se com quem?

HANS Com a mulher, depois junto conosco.

BERT HELLINGER Vocês são casados?

HANS Não, ainda não somos casados.

BERT HELLINGER Há quanto tempo estão juntos?

HANS Nós nos conhecemos há três anos e estamos vivendo juntos há quase um ano.

BERT HELLINGER Quantos filhos vocês têm em comum?

HANS Uma filha.

BERT HELLINGER É o seu primeiro filho?

HANS Sim.

BERT HELLINGER *para Sabine* Seu primeiro filho também?

SABINE Não, o segundo. Meu primeiro filho tem hoje 11 anos.

BERT HELLINGER Você foi casada antes?

SABINE Não.

BERT HELLINGER Você foi mãe solteira?

SABINE Sim, fui mãe solteira.

BERT HELLINGER *para os outros casais* Muito bem, temos aqui um sistema bem complexo.

para Hans Vamos colocar a sua primeira mulher, seu primeiro marido, quer dizer, o pai da primeira criança.

HANS Eu não o conheço.

BERT HELLINGER Provavelmente ele existe. Não deve ter sido uma concepção imaculada. Depois coloque você, Sabine, seu primeiro marido, seu primeiro filho e sua filha em comum. Você tem tudo na cabeça?

HANS Vou tentar.

BERT HELLINGER A criança do relacionamento de sua primeira mulher é...?

HANS Uma filha.

BERT HELLINGER A primeira criança de Sabine?

HANS Um filho.

BERT HELLINGER Com quem ele vive?

SABINE Comigo.

BERT HELLINGER Está bem, Hans, comece você.

Figura 1a, configurada por Hans

Mulh	(= Sabine) mãe de 1 e 2, segunda companheira de Hans, não são casados
1CMulh	primeiro companheiro de Sabine, não foram casados, pai de 1
1	primeiro filho, homem
H	homem (= Hans), pai de 2
2	segundo filho, mulher
1MulhH	primeira mulher do homem
1C1Mulh	primeiro companheiro da primeira mulher
F	filha da primeira mulher de Hans e de seu primeiro companheiro

BERT HELLINGER *para Sabine* Como você configuraria?

Figura 1b, configurada por Sabine

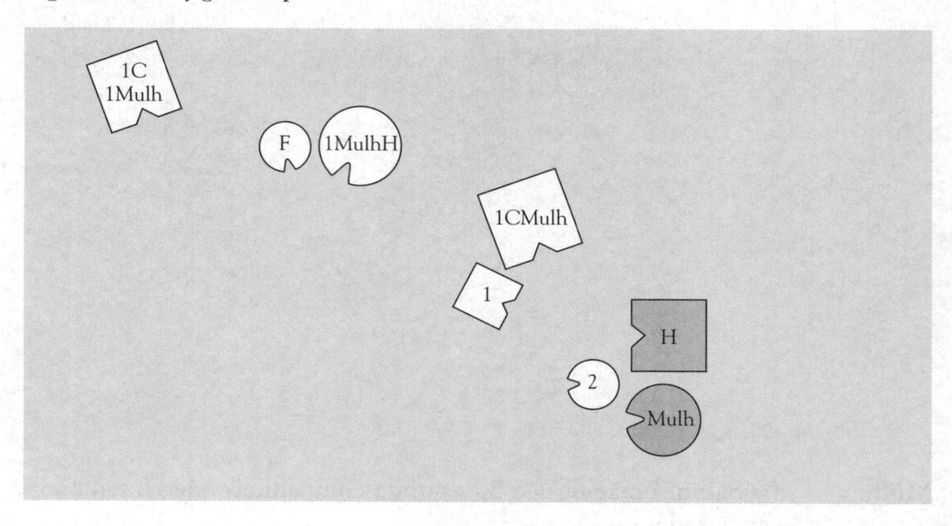

BERT HELLINGER *aponta para os representantes de Hans, Sabine, seu primeiro companheiro e seus dois filhos* Parece-me que este é o sistema.
para Hans Os outros três constituem em si um sistema próprio. Você não tem nada a ver com eles. É assim?
HANS Sim, é certo.
BERT HELLINGER Eles formam uma unidade. Você foi alguém que veio depois mas não tinha nenhum direito. Os direitos estão com os pais desta filha.
HANS Sim, está certo.
BERT HELLINGER Por isso posso deixar este sistema de lado. Está bem para você? Se o deixar de lado?
HANS Sim, está bem.
BERT HELLINGER Vou deixá-los aqui, mas a dinâmica se desenvolve no outro sistema.
HANS Sim.
BERT HELLINGER *para o representante de Hans* Como está o homem?
HOMEM A minha nuca começa a doer. *Ele aponta para o primeiro companheiro de Sabine e o filho deles que se encontram à sua frente.* Aquilo ali é muito poderoso. Pressiona-me aqui. *Ele indica a sua nuca.*
BERT HELLINGER *para a representante de Sabine* Como se sente a mulher?
MULHER A segunda constelação é melhor porque Sabine posicionou o primeiro companheiro e seu filho ali na frente. Mas desde que ela colocou a filha à minha frente não posso ver o primeiro filho e nem seu pai. Antes era mais agradável, quando os dois filhos estavam ao meu lado.

BERT HELLINGER Como se sente a filha?
SEGUNDO FILHO, MULHER Mal. Antes quando o meu irmão se encontrava ao meu lado sentia-me muito melhor. Agora está apertado. Não me sinto bem.
BERT HELLINGER *para o filho* Como se sente?
PRIMEIRO FILHO, HOMEM Recebo a força de meu pai. Por isso é melhor que na constelação anterior. Mas a irmã está me atrapalhando.

Hellinger faz com que os representantes de Hans e Sabine troquem de lugar. Então coloca o filho entre seus pais e pede que avalie se quer ir para mais perto da mãe ou do pai. Ele coloca a filha em frente aos pais.

Figura 2

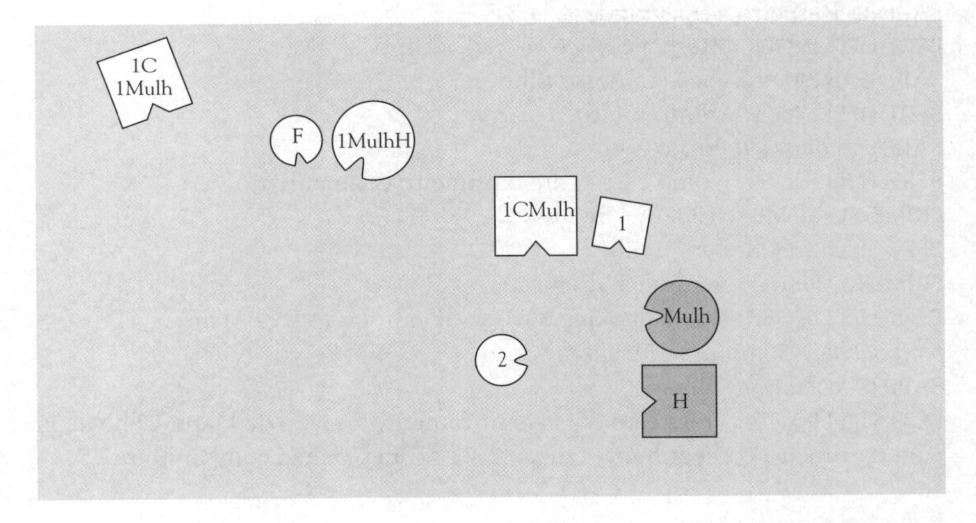

BERT HELLINGER *para o primeiro companheiro* Que tal agora?
PRIMEIRO COMPANHEIRO É uma boa sensação.
BERT HELLINGER *para Sabine* Ele pode ver o seu pai?
SABINE Sim.
BERT HELLINGER O filho deveria ficar com o pai, está bem claro.
SABINE Eu já fiz essa oferta ao pai. Mas agora ele está casado e tem três filhos, e a mulher dele é contra.
BERT HELLINGER A mulher dele é contra? Isso é terrível para os filhos pequenos. Se a mulher estivesse de acordo, os filhos dela estariam bem melhor. Mas é assim mesmo.
BERT HELLINGER *para a filha* Como você se sente?
SEGUNDO FILHO, MULHER Assim está bem melhor.
BERT HELLINGER *para o representante de Hans* E você, como se sente?
HOMEM Assim está muito melhor. Porque antes a filha era muito mais importante do que a minha mulher. Agora está certo.

BERT HELLINGER *para a representante de Sabine* Como se sente a mulher?
MULHER Desde que a filha está aqui em frente não me sinto tão atraída em direção ao filho.
BERT HELLINGER *para Sabine e Hans* Coloquem-se agora em seus lugares.
para Sabine depois que os dois se encontram na constelação Por que você não se casou com o primeiro companheiro?
SABINE Ele era muito pouco para mim.
BERT HELLINGER Você é exigente.

Ele coloca Sabine diante de seu primeiro companheiro.

BERT HELLINGER Olhe para ele e diga: "Respeito a sua grandeza."
SABINE Respeito a sua grandeza.
BERT HELLINGER "Respeito você em nosso filho."
SABINE Respeito você em nosso filho.
BERT HELLINGER "Sinto muito."
SABINE *comovida* Sinto muito.
BERT HELLINGER Como é isso para o primeiro companheiro?
PRIMEIRO COMPANHEIRO Um alívio.
BERT HELLINGER Para o filho?
PRIMEIRO FILHO Nenhuma alteração.
BERT HELLINGER Isto é algo que deve se desenrolar entre os pais.
para Sabine Como se sente agora?
SABINE *comovida* Sim.
BERT HELLINGER Volte e coloque-se novamente ao lado de Hans. Olhe de lá para o primeiro companheiro e diga: "Este agora é o meu companheiro".

Ela toma a mão de Hans.

SABINE Este agora é o meu companheiro.
BERT HELLINGER "E esta é a nossa filhinha."
SABINE E esta é a nossa filhinha.
BERT HELLINGER "Olhe para ela com benevolência."
SABINE Olhe para ela com benevolência.
BERT HELLINGER "E para nós."
SABINE E para nós.
BERT HELLINGER Que tal para o primeiro companheiro?
PRIMEIRO COMPANHEIRO Sinto que olho para eles com benevolência.
BERT HELLINGER *para o grupo* Gostaria de dizer algo. Quando existe uma situação em que o parceiro anterior pode estar zangado com a criança do novo relacionamento ou com a sua mulher, a criança freqüentemente adquire neurodermites. Ela precisa da bênção do companheiro anterior.

para Sabine Se você for afável com ele, você vê na constelação como ele é afável com você. Ele tem uma certa grandeza.

SABINE *assente com a cabeça* Sim.

BERT HELLINGER Diga ao filho: "Embora esteja separada de seu pai, respeito-o como seu pai".

SABINE Embora esteja separada de seu pai, respeito-o como seu pai.

BERT HELLINGER "E como meu primeiro companheiro."

SABINE E como meu primeiro companheiro.

BERT HELLINGER Que tal para o filho?

PRIMEIRO FILHO É tranqüilizador.

BERT HELLINGER Assim ele também pode se aproximar. Assim ele está livre para movimentar-se entre você e o pai dele.

para Hans Que tal para você agora?

HANS Senti certa compaixão pelo primeiro companheiro.

BERT HELLINGER A compaixão é arrogante.

HANS Tampouco me senti bem.

BERT HELLINGER Diga-lhe: "Você é o primeiro".

HANS Você é o primeiro.

BERT HELLINGER "Eu, o segundo."

HANS *um pouco tenso* Eu, o segundo.

BERT HELLINGER Diga de coração: "Você é o primeiro".

HANS Você é o primeiro e eu, o segundo.

BERT HELLINGER "Eu o respeito como o primeiro."

HANS Eu o respeito como o primeiro.

BERT HELLINGER "E eu aceito agora a minha mulher mesmo às suas custas."

HANS E eu aceito agora a minha mulher mesmo às suas custas.

BERT HELLINGER "Por favor seja amigável."

HANS Por favor seja amigável.

BERT HELLINGER "Se eu a aceito agora como minha mulher."

HANS Se eu a aceito agora como minha mulher.

BERT HELLINGER "E a conservo como minha mulher."

HANS E a conservo como minha mulher.

BERT HELLINGER O que o primeiro companheiro acha disso?

PRIMEIRO COMPANHEIRO Sim, pode ser assim.

BERT HELLINGER *para Hans* Como se sente agora?

HANS Melhor.

BERT HELLINGER Olhe para Sabine e diga-lhe: "Eu a tomo agora como minha mulher".

HANS *comovido* Eu a tomo agora como minha mulher.

BERT HELLINGER "E você pode ter a mim como seu marido."

HANS E você pode ter a mim como seu marido.

BERT HELLINGER Que tal para a mulher?

SABINE *comovida* Muito bom.
BERT HELLINGER Diga-lhe: "Eu o aceito agora como meu marido".
SABINE Eu o aceito agora como meu marido.
BERT HELLINGER "E você pode ter a mim como sua mulher."
SABINE E você pode ter a mim como sua mulher.
BERT HELLINGER De acordo?
SABINE E HANS Sim. Obrigada. Obrigado.

Depois de uma rodada posterior

HANS A hierarquia que você nos deu na constelação provocou em mim um certo alívio e uma solução. Sei agora quão importantes são a hierarquia e a ordem.
SABINE Sinto-me muito bem.

O relacionamento de casal tem prioridade sobre a paternidade

BERT HELLINGER Gostaria de dizer algo sobre famílias complexas. Existe nas famílias uma hierarquia que estabelece que o anterior tem precedência sobre o que vem mais tarde. Tradicionalmente, um relacionamento começa quando um casal se encontra. Depois o casal converte-se em pais. Eles são primeiro um casal e depois pais. O relacionamento é anterior à paternidade, e tem prioridade sobre a paternidade.

Muitas dificuldades surgem, porque depois de algum tempo a paternidade passa a ter prioridade sobre o relacionamento. Entretanto, a paternidade é uma continuação do relacionamento a dois. Por um lado, o casal ganha de seu relacionamento a força para a paternidade. Por outro lado, cada um ganha força também de seus próprios pais na medida em que passa adiante o que recebeu deles. Essas são as duas fontes de força para a própria paternidade. O relacionamento a dois e a transmissão daquilo que se recebeu dos pais.

Quem rejeita seus pais pode transmitir muito pouco

Quem não toma nada de seus pais pode transmitir muito pouco. Permanece prisioneiro em si, permanece uma criança. Com relação a nossos pais não podemos compensar. Os pais dão e os filhos aceitam. O filho compensa, quando adulto, transmitindo o que recebeu de seus pais aos próprios filhos. Ou na medida em que dá, como adulto, a outras pessoas.

Pais divorciados que voltam a se casar

Quando um casal se separa e ambos se casam mais tarde com outros parceiros e esses novos parceiros têm filhos de relacionamentos anteriores, essa paternidade é anterior à nova relação. Nesse caso, a paternidade tem precedência sobre o novo relacionamento.

para Sabine Para você, por exemplo, o cuidado pelo seu filho tem prioridade sobre o amor pelo companheiro atual. Esse vínculo está em primeiro lugar. Depois vem o relacionamento atual e depois a paternidade pela nova criança nascida de seu relacionamento. Essa seria a hierarquia.

Por isso o companheiro não pode ficar com ciúmes quando a mulher cuida do filho do relacionamento anterior. Isso tem prioridade. Pois o amor por essa criança não pode fluir do novo relacionamento. Esse amor flui do relacionamento anterior, não do novo. Isso deve ser respeitado. Quando conservada essa hierarquia, há paz. Assim não há rivalidade.

Essa hierarquia é válida para todo o sistema. O anterior tem precedência sobre aquilo que vem depois. Entretanto, o novo sistema tem prioridade sobre o velho.

para Hans e Sabine O sistema de vocês tem prioridade sobre o anterior. Embora o primeiro companheiro tenha o primeiro lugar, o novo sistema tem precedência.

Sistema novo significa, entretanto: relacionamento com filhos. Um relacionamento sem filhos não é um novo sistema. Por isso, um homem casado ou uma mulher casada que tem um filho com um outro companheiro precisa abandonar o seu casamento e passar a viver com o novo companheiro e a criança. Essa é a hierarquia. Todas as outras soluções têm, com o tempo, conseqüências nefastas.

Um pouco mais tarde, durante uma rodada

Meu desejo mais profundo para o relacionamento é...

HANS Você poderia dizer algo sobre como lidar um com o outro quando há discussões, sem colocar o relacionamento em questão? De maneira que não se diga sempre: Agora vou abandoná-lo. Não suporto mais ficar com você!

BERT HELLINGER Uma possibilidade para um novo começo em um relacionamento seria que cada um escrevesse qual é o seu desejo mais profundo no relacionamento, sem formular nenhuma exigência e sem fazer nenhuma censura. Cada um parte só de si mesmo. Nesse sentido: "Meu desejo mais profundo é..". Cada um escreve para si mesmo. Numa das noites seguintes você lê isso para a sua mulher. Mas ela não pode reagir imediatamente. Ela não deve concordar, não deve dizer nada, tampouco ser contrária. Ela deve apenas escutar. Alguns dias depois ela faz o mesmo. Ela apenas lê para você. Você não reage de maneira nenhuma, nem concordando, nem rejeitando. Depois não se fala mais sobre isso.

A reverência diante do companheiro anterior alivia as dores nas costas

Continuação da página 95

HELLINGER Vamos continuar com uma rodada.
DIETER Estou começando a ter dores nas costas. Acho isso desagradável. Há muito que não sentia isso.
BERT HELLINGER Vou lhe dar uma dica: Imagine que você está se inclinando ligeiramente diante de sua primeira mulher.

Dieter abaixa ligeiramente *a cabeça.*

BERT HELLINGER Você percebe o efeito?
DIETER Agora as pernas começam a formigar.
BERT HELLINGER Bem, já é alguma coisa.

Dieter e Margit riem.

DIETER Sim, é bom assim.
BERT HELLINGER Você nota a diferença nas costas?
DIETER Sim.
BERT HELLINGER *para o grupo* Dores nas costas podem ser muitas vezes aliviadas através de leves reverências ou uma reverência profunda.

Como lidar com a obstinação

KARL Antes da pausa para o almoço sentia-me obstinado e contrariado. Agora acabei com isso.
BERT HELLINGER Descobri algo sobre a obstinação. Obstinação significa: Eu quero e não quero, ambas as coisas ao mesmo tempo. Por isso não se pode fazer nada com uma pessoa teimosa. Porque se faço uma coisa ela não quer, e se não faço nada, ela quer. Embora não se possa fazer nada contra a teimosia, encontrei, apesar de tudo, uma solução: A gente a protela por cinco minutos.

Karl olha para seu relógio.

KARL *rindo* Sim!

Um pouco mais tarde

Quem ganhou, perdeu

KARL Tenho problemas com a minha culpa. Minha mente, com sua formação jurídica, diz-me que onde existem motivos justificáveis ou pelo menos desculpáveis não há nada que possa ser recriminado. Isso me preocupa. Isso causa problemas para mim e para a minha companheira porque quem está justificado, também tem razão.
BERT HELLINGER Quem acaba tendo razão, acaba perdendo.
KARL Quem ganhou já está perdendo.
BERT HELLINGER Quem ganhou, já perdeu!
KARL A razão diz-me que está claro, mas o coração não.
BERT HELLINGER Quando estive na África do Sul uma pessoa me contou qual era o caminho mais longo na África. Não é o caminho do Cairo à Cidade do Cabo, senão da cabeça ao coração e de lá para o aqui e agora.

Karl sorri.

KARL Se fosse católico iria confessar e aí me dariam umas tantas ave-marias e tudo ficaria esquecido.
BERT HELLINGER Aqui não vai ser tão fácil assim.
KARL Foi o que imaginei.

Rathin: "Encontro-me diante de uma parede"

A família atual

Continuação da página 53

BERT HELLINGER *para Rathin* Configure o seu sistema atual: marido, mulher e as duas crianças. Qual a idade deles?
RATHIN A nossa filha tem 15. O filho tem 12.
Não, eu não estou certo se não houve nenhum outro entre os dois.
SIBYLLE Fiz um aborto antes da primeira filha.
BERT HELLINGER Em seu relacionamento?
SIBYLLE Sim.
RATHIN No princípio aceitei, mas depois...
BERT HELLINGER *interrompendo Rathin* Não, coloque a constelação.

Figura 1

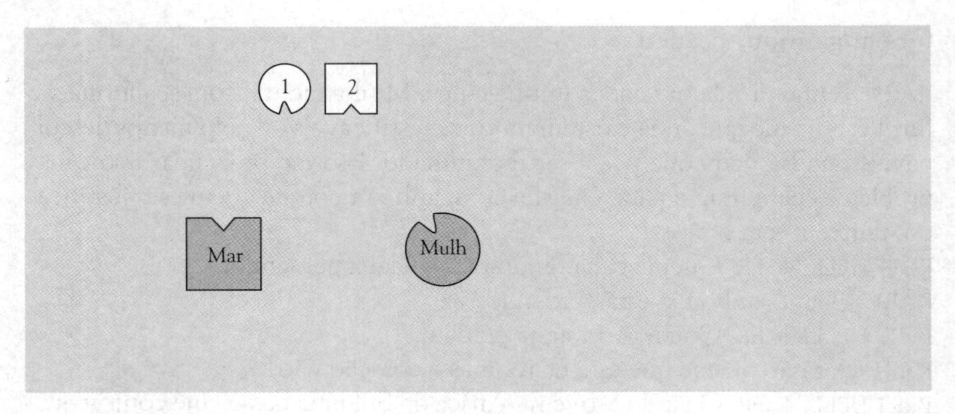

Mar **marido (= Rathin)**
Mulh **mulher (= Sybille)**
1 **primeiro filho, mulher**
2 **segundo filho, homem**

BERT HELLINGER *para o representante de Rathin* Como se sente o marido?
MARIDO Meu braço direito está pesado. Minhas mãos também estão bem pesadas.
BERT HELLINGER *para a representante de Sybille* Como se sente a mulher?
MULHER Eu me sinto totalmente neutra.
BERT HELLINGER Como se sente a filha?
PRIMEIRO FILHO, MULHER Do lado esquerdo sinto calor, do lado direito muito frio. Sinto a cabeça atordoada.
BERT HELLINGER Como se sente o filho?
SEGUNDO FILHO, HOMEM Em direção à minha irmã está muito apertado para mim. Quando percebi o vão entre os meus pais tive a sensação de que deveria ir para lá. Preciso tomar-lhes as mãos para fechar o vão, pois fico simplesmente triste quando os vejo assim.
BERT HELLINGER O filho se sente responsável por isso.
para Rathin e Sybille Houve outros relacionamentos firmes antes do casamento?
RATHIN De minha parte, não.
SYBILLE Tive um relacionamento sexual.
BERT HELLINGER *para Sybille* Coloque este antigo companheiro também.

Figura 2

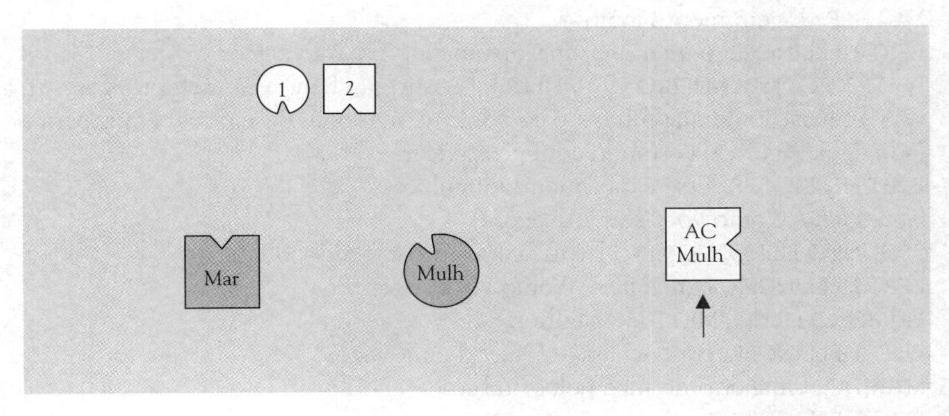

ACMulh antigo companheiro da mulher

BERT HELLINGER *para Sybille* Por que o primeiro relacionamento acabou?
SYBILLE Separamo-nos devido ao mesmo padrão de relacionamento que vivemos agora. Assumi relativamente muita responsabilidade por ele e senti em certo momento: Não posso mais sustentá-lo.
BERT HELLINGER *para a representante de Sybille* O que mudou para a mulher?
MULHER Sinto-me puxada para trás.
BERT HELLINGER Deixe-se levar por essa pressão ou atração.

A mulher retrocede alguns passos em diagonal. Fica primeiramente entre o marido e o antigo companheiro. Depois coloca-se ao lado do antigo companheiro.

Figura 3

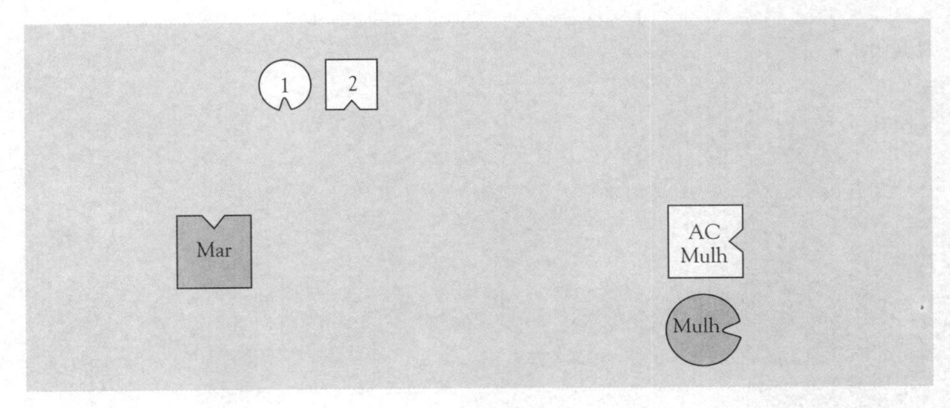

BERT HELLINGER Que tal assim?
MULHER Ligeiramente melhor.
BERT HELLINGER *para o companheiro anterior* E para você?
ANTIGO COMPANHEIRO DA MULHER Assim também está melhor. Antes tinha a sensação de que olhava para a frente, mas meu desejo real era ir para o lado dela. Agora ela estando aqui posso ficar.
BERT HELLINGER Esse é o primeiro vínculo.
para o filho Como você se sente agora?
SEGUNDO FILHO, HOMEM Bem, agora sinto-me aliviado.
BERT HELLINGER *para a filha* Como você se sente?
PRIMEIRO FILHO, MULHER Melhor.
BERT HELLINGER *para o marido* Que tal para você?
MARIDO Uma dor me sobe pelos ombros.
BERT HELLINGER O que você quer?
MARIDO Não tenho a mínima idéia.
BERT HELLINGER Vire-se.

O marido vira-se em direção à mulher e ao primeiro companheiro.

BERT HELLINGER Não, no sentido contrário.
depois que o marido se voltou para a porta. Que tal?
MARIDO Agora ficou mais leve.
BERT HELLINGER *para o grupo* Os filhos não têm pais nem qualquer segurança.
para a filha Como você se sente agora?
PRIMEIRO FILHO, MULHER Tenho a sensação de que tenho de ir com o pai.
BERT HELLINGER *para ambos os filhos* Virem-se.

Os filhos estão agora de costas para ambos os pais.

Figura 4

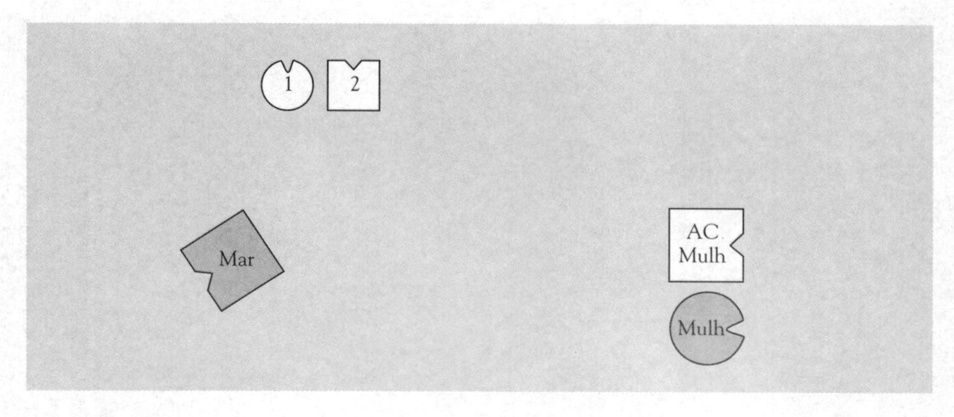

BERT HELLINGER *para a filha* Que tal?
PRIMEIRO FILHO, MULHER Mal.
SEGUNDO FILHO, HOMEM Tanto faz, desde que me senti aliviado, não mudou mais nada para mim.
PRIMEIRO FILHO, MULHER Sinto-me puxada para trás.
RATHIN Preciso dizer algo.
BERT HELLINGER Não, deixo isso a cargo da imagem. Vou interromper aqui.
para Rathin e Sibylle Mostrei-lhes algo. Agora vocês precisam ver o que fazer com isso.
para o grupo Quem poderia segurar o marido seria alguém de sua família de origem, que ficasse atrás dele. Uma outra possibilidàde seria que devolvesse à sua família de origem algo que assumiu. Isso a gente devolve aos pais.
para Rathin Depois você se volta para os seus filhos. Você tem uma imagem disso?
RATHIN Tenho imagens de meus pais. Eu os tenho constantemente na cabeça.
BERT HELLINGER Os seus pais concordam com os seus filhos?
RATHIN Sim.
BERT HELLINGER Pois então, você se apóia em seus pais, por assim dizer. Ou você se apruma e seus pais ficam atrás de você e assim você olha para seus filhos. Assim você tem força. Você precisa deles de maneira muito especial porque você vive em um país estrangeiro. Você não tem o apoio que teria em sua pátria. *(Rathin é hindu.)*
RATHIN *assente com a cabeça* Exatamente. Sinto há muito que me encontro diante de uma parede que é oca e fria. Essa parede não me sustenta porque é oca; não cheia.
BERT HELLINGER Está bem, no momento deixarei assim. Acho que você já viu o suficiente.
para Sibylle Você também.

Vínculo e amor

Gostaria de dizer algo sobre vínculos tomando como exemplo a constelação que acabamos de ver. Um vínculo se cria através da consumação do amor. Esse vínculo é indissolúvel. Nessa constelação vimos que o vínculo com o primeiro companheiro é indissolúvel. Ele permanece.

Um segundo relacionamento somente é possível quando o primeiro vínculo é reconhecido. No segundo relacionamento o vínculo é menos forte do que no primeiro. Em um terceiro relacionamento ele é ainda menos forte. Ele diminui de relacionamento a relacionamento até que praticamente não exista mais nenhum vínculo.

O amor não é a mesma coisa que o vínculo. É importante saber disso. A gente pode amar mais num relacionamento posterior do que num anterior.

Para que um segundo relacionamento dê certo é preciso, portanto, que o relacionamento anterior seja, em primeiro lugar, reconhecido e, em segundo lugar, deva ter sido dissolvido de maneira positiva.

para Sibylle Pode ser, por exemplo – isto é pura fantasia –, que você ainda deva algo ao seu primeiro companheiro. Por exemplo, um reconhecimento ou um agradecimento. Ou se você lhe fez algo, que você lhe diga: Sinto muito. Seja lá o que for. Cada um sabe do que se trata. Quando isso é reconhecido você pode deixá-lo e dirigir-se a um outro homem e dedicar-se a ele. O segundo marido também deve reconhecer: Eu sou o segundo. Existe um outro antes de mim.

Quão forte é o vínculo pode-se ver na dor da separação e na culpa sentida com a separação. Isso é mais profundo no primeiro relacionamento do que no segundo.

Durante uma rodada posterior

Eu lhe dou uma chance

BERT HELLINGER *para Rathin* Você dá à sua mulher uma chance?
RATHIN Estou ocupado comigo mesmo. Com os meus sentimentos.
BERT HELLINGER A minha pergunta foi: Você lhe dá uma chance?
RATHIN Eu lhe dou todas as chances.
BERT HELLINGER Todas as chances é demais.
RATHIN A chance que ela precisa.
BERT HELLINGER Isso é arrogante demais. Olhe para ela e diga: "Eu lhe dou uma chance".

Ele se vira para a sua mulher e fita-a nos olhos.

RATHIN Eu lhe dou uma chance.
BERT HELLINGER "Com amor."
RATHIN Eu lhe dou uma chance.
BERT HELLINGER Diga: "Com amor".
RATHIN Com amor.
BERT HELLINGER *para Sibylle* Diga-lhe você também: "Eu lhe dou uma chance com amor".

Sibylle olha Rathin nos olhos. Ela tem os braços cruzados nesse momento.

BERT HELLINGER Ainda não é possível. Está bem, não importa.

Sibyllle desvia os olhos um instante.

BERT HELLINGER *como se estivesse falando consigo mesmo* Ainda não está decidido.

Quando cada um insiste em seu ponto de vista

BERT HELLINGER Alguns casais têm os chamados pontos de vista.
Aí está um companheiro de um lado do rio e o outro do outro lado. Se cada um defender somente o seu ponto de vista, ficam parados e separados da corrente da vida.

A solução consiste em entrar na corrente da vida e deixar-se levar. Então eles se encontram.

Descrever o problema é uma forma de perpetuá-lo

Continuação da página 53

CHRISTOPH Desde a hora do almoço tenho a imagem de estar nadando em uma grande corrente. É o belo sentimento de estar sendo levado. Sinto que este fluir em direção aos meus filhos é muito forte. Mas em nosso casamento ele se interrompe, vez por outra. Esse fluir não é constante, existem problemas. Muitas vezes é muito bonito e depois volta a se interromper.
BERT HELLINGER *para os casais* Ele demonstrou algo muito importante e gostaria de fazer um esclarecimento a partir de seu exemplo.
para Christoph Posso?

Christoph assente com a cabeça.

BERT HELLINGER Você sabe como a gente perpetua um problema?
CHRISTOPH Sim, na medida em que a gente sempre volta a falar dele.
BERT HELLINGER Sim, na medida em que a gente o descreve. Foi isso o que você acabou de fazer.

A mulher de Christoph assente com a cabeça e sorri.

BERT HELLINGER Através da descrição o problema é mantido. E como se elimina o seu poder? Renunciando à descrição.

Christoph permanece imóvel durante alguns instantes.

BERT HELLINGER Estenda-lhe o dedo mindinho.

Christoph sorri.

BERT HELLINGER Vamos lá, estenda-lhe o dedo mindinho.

Birgit voltara-se para Christoph e sorri para ele. Hellinger mostra os braços cruzados de Christoph.

BERT HELLINGER Estenda-lhe o mindinho.
CHRISTOPH Está bem.

Quando Christoph estende o mindinho para a sua mulher ela o acolhe com carinho e o fita profunda e amigavelmente.

BIRGIT Aceito este dedo e toda a sua mão.
BERT HELLINGER Em vez de descrever problemas a gente pode fazer pequenos exercícios como esse. Está bem?
BIRGIT Isso é muito importante.
BERT HELLINGER *para Birgit* Como se sente?
BIRGIT Isso me fez muito bem, porque é exatamente o nosso problema. Essa constante...
BERT HELLINGER *interrompendo-a* Lá está você fazendo isso de novo. Vocês dois têm muita prática na descrição de problemas.
BIRGIT Talvez agora isso termine, afinal.
BERT HELLINGER *para Birgit* Estenda-lhe também o dedo mindinho.

Quando Birgit estende o seu mindinho ao marido, os dois se olham profundamente nos olhos.

BERT HELLINGER Está bem, seria um processo interior importante vocês dois renunciarem à descrição. Porque assim vocês podem olhar para a frente. Por isso me recuso a ouvir qualquer descrição. Foi uma exceção não tê-lo interrompido. Queria ter o bom exemplo ou o mau exemplo, depende de como se vê. Está certo?

Ambos sorriem e assentem com a cabeça.

Birgit e Christoph: "Nosso primeiro filho morreu cedo"

A família atual e a família de origem do marido

BERT HELLINGER *para Christoph e Birgit* Agora vamos colocar a sua família atual.
BERT HELLINGER *para Birgit* Você começa?
BIRGIT Eu devo configurar?
BERT HELLINGER Sim, você primeiro. O seu marido também vai ter a sua chance.
BIRGIT Eu preferiria que ele colocasse a constelação. Nós temos cinco filhos.
BERT HELLINGER O primeiro filho morreu?
BIRGIT Sim.
BERT HELLINGER Com que idade?
BIRGIT Dezessete dias.

BERT HELLINGER De quê?
BIRGIT Ele tinha uma grave afecção cardíaca. Porém morreu de septicemia, depois de uma cirurgia no hospital.
BERT HELLINGER Um de vocês teve anteriormente um relacionamento firme?
CHRISTOPH Não.
BIRGIT Não.
BERT HELLINGER Está bem, coloque a constelação.

Figura 1a, colocada pela mulher

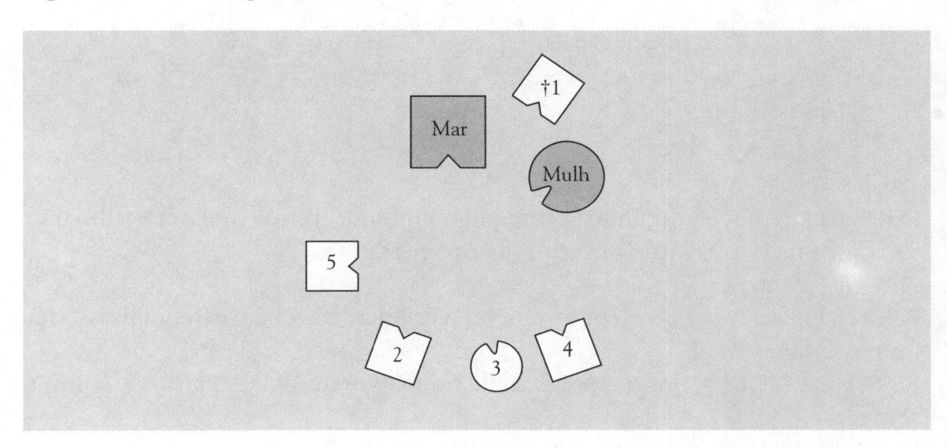

Mar	**marido (= Christoph)**
Mulh	**mulher (= Birgit)**
†1	**primeiro filho, homem, morreu com 17 dias**
2	**segundo filho, homem**
3	**terceiro filho, mulher**
4	**quarto filho, homem**
5	**quinto filho, homem**

BERT HELLINGER Quem é quem?
BIRGIT O primeiro filho, o mais velho, isto é, o filho mais velho com vida, o segundo filho é...
BERT HELLINGER O filho morto é contado também?
BIRGIT Com certeza.
BERT HELLINGER Por que você indicou o segundo filho como o mais velho?
BIRGIT O mais velho com vida.
BERT HELLINGER Não, você não o contou realmente. Isso foi revelador. Esse filho não é contado.
para Christoph Como você configuraria?

Figura 1b, colocada pelo marido

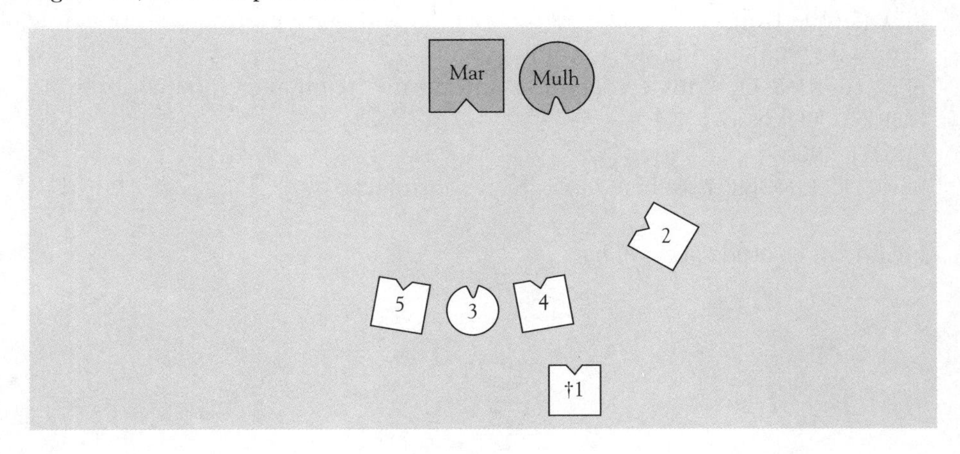

BERT HELLINGER A dinâmica principal é a mesma. Tem a ver com o filho morto. Tanto na constelação anterior quanto nesta.

BIRGIT Como?

BERT HELLINGER O que tem a ver com a criança morta é o essencial. Isso não foi resolvido.

BERT HELLINGER *para o representante do filho morto precocemente* Como se sente?

PRIMEIRO FILHO† Bem mal. Na primeira constelação estava bem. Queria sempre colocar o braço no ombro da mamãe. Queria também defendê-la quando você disse que ela não me havia mencionado. Eu ouvi muito bem que ela me mencionou.

BERT HELLINGER A constelação mostra claramente que a criança morta está excluída. Senão teria sido colocada de outra maneira.

para o representante de Christoph Como se sente?

MARIDO Sinto-me melhor na segunda constelação do que na primeira. Mas é uma sensação pesada, sobretudo pesa-me nos ombros. Sinto também um aperto no coração. Não sinto muito a mulher. Nas duas constelações tenho com o segundo filho alguma história. Tenho a sensação de algo formigando. O segundo filho nem pode me olhar. A filha entrou mais em meu campo visual na segunda constelação. Com o filho mais novo tenho pouco contato. Vejo que está pressionado de alguma forma, mas de minha parte não há nada.

BERT HELLINGER *para a representante da mulher* Como se sente a mulher?

MULHER Na segunda constelação sinto-me bem fria e o meu coração palpita fortemente. Sentia-me melhor antes. Sentia um calor agradável quando a criança morta estava ao meu lado. Queria apoiar-me nela. Queria tomá-la nos braços e havia uma ligação. Com relação ao marido não existe muita coisa. Está bem, mas não posso senti-lo realmente.

BERT HELLINGER *para Birgit* O que aconteceu em sua família de origem?

BIRGIT Minha mãe teve um parto prematuro. A criança viveu cinco dias, morreu e nunca foi mencionada. Encontrei isso, por acaso, nos documentos. Chorei sozinha por essa criança, chorei copiosamente e somente pude falar com minha mãe sobre isso quando a minha própria criança morreu. A mãe de minha mãe também perdeu um bebê de duas semanas. Esse bebê também não foi incluído. Soube dessa criança quando o meu próprio filho morreu. Foi terrível. Senti uma dor incrível por essas crianças. Durante toda a minha vida tive a sensação de que faltava alguém em nossa família. Já desde pequena tinha a sensação de que alguém estava faltando.

BERT HELLINGER *para Birgit* Em quem queria se apoiar a mãe?

BIRGIT Na criança morta.

BERT HELLINGER Não, uma mãe não se apóia numa criança.

BIRGIT Eu pensei nisso agora, com a constelação.

BERT HELLINGER Sim, ela disse isso. Mas quem a criança estava representando?

BIRGIT A irmã morta?

BERT HELLINGER Provavelmente a irmã morta. Isso faz sentido?

BIRGIT *assente com a cabeça comovida* É exatamente o que eu penso.

BERT HELLINGER *para Christoph* Aconteceu algo especial em sua família de origem?

CHRISTOPH A minha avó morreu quando a minha mãe tinha seis anos de idade. Contaram-me que desde o momento em que a minha mãe nasceu a mãe dela não recuperou mais a saúde. Isto é, seis anos após o nascimento de minha mãe a mãe dela morreu, mas ela esteve doente desde que deu a luz a ela e morreu então de parada cardíaca.

Os dois irmãos mais velhos de minha mãe tombaram na guerra num período de duas semanas. Além disso havia ainda três filhas. Meu avô casou-se muito tempo depois da morte de minha avó com a prima de minha mãe.

BERT HELLINGER Isso não tem importância aqui. A questão é, qual será a sua relação estranha com o seu segundo filho? Quem ele está representando? Você não precisa contar nada. Vou colocar a constelação de forma que fique claro. Está bem?

CHRISTOPH Existe ainda um caso na família de minha mãe. Devo mencioná-lo?

BERT HELLINGER Acho que já tenho os fatos essenciais.

Hellinger escolhe representantes para a mãe de Christoph e seus pais e os coloca na imagem.

Figura 2

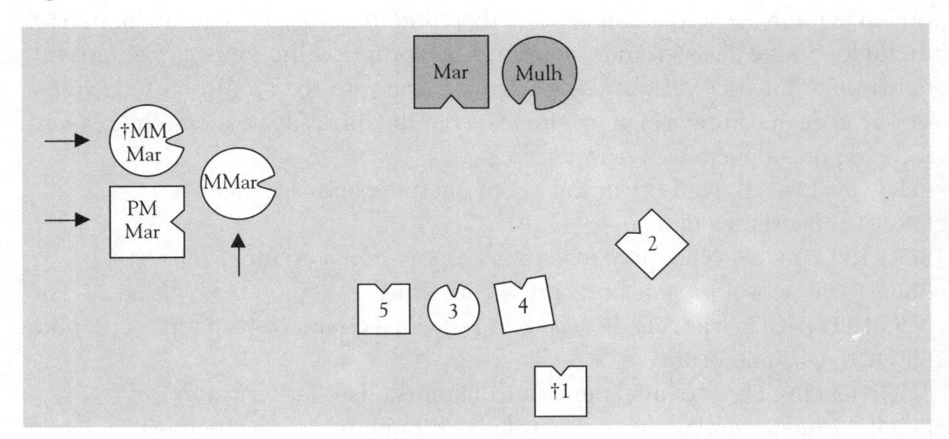

MMar	**mãe do marido**
†MMMar	**mãe da mãe do marido, que morreu em conseqüência do parto da mãe de Christoph**
PMMar	**pai da mãe do marido**

BERT HELLINGER *para o representante de Christoph* Mudou alguma coisa agora?
MARIDO São como ondas. O lado direito está mais leve.
BERT HELLINGER Que tal agora para o filho? Mudou algo?
MARIDO É difícil definir. Talvez esteja um pouco mais fácil.
BERT HELLINGER *para o segundo filho* Mudou algo para você?
SEGUNDO FILHO, HOMEM Agora sei para onde estou olhando. Antes estava olhando o tempo todo para o vazio. Agora sei para onde estava olhando o tempo todo.
BERT HELLINGER *para Christoph* O segundo filho precisa representar o pai da mãe. Você sabe qual é a fantasia que muitas vezes existe numa família em que a mulher morre em conseqüência de um parto?
CHRISTOPH A criança sente-se culpada.
BERT HELLINGER Eu perguntei qual é a fantasia que surge numa família em que a mulher morre das conseqüências de um parto.
depois de pensar longamente O marido a matou, essa é a fantasia. Faz-se-lhe uma acusação. Essa é a situação aqui na constelação.
CHRISTOPH Meu avô era depressivo, minha mãe era depressiva e eu também fiquei depressivo.
BERT HELLINGER Isso não leva a nada aqui. Tais definições psiquiátricas não me impressionam absolutamente.

Hellinger posiciona a mãe de Christoph à esquerda de seus pais.

Figura 3

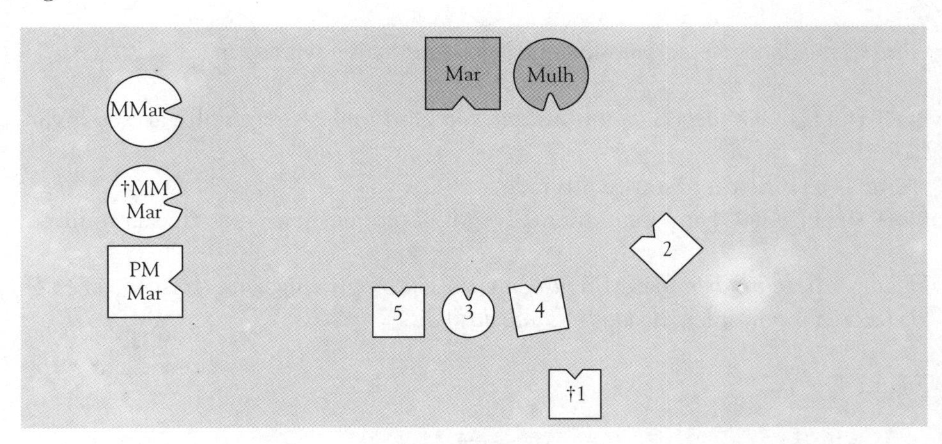

BERT HELLINGER Como se sente agora a avó?
MÃE DA MÃE† Estou ótima assim. Antes não estava bem, mas agora estou bem. As minhas mãos estavam elétricas. O segundo filho me olhava constantemente, mas aqui me sinto bem.
BERT HELLINGER O que sente em relação ao marido?
MÃE DA MÃE† É um sentimento caloroso, está certo, é correto.
BERT HELLINGER *para o grupo* Nas constelações surge exatamente o contrário. A mulher morta está unida ao marido e ambos carregam juntos o destino. Esta é a realidade, ao contrário de toda a fantasia.

Hellinger pede para Christoph ocupar o seu próprio lugar na constelação e o conduz para diante de seus avós.

BERT HELLINGER *para Christoph* Agora incline-se diante de seus avós, com amor e respeito por ambos.

Christoph se inclina profundamente.

BERT HELLINGER Coloque as mãos no peito, assim é mais fácil. Relaxe a cabeça. *depois de uns instantes* Agora endireite-se e diga: "Vovô, eu o reverencio".
CHRISTOPH Vovô, eu o reverencio.
BERT HELLINGER "Eu o reverencio e à vovó, agora."
CHRISTOPH Eu o reverencio e à vovó, agora.
BERT HELLINGER Olhe para a mãe e diga: "Mamãe".
CHRISTOPH Mamãe.

BERT HELLINGER "Eu reverencio os seus pais."
CHRISTOPH Eu reverencio os seus pais.
BERT HELLINGER Vá até os seus avós e abrace-os.

Christoph é abraçado carinhosamente pelos seus avós e por sua mãe.

BERT HELLINGER *depois de uns instantes, a Christoph* Agora volte ao seu lugar. Como se sente aí?
CHRISTOPH Estou bastante aliviado.
BERT HELLINGER Sim, exatamente. Agora coloque-se ao lado de sua mulher.

Hellinger pede também para Birgit ocupar o seu próprio lugar na constelação e coloca os filhos por ordem de idade diante dos pais.

Figura 4

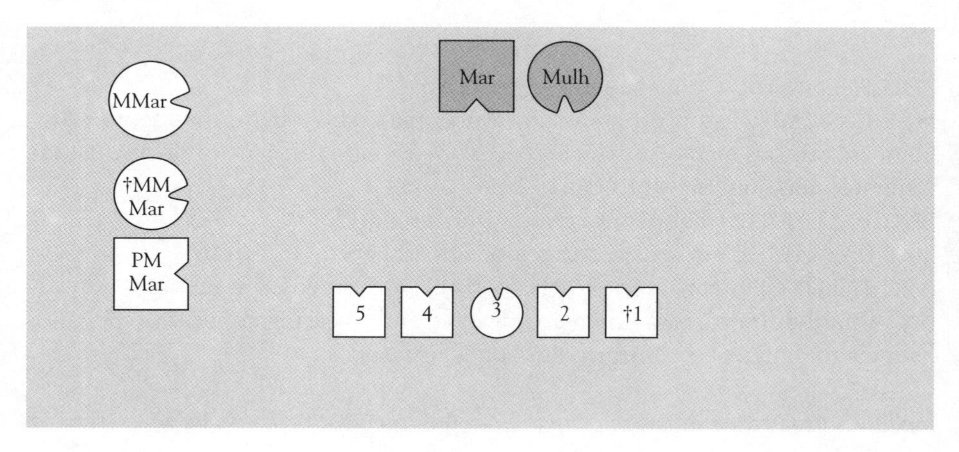

BERT HELLINGER *para Christoph* Olhe para os seus avós e diga: "Esta é a minha mulher e estes são os meus filhos".
CHRISTOPH Esta é a minha mulher e estes são os meus filhos: Sebastian, Fabian, Nino, Nina e Tim.
BERT HELLINGER "Olhem-nos com benevolência."
CHRISTOPH Olhem-nos com benevolência.
BERT HELLINGER "Tudo seguiu bem."
CHRISTOPH Tudo seguiu bem.
BERT HELLINGER Que tal para os avós?
PAI DA MÃE Muito bem, comovedor.
MÃE DA MÃE† É bonito, muito bonito.
MÃE *assente com a cabeça* Sim.

Christoph está muito comovido e com lágrimas nos olhos.

BERT HELLINGER *para Christoph e Birgit* Agora precisamos ainda colocar algo em ordem aqui entre os filhos.
BERT HELLINGER *para a criança morta* Apóie-se em seus pais.
para Birgit e Christoph Vocês colocam o braço em redor da criança.

Quando a criança morta se apóia em seus pais, Birgit fecha os olhos e acaricia a criança.

Figura 5

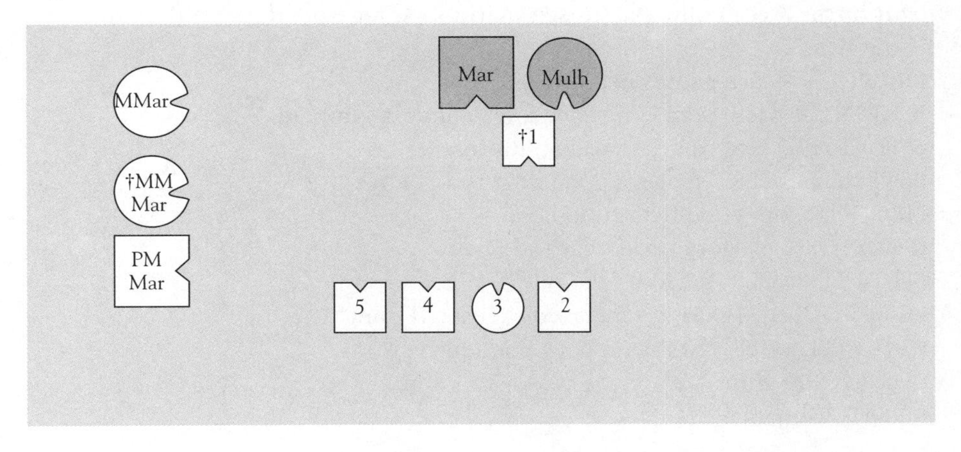

BERT HELLINGER *depois de uns instantes, para a criança morta precocemente* Agora vire-se, abrace seus pais e eles aceitam você.

Christoph e Birgit abraçam carinhosamente a criança morta.

BERT HELLINGER *depois de uns instantes* Os pais dizem-lhe: "Querido filho".
BIRGIT E CHRISTOPH Querido filho.
BERT HELLINGER "Deixamos você partir com amor."
BIRGIT E CHRISTOPH Deixamos você partir com amor.
BERT HELLINGER "Mas você tem um lugar em nossos corações."
BIRGIT E CHRISTOPH Mas você tem um lugar em nossos corações.
BERT HELLINGER "E entre seus irmãos também."
BIRGIT E CHRISTOPH E entre seus irmãos também.
BERT HELLINGER *para a criança morta* Como se sente?
PRIMEIRO FILHO† Estou bem. Estive bem o tempo todo. Simplesmente me sinto bem.
BERT HELLINGER Sim, e agora coloque-se ao lado de seus irmãos.

para os filhos Agora posicionem-se em frente dos pais por ordem de idade.
para o segundo filho Olhe para o seu irmão morto. Diga-lhe: "Você é o mais velho".
SEGUNDO FILHO *alegremente* Você é o mais velho.
BERT HELLINGER "Eu sou o segundo."
SEGUNDO FILHO Eu sou o segundo.
BERT HELLINGER Que tal?
SEGUNDO FILHO Tenho a sensação de que era isso que me faltava.
BERT HELLINGER Exatamente.
PRIMEIRO FILHO† Antes estava sempre triste.
BERT HELLINGER Agora vocês podem ver que os mortos são amigáveis.
para Birgit Agora olhe para o seu marido. Abrace-o e diga: "Nós carregamos isso juntos".
BIRGIT Nós carregamos isso juntos.
BERT HELLINGER *para Christoph* Diga para ela também.
CHRISTOPH Nós carregamos isso juntos.
BERT HELLINGER "E agora pode ficar tudo bem".
BIRGIT E agora pode ficar tudo bem.
CHRISTOPH E agora pode ficar tudo bem.
BERT HELLINGER E agora, que tal? Está bem assim?
BIRGIT E CHRISTOPH *assentem com a cabeça* Sim.
BERT HELLINGER Está bem, paro por aqui.
CHRISTOPH Sim.
BIRGIT Obrigada.

Continuação de Birgit e Christoph na página 138

Dar um lugar no coração ao filho que nasceu morto

Continuação da página 110

HOLGER Fiquei muito comovido porque também temos uma criança que nasceu morta. Sempre lidei com essa questão com muita distância. Pensava que isso não me afetava em absoluto. Agora percebi que não era verdade.
BERT HELLINGER Sim, com certeza. O que você vai fazer agora?
HOLGER Não sei o que devo fazer.
BERT HELLINGER Olhe agora para a criança morta. Você a viu naquele tempo?
HOLGER Sim.
BERT HELLINGER Diga para a criança morta: "Eu a aceito como minha".
HOLGER Eu a aceito como minha.
BERT HELLINGER "E a coloco em meu coração."
HOLGER E a coloco em meu coração.
BERT HELLINGER "Como seu pai."
HOLGER Como seu pai.

Holger e sua mulher estão muito comovidos.

BERT HELLINGER Como pensa que a criança se sente agora?
HOLGER *sorrindo* É uma menininha.
BERT HELLINGER *para os outros casais* Agora ele tem sentimentos paternais pela criança. Isso é bom.

A mulher de Holger também sorri e começa então a chorar.

HOLGER Percebo também, que...
BERT HELLINGER Não, você não precisa dizer nada. Deixe assim.
para a mulher de Holger Vou deixar você em paz. Você está agora junto com eles.
para Holger Abrace a sua mulher.

Elke se encosta no ombro de Holger e chora.

BERT HELLINGER Imaginem que a criança descansa entre vocês. Ela está acolhida e aceita pelos seus pais.

Elke acaricia ternamente a mão de Holger como se ela fosse um bebê.

Concordando com a morte

BERT HELLINGER Na alma existe uma profunda concordância com a morte e com a origem da qual provém a vida e na qual ela volta a imergir. Existe um movimento interior que arrasta o ser humano de volta à origem. É um movimento bem suave e é preciso respeitá-lo.

Entretanto, existem pessoas que se opõem, através de seu eu, a esse movimento. Dizem: Quero viver 120 anos. Por exemplo, com 80 anos ainda fazem cooper, obstinados, para alongar o tempo de vida. Com isso ridicularizam-se perante a sua própria alma. Essa alma não quer nada disso. A alma quer voltar à origem, a seu tempo. Quem assume a sua idade com dignidade e segue o movimento, volta a imergir com suavidade quando chega a sua hora. É como uma plenitude.

Outros querem voltar à origem cedo demais. Isso é uma traição à alma. A alma quer o completo espaço de tempo que lhe foi concedido.
para Holger e Elke Alguns têm um tempo breve, como a criança que nasceu morta.

Existem pessoas que pensam que quando alguém vive muitos anos tem vantagem em relação àquele que viveu muito pouco. Por exemplo, com relação a uma criança que talvez tenha tido somente um sopro de vida ou que nasceu morta. Mas na origem não faz qualquer diferença se alguém viveu 100 anos ou somente um segundo. Que diferença poderia haver, lá onde tudo descansa? Precisamos abdicar de nosso orgulho, que nos diz que teremos uma vantagem se vivermos muitos anos.

É terrível quando numa família uma criança natimorta ou uma criança que morreu prematuramente não é incluída. Existe, inclusive, uma nova portaria governamental que diz que seria muito trabalho para as repartições se tivessem de registrar também os natimortos no Livro de Família. Uma atitude dessas é incompreensível.

Nas constelações familiares podemos ver o efeito dessas crianças e quão importantes elas são.

Quando aqueles que morreram prematuramente têm o seu lugar, então os que viverem ou sobreviveram mais tempo podem aceitar a sua vida sem arrogância, pois eles respeitam os mortos. Se não, têm a sensação de que não merecem a vida. Entretanto, se os mortos são respeitados eles são amigáveis com os vivos.

Continuação de Elke e Holger na página 168

Depois de uma rodada

Continuação da página 136

CHRISTOPH Estou muito otimista. Por meio da constelação os meus avós, principalmente a minha avó e nosso filho morto, se tornaram presentes em mim. Também a nível de sentimentos eles estão presentes e tenho agora uma imagem. Entretanto, quanto à Birgit e à minha família atual, está faltando algo.
BERT HELLINGER Você precisa pensar algo bem especial para a sua mulher.

Christoph sorri e assente com a cabeça. Então Birgit também sorri e também assente.

BIRGIT Eu estou bem. Sempre me esforcei por incluir também o nosso filho morto. Ele está perpetuado em nossa casa. Existe um grande desenho onde se vêem cinco crianças. Nossos filhos contam aos seus amigos sobre o seu irmão mais velho. Ele vive, por assim dizer, conosco.
BERT HELLINGER Se existem tantos desenhos é suspeito.
BIRGIT Eu queria que ele não fosse esquecido.
BERT HELLINGER Se vocês deixarem a criança vibrar com vocês de modo normal então não é necessário fazer mais nada.
BIRGIT É possível.
BERT HELLINGER Recomece.
BIRGIT *ri e assente com a cabeça* Certo!

Durante uma rodada na manhã seguinte

Ele lhe deve algo

BIRGIT Dormi bem. Tenho muitas perguntas, perguntas demais. Muita coisa está passando pela minha cabeça. Tenho dúvidas se realmente aprendemos algo da constelação. Duvido ainda porque se trata da aceitação...
BERT HELLINGER *interrompe* Não está resolvido. Ele lhe deve algo, que não está disposto a dar.
BIRGIT Ontem ele queria dar-me um presente...
BERT HELLINGER *interrompe* Não quero falar sobre isso.
para Christoph Está bem claro que você lhe deve algo. Não sei o que é. Tampouco quero saber. Isso precisa ser colocado em ordem. Os relacionamentos reagem muito sensivelmente ao dar e ao aceitar, ao respeito mútuo.

Birgit assente com a cabeça enquanto Christoph permanece de braços cruzados.

CHRISTOPH Dormi muito mal. Não sei me expressar. É como se fosse uma imagem deslocada. Algo se deslocou, mas não está claro.
BERT HELLINGER Não importa. Algo assim pode precisar de tempo até que se desenvolva.

Deixar a nova imagem fazer efeito

BERT HELLINGER Gostaria ainda de chamar a atenção de vocês para o seguinte: Quando surgem novos temas ou uma nova imagem, não se deve agir imediatamente. Isso é muito importante. Não se deve tomar decisões imediatamente. Mas é a própria imagem que atua e depois de algum tempo deixa claro o que deve ser feito. Quando a pessoa age muito depressa, em geral se adianta à alma. Então a imagem se recolhe novamente. É importante não tomar decisões precipitadas, mas continuar fazendo exatamente como antes, sem nenhuma alteração. Até que de repente fique claro.
Ou então ocorre uma mudança sem que a gente perceba. Por assim dizer, sem nenhuma pressão do próprio eu.

Christoph e Birgit assentem com a cabeça.

Você me faz lembrar...

HARM Durante a constelação, ela me fez lembrar por um curto momento a minha irmã. Quando ela chorou, tinha os mesmos olhos de minha irmã.
BERT HELLINGER Não tem, não! Ela tem olhos completamente diferentes!
HARM Semelhantes.
BERT HELLINGER Isso é pura fantasia.

HARM Isso me fez lembrar.
BERT HELLINGER "Você me faz lembrar..." é um truque sujo por meio do qual obrigamos outras pessoas a algo que nada tem a ver com elas.
Por exemplo: "Você me faz lembrar o meu pai". Se tive problemas com o meu pai, projeto tudo em você porque você me faz lembrá-lo. Isso é um truque muito sujo.
HARM Foi apenas por um breve momento.
BERT HELLINGER Mesmo assim já é demais. Especialmente quando um homem diz à sua mulher: "Você me faz lembrar..." Então o relacionamento está perdido. Ou quando a mulher diz: "Você me faz lembrar..." Então o relacionamento está perdido. Podemos sepultá-lo. Está bem, algo mais?
HARM No momento, não.
BERT HELLINGER Dei-lhe uma pequena lição?

Harm sorri.

No dia seguinte

Discutir para descansar do amor

HARM Bert, a sua frase de ontem: "Agora lhe dei uma pequena lição" foi difícil de aceitar. Entendi o conteúdo, mas não pude aceitar a frase. Tampouco sei com o que está relacionada.
BERT HELLINGER Foi uma boa lição?
HARM Foi boa.

Harm e Marion riem. Então Harm segue falando com voz comovida.

Hoje de manhã tivemos uma discussão. Achei tão típico do nosso relacionamento. Primeiro nos entendemos bem e, de repente, começamos a discutir. Então não tenho qualquer influência sobre o desenvolvimento posterior da discussão. Tudo se descontrola. Para mim é inexplicável que algo assim possa acontecer.
BERT HELLINGER Como a gente deve lidar com uma discussão está nos contos dos irmãos Grimm.
HARM Mas eu gostaria muito de saber a causa.
BERT HELLINGER Vou lhe dizer como lidar com essa situação. Não vou falar sobre a causa. Você conhece o conto do Alfaiate Valente?
HARM Sim, um pouco.
BERT HELLINGER O Alfaiate Valente foi atacado por um unicórnio. Você sabe o que ele fez?
HARM Não.
BERT HELLINGER Deu um passo para o lado.

Harm olha Marion nos olhos. Ambos riem abertamente.

BERT HELLINGER De acordo? Algo mais?
HARM Não.
MARION Dormi muito bem até às primeiras horas da manhã. Aí tive um sonho terrível. Depois disso não consegui mais dormir direito. Então nos "atracamos". Agora estou mal-humorada e aborrecida.
BERT HELLINGER E você se sente bem desse jeito?
MARION Às vezes.

Marion ri.

BERT HELLINGER Pois é!
MARION Não, na verdade, hoje não.

Marion sorri ao falar.

BERT HELLINGER Se é para você um prazer estar mal-humorada, às vezes o seu parceiro deve dizer-lhe: Eu agüento isso com prazer por você. Essa seria também uma possibilidade de lidar com essa questão.
para os casais Alguns casais precisam descansar do amor! Nas discussões entre um casal trata-se, na maioria das vezes, de ganhar distância. Por meio da discussão se restabelece uma distância.
MARION Sim, talvez seja isso.
BERT HELLINGER Mais alguma coisa?
MARION Não.

Algumas horas mais tarde

Brigar é uma maneira de criar distância em relação ao companheiro

MARION Eu tenho dúvidas sobre aquilo que você me disse, há pouco, sobre a briga.
HELLINGER O que foi que eu disse?
MARION Que brigar cria distância quando o amor se torna muito grande. Eu não quero isso, porque estivemos brigando durante muito tempo. Agora nós dois queremos estar mais próximos, porém simplesmente não conseguimos.
HELLINGER A proximidade e a distância se completam. Quando um relacionamento se torna muito estreito, acontece uma briga e, depois, tem-se a distância ideal. Em seguida, os dois podem se reaproximar. É uma alternância. Via de regra, é muito mais bonito depois de uma briga.
MARION Via de regra, talvez. Mas não no nosso caso.
BERT HELLINGER No seu caso, não?

MARION Eu sei como é. Mas agora nós não estamos conseguindo.
BERT HELLINGER Uma vez ouvi falar de um homem que foi visitar um amigo. Depois de haver tocado a campainha, o seu amigo apareceu à porta, radiante. O visitante comentou: você está tão radiante. Pois é, disse o amigo, tive uma briga com a minha mulher. Depois disso, é sempre muito mais bonito.

Marion e Harm põem-se a rir.

MARION Talvez ainda mude.
BERT HELLINGER Está bem.
HARM Essas discussões ocupam a minha mente. Trata-se sempre de um de nossos temas fundamentais: a falta de respeito.
BERT HELLINGER Na verdade, isso pode ser resolvido facilmente.
HARM Sim?
BERT HELLINGER Sabe como?
HARM Não.
BERT HELLINGER Todos os dias diga a ela três coisas que a deixem feliz. Esse é um exercício muito simples.
HARM Vou experimentar.

A compensação tanto positiva como negativa

BERT HELLINGER Um dos motivos principais de uma briga é a falta de igualdade ou de equilíbrio entre o dar e o aceitar. Nos relacionamentos em que existe um grande amor, um dá ao outro algo de si. Com isso, o outro se sente pressionado. Cada dádiva coloca-me sob pressão. Então eu me sinto penhorado. Alivio essa pressão dando também algo ao outro. Mas, porque o amo, dou-lhe um pouco mais. Agora o outro também fica sob pressão e retribui, mas, porque ama, dá um pouco mais. Assim se incrementa o intercâmbio, que fica sempre mais rico. Essa é uma felicidade rica e plena. Esse é o intercâmbio do que é bom. E por meio dele o vínculo torna-se cada vez mais firme. Essa é a desvantagem. Com isso, perde-se um pouco de liberdade. Mas essa é uma renúncia fácil de suportar, em vista do que se recebe por ela.

Marion volta-se para Harm e o fita nos olhos.

BERT HELLINGER Sim, olhe-o com carinho. Fique tranqüila, que isso não causa nenhum dano.

Marion e Harm sorriem.

BERT HELLINGER Essa foi a parte fácil. Agora passaremos à difícil. Acontece muitas vezes que um dos parceiros inflige ao outro algum dano. Agora o outro

também tem a necessidade de compensação e inflige dano ao primeiro. Por sentir-se com a razão, inflige ao outro algo pior do que lhe foi infligido. Assim, o outro torna a ter o direito de infligir-lhe algo ainda pior.
a Marion e Harm Conhecem isso?
HARM Sim, sim, parece que sim.

Marion faz um gesto afirmativo.

BERT HELLINGER Também aqui incrementa-se o intercâmbio, mas do que é mau. Esse intercâmbio do que é mau destrói muitos relacionamentos. Através do intercâmbio do que é mau, fica-se igualmente vinculado um ao outro como no intercâmbio do que é bom. Só que, então, o sujeito é infeliz. Entretanto, aqui também existe uma solução: em vez de retribuir um pouco mais do que é mau, retribui-se um pouco menos. Mas é preciso retribuir. Não se pode perdoar. O perdão destrói o intercâmbio e o relacionamento. Quando um outro causou-me dano, digo-lhe: pelo bem do amor causarei certo dano a você, para que o nosso relacionamento não termine. Mas o prejudicarei um pouco menos. Esse pouco menos reabre o caminho para o intercâmbio do que é bom.

Em um relacionamento pode-se ver imediatamente se existe um intercâmbio mais no bom sentido ou mais no mau sentido. A solução está em passar novamente do mau intercâmbio para o bom intercâmbio. Essa transição não requer muito. Necessita-se apenas de um pouco mais do que é bom. Se o casal for bem-sucedido, origina-se uma transparente serenidade no relacionamento.

O máximo que posso dar a um companheiro é apreciá-lo e respeitá-lo. Isso é o mais importante. E, ademais, respeitá-lo "tal como ele é".

Alguns dizem, eu o respeitarei depois, quando você mudar. Pode-se esquecer isso.
a Marion e Harm O companheiro é certo do jeito que ele é. Se não fosse assim, você não teria se casado com ele. E ele também não teria se casado com você se não fosse a certa para ele. Cada um deve permanecer assim como é.

Quando não existe incentivo para uma melhora, cada um pode se desenvolver com mais plenitude. Mas, assim que se exige do companheiro que ele mude, então a sua dignidade pede que continue como é. Consegui esclarecer bem isso?

Harm e Marion concordam.

BERT HELLINGER *com sagacidade* Acabo de dar-lhes mais uma lição?

HARM Sim.

No terceiro e último dia

Harm e Marion: "Eu sabia"

A família atual e o antigo namorado da esposa, que tentou matá-la

BERT HELLINGER Parece-me que hoje ainda temos o que fazer.
para Harm Qual era o seu tema?
HARM No momento ainda não sei direito.
BERT HELLINGER Vocês dois são casados?
HARM E MARION Sim.
BERT HELLINGER Têm filhos?
HARM E MARION Não.
MARION Esse é o grande problema.
BERT HELLINGER Harm, coloque o sistema atual: a sua mulher e você.

Figura 1a, colocada pelo marido

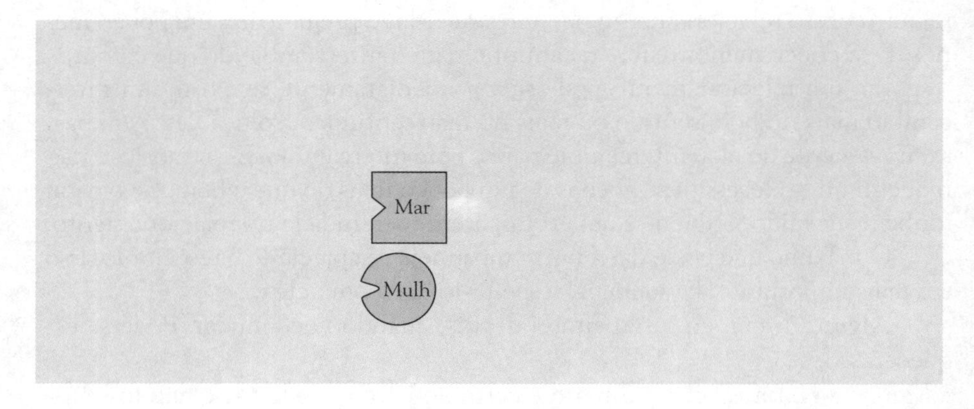

Mar **marido (= Harm)**
Mulh **mulher (= Marion)**

BERT HELLINGER *para o representante de Harm* Como se sente o marido?
MARIDO Sinto-me um pouco solitário. *Ele aponta para a mulher a seu lado.* Ainda é muito pouco.
BERT HELLINGER *para a representante de Marion* E quanto à mulher?
MULHER Eu não posso olhá-lo. *Ela aponta para seu ombro esquerdo.* Sinto muito frio aqui.
BERT HELLINGER Marion, como você colocaria a constelação?
MARION Teria feito de outra maneira.
BERT HELLINGER Faça-o concentrada, seguindo somente a intuição.

Figura 1b, colocada pela mulher

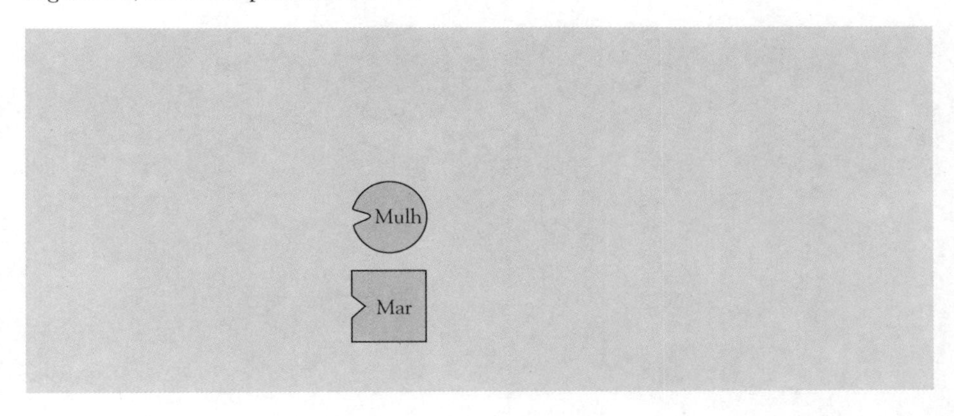

BERT HELLINGER *para os representantes* Bem, o que mudou?
MARIDO Está melhor. Antes o lado direito estava vazio, agora aí está a mulher. Do lado esquerdo não me falta nada.
MULHER Para mim também é melhor. De certa forma, sinto-me mais correta. Mas ainda não posso olhar para ele.
BERT HELLINGER *para Marion* O que houve em sua família de origem?
MARION Tenho uma irmã quatro anos mais jovem. Meus pais se separaram quando eu tinha mais ou menos oito anos. Meu pai tornou a se casar e eles adotaram duas crianças. Meu pai morreu de câncer há dois anos e meio. Minha mãe já foi operada pela segunda vez de câncer de mama. Houve um caso de morte na família de minha mãe. O seu irmão mais jovem se suicidou aos 21 anos, abrindo o registro de gás. Esses são acontecimentos marcantes, dos quais me lembro agora.
BERT HELLINGER Um dos seus pais teve antes uma relação firme?
MARION Não que eu soubesse.
BERT HELLINGER O irmão de sua mãe que se suicidou, era mais jovem que ela?
MARION Sim.
BERT HELLINGER Não creio que possa ser isso. Aconteceu alguma coisa com vocês? Um de vocês já teve antes uma relação firme?
MARION E HARM Sim.
BERT HELLINGER Ambos? Quantos relacionamentos firmes?
MARION No meu caso três foram de importância. Porém, não tivemos filhos. Entretanto, aconteceu algo grave.
BERT HELLINGER O quê?
MARION Certa vez, estando fortemente embriagado, meu antigo companheiro tentou me matar.
BERT HELLINGER Vamos colocá-lo.

Figura 2

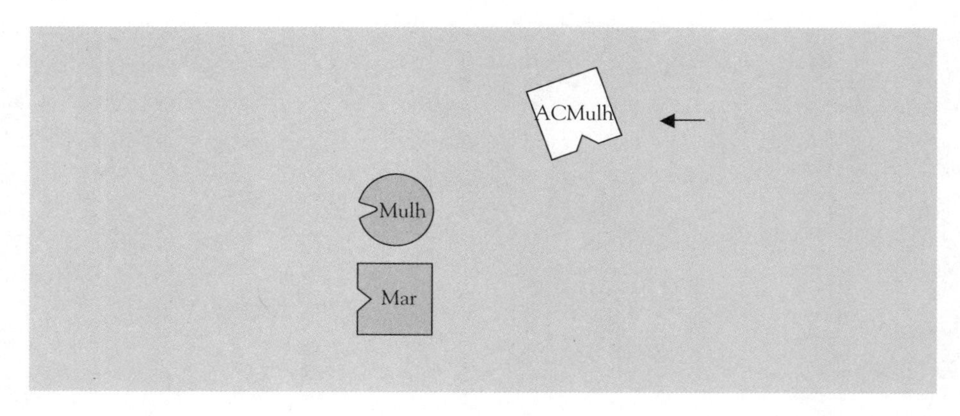

ACMulh Antigo companheiro da mulher, que tentou matá-la

BERT HELLINGER *para a mulher* O que há agora?
MULHER Tenho calafrios. Estou muito assustada. Sinto medo. Poderia mesmo começar a chorar. É como se algo me mantivesse prisioneira.
BERT HELLINGER *para Marion* Você o denunciou?
MARION A princípio, não. Mas então a polícia me forçou a fazê-lo. Foi marcada uma audiência. Mas antes disso retirei a queixa, porque a carga era muito grande. Então participei dessa audiência como testemunha, porque o promotor público apresentou queixa.
BERT HELLINGER Ele foi condenado?
MARION Não sei. A audiência durou dois dias, porque ele havia cometido muitos outros delitos. Tomava drogas, negociava com drogas, fugiu depois de provocar um desastre...
BERT HELLINGER E como é que você anda com um homem assim?
MARION *rindo* Quando o conheci, não sabia nada disso. Tudo foi se evidenciando pouco a pouco.
BERT HELLINGER Algo assim se sabe.
depois de alguns instantes Vou retirar agora a sua representante de seu papel e seguirei trabalhando diretamente com você.
e quando Marion se encontra em seu lugar Primeiro entre em contato. Como se sente?
MARION Para mim é uma sensação desagradável.
BERT HELLINGER *para o antigo companheiro* Como se sente?
ANTIGO COMPANHEIRO Sinto forte palpitação.
BERT HELLINGER *para Marion* Dirija-se ao seu antigo companheiro e coloque-se em frente dele.

Figura 3

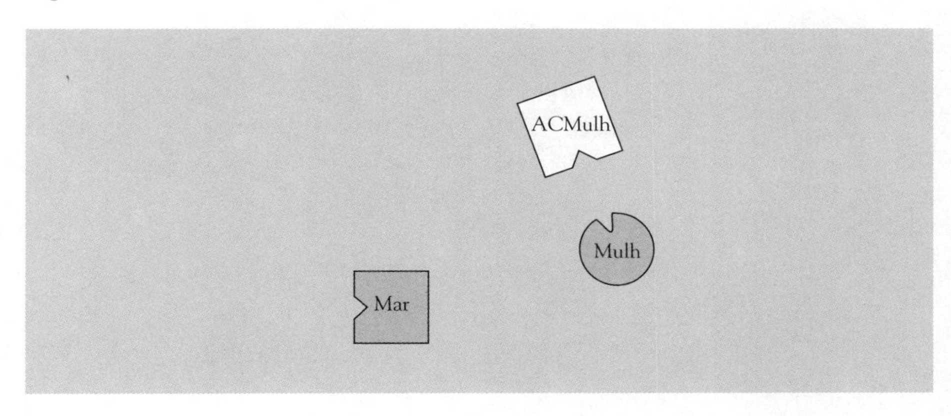

Marion e o antigo companheiro fitam-se nos olhos por longo tempo, sem dizer palavra.

BERT HELLINGER *para Marion* Coloque-se ao seu lado.

Marion coloca-se à direita de seu antigo companheiro.

BERT HELLINGER *para Marion* E então?
MARION É uma sensação estranha.
BERT HELLINGER Como é a sensação?
MARION É desagradável.
BERT HELLINGER *para o antigo companheiro* E para você?
ANTIGO COMPANHEIRO Estou nervoso.
BERT HELLINGER *para Marion* Ponha-se à sua frente outra vez.
quando Marion já está em frente de seu antigo companheiro Que tal agora?
MARION Melhor.
BERT HELLINGER Olhe para ele e diga: "Eu sabia".
MARION Eu sabia.
BERT HELLINGER "Eu o assumo. Eu sabia."
MARION Eu o assumo. Eu sabia.
BERT HELLINGER "Porém agora me afasto de você."
MARION Porém agora me afasto de você.
BERT HELLINGER *para Marion* Faça-o. Fite-o enquanto você recua lentamente. Mantenha-o sempre à vista.

Figura 4

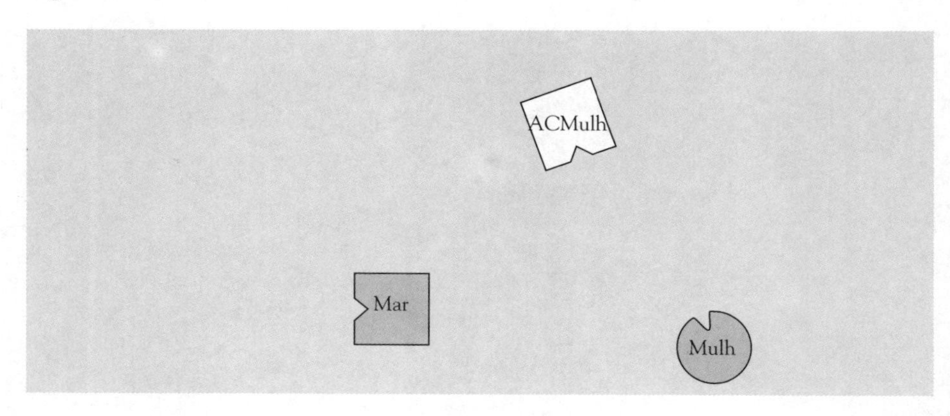

BERT HELLINGER *depois que Marion se afastou alguns passos de seu antigo companheiro* Que tal agora?
MARION *com um gesto afirmativo* Melhor!
BERT HELLINGER *para o antigo companheiro* Que tal para você?
ANTIGO COMPANHEIRO *com um profundo suspiro* Em princípio está bem. Mas, de certa maneira, também me dá um pouco de pena.
BERT HELLINGER Diga a ela: "Eu deixo que você se vá".
ANTIGO COMPANHEIRO Eu deixo que você se vá.
BERT HELLINGER "Eu carrego isso."
ANTIGO COMPANHEIRO Eu carrego isso.
BERT HELLINGER "Todo."
ANTIGO COMPANHEIRO Todo.
BERT HELLINGER Que tal?
ANTIGO COMPANHEIRO Assim está certo.
BERT HELLINGER Agora vire-se e dê alguns passos à frente.

O antigo companheiro está agora de costas para Marion.

BERT HELLINGER *para Marion* E como é agora?
MARION Sinto-me aliviada.

Hellinger coloca Marion alguns passos atrás do representante de seu marido.

BERT HELLINGER *para o marido* Como foi para você durante todo esse tempo?
MARIDO Agora está melhorando. Mas antes eu tinha a forte sensação de que tudo se passava às minhas costas. E pensava: Tenho de agüentar. Tenho de agüentar. Tenho de agüentar.

Hellinger coloca o representante do marido de Marion à direita dela

Figura 5

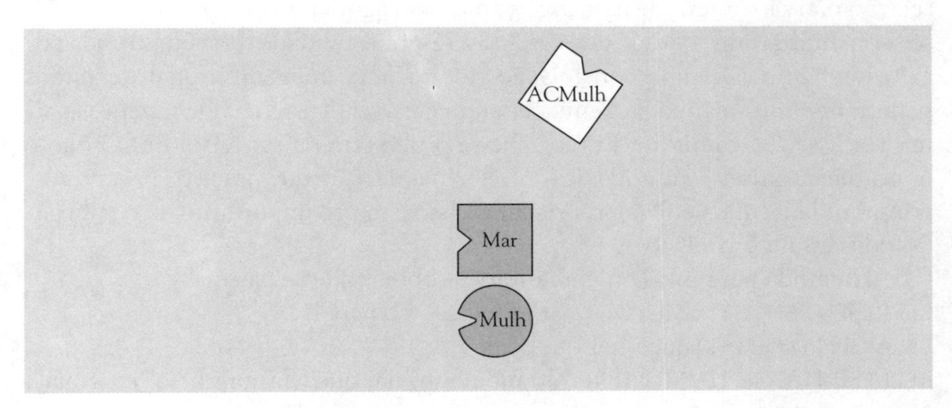

BERT HELLINGER *para Marion* Que tal assim?
MARION É agradável.
BERT HELLINGER *para o marido* E para você?
MARIDO Para mim é difícil, deixar ir tão rápido o que se passou. Ainda estou pensando nisso.
BERT HELLINGER Em quê, exatamente?
MARIDO Em aceitá-la aqui ao meu lado. Tenho dificuldades em perdoá-la.
BERT HELLINGER *para Harm* O que você acha disso?
HARM *pensativo* Sempre sinto também um leve ressentimento em relação a ela. Mas não sei por quê.

Hellinger coloca então Harm na constelação.

BERT HELLINGER *para Harm* Olhe para ela e diga: "É perigoso demais para mim".
HARM É perigoso demais para mim.
BERT HELLINGER Como é? Está certa a frase?
HARM Não.
BERT HELLINGER *para Marion* Isso a atinge?
MARION Não atinge.
BERT HELLINGER Não atinge.
depois de Harm fitar longamente a sua esposa Marion nos olhos Está bem assim?
HARM Estou um pouco triste.

Harm torna a fitar Marion no fundo dos olhos.

BERT HELLINGER Creio que vou deixar assim. Tudo bem?

Marion e Harm assentem com a cabeça e se sentam. Harm olha pensativamente à sua volta.

Constelações não são ordens de agir

BERT HELLINGER *para o grupo* É importante saber que o resultado de uma constelação não são ordens de agir, algo como: Isso agora tem de ser feito assim. Isso seria muito ruim. Porque desse modo a responsabilidade seria empurrada para o terapeuta. De uma constelação resulta uma imagem, a qual deixamos penetrar em nossa alma. Essa imagem tem certo efeito agora. De repente, a alma vê: Esse é o caminho. Então sabe-se o que tem de ser feito. Então não é uma atuação alheia, induzida de fora, senão uma ação que nasce da própria responsabilidade, que vem da própria alma. Isso é muito importante. Isso vale para todas essas constelações.

Há ainda perguntas ou comentários sobre o que se passou?
REPRESENTANTE DA MULHER Com relação ao papel?
BERT HELLINGER O que quer que seja.
REPRESENTANTE DA MULHER No momento em que Marion disse "eu sabia", fiquei totalmente relaxada e saí completamente do meu papel.
REPRESENTANTE DO ANTIGO COMPANHEIRO Nesse papel tive ainda a sensação de que eu era interessante como alternativa e excitação.
BERT HELLINGER Esse é mais um comentário importante.
para Marion Fico com a frase que sugeri. Essa frase traz a seriedade. Senão torna-se uma brincadeira.

Harm e Marion olham-se e sacodem a cabeça.

HARM A que frase você se refere agora?
BERT HELLINGER Você sabe exatamente de que frase se trata.

Harm sorri e assente com a cabeça.

Depois da pausa

HARM Estou tranqüilo, um pouco reservado, um pouco triste mas também um pouco fortalecido e, apesar de tudo isso, aberto para o futuro. Sinto-me totalmente aberto.
MARION Sinto-me bastante desorientada, pois a minha constelação não me forneceu um quadro tão claro. Por exemplo, a pergunta de por que busco um homem assim. Essa pergunta está dando voltas na minha cabeça.
BERT HELLINGER Eu não disse isso, minhas palavras são muito precisas.
MARION Em todo o caso estou pensando por que o escolhi. Até agora não tenho resposta a essa pergunta.
BERT HELLINGER Para mim se tratava de fazer você reconhecer que você sabia. Isto é, que você tem uma parte da responsabilidade pela sua situação. Isso é o essencial.

MARION Apesar disso me ocupo desse porquê. Por que o fiz?
BERT HELLINGER O porquê não é importante. Os próprios atos têm conseqüências. Você deve dizer-se interiormente: Assim o fiz e assumo as conseqüências. Assumo as conseqüências no que me dizem respeito.

Um dia depois

Quando casais não podem ter filhos

HARM O que acontece com os casais que não podem ter filhos? Nesse caso, não pode se originar um novo sistema, como você explicou há pouco. E então, como é?
BERT HELLINGER Quando um casal se une e resulta que um dos dois não pode ter filhos, então este não deve, por assim dizer, impor essa carga ao outro. Quando um não pode ter filhos e o outro pode, e o deseja, então aquele que não pode tem de liberar o outro. Não se pode querer impor a um outro o seu próprio destino. Cada um tem de carregar o seu próprio destino e, assim, conservar a sua dignidade. Quando, então, o companheiro diz: "Apesar disso, fico com você", isso é uma grande dádiva e deve ser reconhecida precisamente como tal.

Quando existe um novo relacionamento, em que um dos companheiros deixou-se esterilizar, não existe vínculo firme. Nesse caso, algo muito essencial fica excluído já de antemão.
HARM Então, isso é o destino?
BERT HELLINGER Nesse caso tem-se, então, de viver com o próprio destino e com as conseqüências de seu comportamento. Então, isso tem de ser reconhecido. Quando alguém vive assim, existe dignidade outra vez.

Um pouco mais tarde

MARION Estou às voltas com o que você disse antes sobre a ausência involuntária de filhos. Pois esse é o nosso grande problema. Para mim é difícil encontrar aí um caminho.
HARM Esse tema me preocupa também. Tenho em mim um vazio. Pensei que já tivesse entregado para o alto o meu destino. *Harm indica o teto.* Mas ele me ocupa como de costume.

Continuação da página 73

DANIELA Eu também me preocupo com esse tema. Fui operada algumas vezes no abdômen. Mas não me disseram que não podia ter filhos. Sou fértil, mas pode ser que mesmo assim não dê certo.
BERT HELLINGER Um casal assume esse risco. Em todos os outros aspectos também é assim. Isso não se sabe de antemão.

Depois que um outro casal colocou a sua família

O que ajuda é a realidade

Continuação da página 94

STEFFEN *para Bert Hellinger* Quando você disse a eles: Isso não pode ser solucionado. Ele tem de deixá-la partir e ficar a cargo das crianças, algo se apertou dentro de mim. Estou chateadíssimo com você! Que você tenha a impertinência de dizer: "Isso não tem solução".
BERT HELLINGER O que foi que você viu? Viu algo diferente do que eu? Você olhou bem?
STEFFEN Não, na verdade tenho a sensação de que está certo. Mas me identifico muito com ela. É difícil de aceitar.
BERT HELLINGER Essa é a realidade. Eu não tenho medo dela. Porque se existe algo que ajuda, só pode ser a realidade. Olhá-la de frente, assim como ela é. Senão, está-se nas nuvens. E aí, de qualquer modo, não existem soluções. Mas na terra, às vezes, existem. De acordo?

Steffen assente com a cabeça.

SABINE Ainda estou totalmente perturbada pela constelação. Para mim é algo sem precedentes, que sinto tanto aqui no peito. Normalmente, é mais para o meio ou na parte inferior do corpo.
BERT HELLINGER É muito bom que a parte superior esteja se abrindo.
SABINE Sim.

Você quer viver?

KARIN Desejo poder confiar em meu marido. Bem profundamente. E também poder perdoar.
BERT HELLINGER O que você quer perdoar?
KARIN Existia uma outra mulher. Então fico zangada. É meu problema, talvez também fundamentado em minha infância. Com três anos estive por longo tempo num hospital. Minha doença ficava cada vez pior. No período de um ano ela se intensificou.
BERT HELLINGER De que doença se tratava?
KARIN Primeiro tive problemas com o apêndice. Estava do lado errado. Três dias depois tive de voltar ao hospital, porque tinha uma oclusão intestinal. Depois, queimei-me com caldo quente e tive de ficar novamente algumas semanas no hospital. Então tive uma miocardite. Praticamente morri e, assim, voltei ao hospital. Tudo isso se deu no período de um ano. Eu creio que naquela época me senti bastante abandonada. Essa dor, que conheço desde a minha infância, ressurgiu com essa outra mulher. Foi exatamente a mesma sensação terrível.

BERT HELLINGER Você quer viver?
KARIN Durante muito tempo questionei o fato de haver voltado.
BERT HELLINGER Exato, você não voltou.
KARIN Sim. *Suspira profundamente.*
BERT HELLINGER Se não voltou, ainda não está disponível para seu marido. Nesse caso, eu também procuraria uma outra mulher.

Karin e seu marido desatam a rir.

KARIN Sim, eu desejo chegar aqui qualquer dia destes.
BERT HELLINGER Agora já está melhor.

Karin ri.

BERND Como resultado desta oficina desejo poder assumir a minha força masculina e também poder vivê-la. Preferivelmente com Karin.
BERT HELLINGER Ótimo, de acordo.
para os casais É bom poder aprender uns com os outros, reciprocamente. Vocês podem ver como é complexo quando um ama o outro. A gente vê a solução para os outros e pode aplicá-la imediatamente para si mesmo.

No dia seguinte

Sentir-se aprisionado

BERND Esta noite sonhei com a minha fuga de um campo de prisioneiros militar. Fugi com toda a violência, com toda a firmeza, mas sem agressão. Tinha um objetivo, que queria alcançar a qualquer preço.
BERT HELLINGER Uma vez ocorreu-me um pequeno aforismo. No sentido mais amplo, tem também a ver com cativeiro. Diz assim: O sábio trata a verdade como uma vaca à cerca de arame farpado. Enquanto há o que comer, mantém-se afastada. Depois procura uma saída.
depois de refletir por longo tempo O esperto dá a volta por trás.
BERND Refletirei sobre isso.
KARIN Pensei muito sobre os meus relacionamentos. Em um primeiro plano, sempre parecia que os homens se iam. Mas eu acho que, na verdade, eu me afastava deles.
BERT HELLINGER Não estou entendendo bem.
KARIN Aparentemente os homens tinham um motivo para partir e assim terminavam os relacionamentos. Sinto cada vez mais que, na verdade, sou eu quem se afasta, mesmo que aparentemente não seja assim.
BERT HELLINGER Sim, os homens o fazem por você.

Karin e Bernd riem.

Um pouco mais tarde

Asas em vez de pés

KARIN Durante a pausa não me senti bem. É um estado de desorientação geral. Não sei bem onde me encontro, seja na minha família, na nossa família ou de maneira geral.
BERT HELLINGER Tem gente que tem asas em vez de pés, você sabe disso?
KARIN *rindo* Eu sei.
BERT HELLINGER Então, o que é que você tem?
KARIN Eu acho que tenho ambos, mas uso mais as minhas asas.
BERT HELLINGER Exato. Você sabe o que significam asas?
KARIN Decolar?
BERT HELLINGER Significam morrer.
KARIN *admirada* Morrer?
BERT HELLINGER Pés significam viver.
KARIN Conheço esse tema, já tem trinta anos. O que posso fazer para dobrar as asas ou desfazer-me delas?
BERT HELLINGER Pode-se colocar certos pesos nos pés. A outra possibilidade seria deixar-se carregar por ele.

Karin e Bernd fitam-se nos olhos e sorriem.

Bernd: "Mamãe, eu me coloco ao lado de meu pai"

A família de origem

BERT HELLINGER *olhando para o relógio* Ainda temos tempo para uma constelação.
para Bernd Coloque a sua família de origem.
BERND A imagem anterior ao divórcio de meus pais ou posterior?
BERT HELLINGER *interrompe* Coloque simplesmente a sua família de origem. Quantos filhos são?
BERND Antes de mim houve dois abortos naturais no terceiro mês. Depois eu nasci. Depois mais um aborto. Então a minha irmã.
BERT HELLINGER Precisamos de você e de sua irmã.
BERND Meu pai tinha ainda um filho de uma outra mulher. Fiquei sabendo por acaso.
BERT HELLINGER Antes do casamento?
BERND Durante o casamento, depois de minha irmã.
BERT HELLINGER Esse filho ilegítimo talvez coloquemos mais tarde. Entretanto, primeiro os pais, você e a irmã. Começamos com essas quatro pessoas.

Figura 1

P	**pai**
M	**mãe**
1	**primeiro filho, homem (= Bernd)**
2	**segundo filho, mulher, irmã**

BERT HELLINGER *para Bernd* Sua mãe tentou se suicidar?
BERND Não.
BERT HELLINGER Ameaçou fazê-lo?
BERND Não sei.
BERT HELLINGER Qual é a sua impressão? Ela queria se matar?
BERND Não. Mas ela tinha planejado desde a infância ter filhos, porém sem amar homem algum.
BERT HELLINGER Foi assim?
BERND No final das contas, acabou sendo assim.

Hellinger coloca o filho e a filha à esquerda, perto do pai.

Figura 2

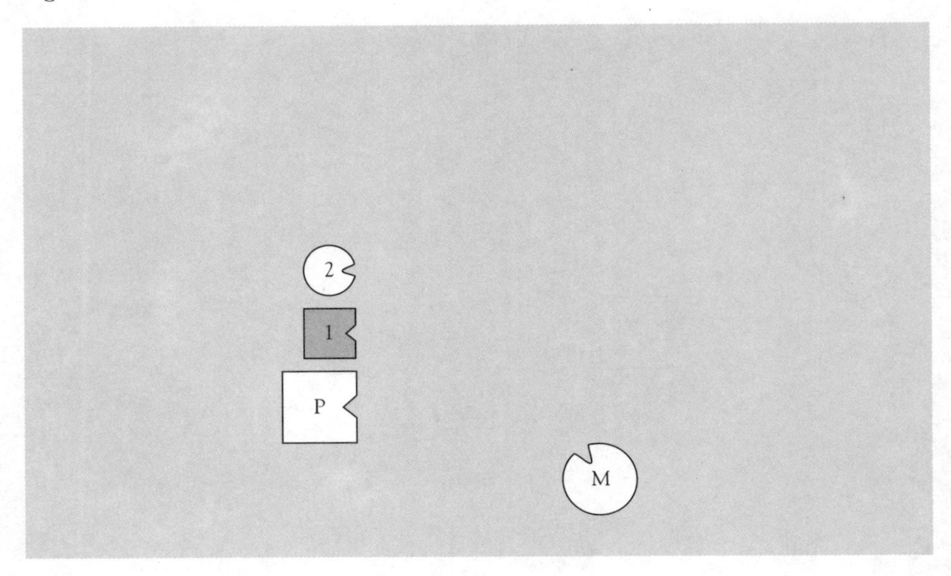

BERT HELLINGER *para o filho* Como se sente aí?
PRIMEIRO FILHO, HOMEM Aqui sinto calor e estabilidade.
BERT HELLINGER É melhor ou pior que antes?
PRIMEIRO FILHO, HOMEM Um pouco melhor.
BERT HELLINGER *para a filha* E você?
SEGUNDO FILHO, MULHER Sinto-me muito mais relaxada. Antes tinha a sensação de sentir-me terrivelmente atraída pela mãe, entretanto tinha sempre dor de cabeça quando olhava para o meu pai. Mas agora está realmente agradável.
BERT HELLINGER Como se sente o pai?
PAI Antes sentia bastante frio, e agora está um pouco mais agradável.
BERT HELLINGER E a mãe?
MÃE Bem, eu preferiria não olhar para ninguém.

Bert Hellinger afasta um pouco a mãe e a coloca de costas olhando para o outro lado

Figura 3

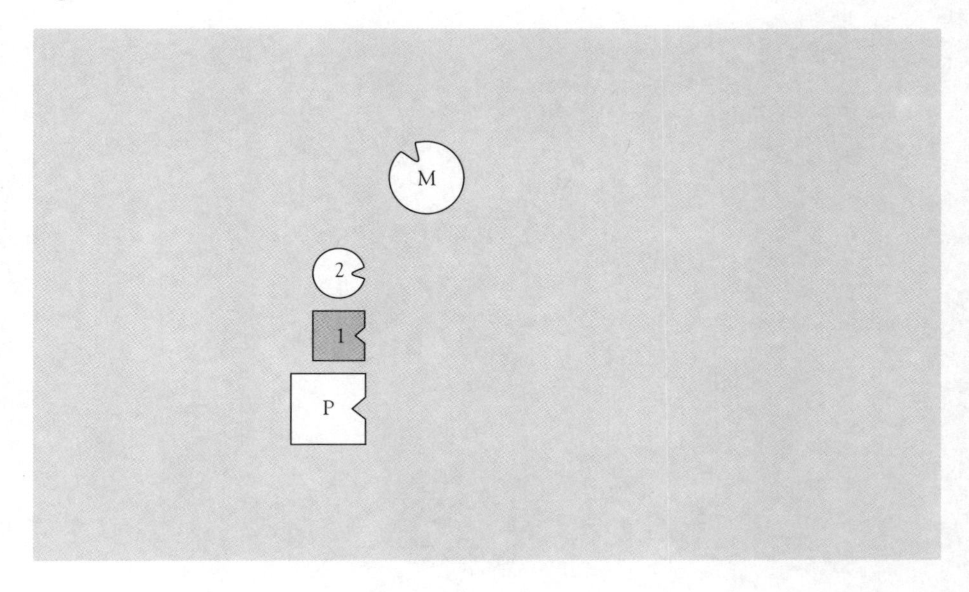

BERT HELLINGER Que tal assim?
MÃE Sim, eu estou como que coberta por um véu. Como antes. Na verdade, tanto faz.
BERT HELLINGER *para Bernd* O que aconteceu em sua família de origem?
BERND O pai de minha mãe desapareceu na guerra.

Hellinger coloca o pai da mãe em frente a ela.

Figura 4

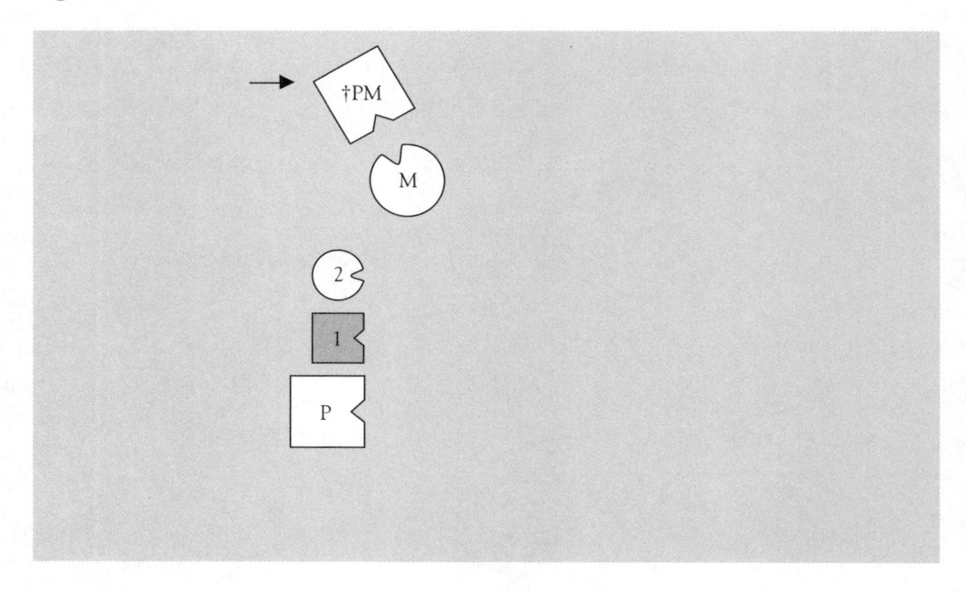

†PM pai da mãe; desaparecido na guerra

BERT HELLINGER Essa é a melancolia da mãe.
para a mãe Como se sente agora?
MÃE Sim, poderia aproximar-me mais do pai.
BERT HELLINGER *para Bernd* A sua mãe fez o mesmo que a mãe dela. Vive sem marido. Essa é a lealdade dos filhos: Tentam então também perder o marido, como a mãe. Freqüentemente na mesma época e na mesma idade.
BERND Sim, quanto à época vem a calhar.
BERT HELLINGER Assim são os filhos. Mas essa não é uma boa solução.

Hellinger coloca a mãe e o pai da mãe à vista dos filhos. Então coloca o marido ao seu lado esquerdo. Os filhos estão em frente.

Figura 5

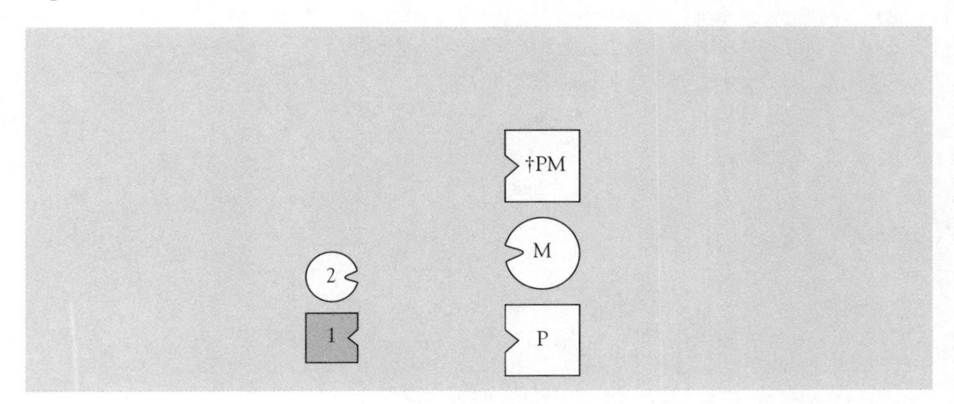

BERT HELLINGER *para o filho* Que tal essa mudança para você?
PRIMEIRO FILHO, HOMEM É uma sensação muito boa.
BERT HELLINGER *para a filha* Para você?
SEGUNDO FILHO, MULHER Sim.
BERT HELLINGER *para o pai* Para você?
PAI Boa, excelente.
BERT HELLINGER *para a mãe* Para você?
MÃE Apóio-me no pai. Mas gostaria de ter o marido um pouco mais próximo.
BERT HELLINGER Receba o marido. Aqui há algo a ser recuperado.

A mulher envolve o marido com o braço.

MÃE Estou ainda um pouco trêmula. Mas agora, finalmente, olho para meus filhos. Agora desejo olhar também o meu marido.

Volta-se para o marido e o fita nos olhos.

MÃE Porém meu pai não deve ir embora. Ele ainda deve ficar.
BERT HELLINGER *para o pai da mãe* Como se sente?
PAI DA MÃE† Agora, que ela abraça o seu marido, gostaria de recuar um passo. É isso o que desejo.
BERT HELLINGER Coloque-se atrás dela.
para a mãe Que tal assim?
MÃE Sim, ele pode afastar-se ainda um pouco mais.
BERT HELLINGER Creio que seria melhor se seu pai ficasse à vista.

Hellinger coloca o pai da mãe alguns passos para a esquerda.

Figura 6

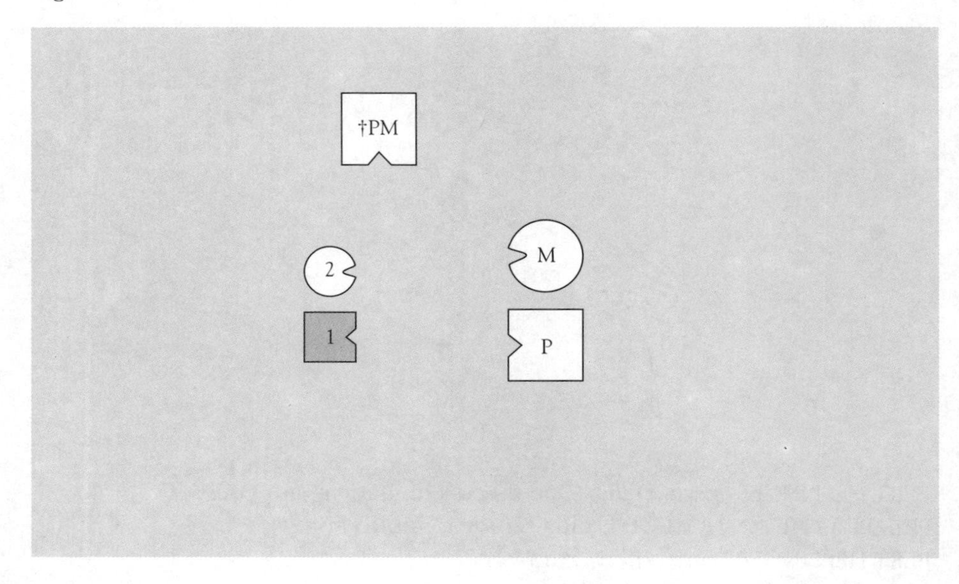

PAI DA MÃE† Alegro-me em ver a todos.
BERT HELLINGER *para Bernd* Coloque-se em seu lugar.

Quando Bernd encontra-se em seu lugar, coloca a mão sobre os olhos e começa a chorar.

BERT HELLINGER *tirando-lhe a mão dos olhos* Não, simplesmente fique aí. A quem você representa?
BERND *aponta para o pai da mãe e continua a chorar* A ele.
BERT HELLINGER Vá até ele. O avô deve tomá-lo nos braços.

Bernd cai nos braços do avô soluçando e respirando profundamente.

BERT HELLINGER Diga-lhe: "Querido vovô".
BERND Querido vovô.
BERT HELLINGER "Seja benevolente."
BERND Seja benevolente.
BERT HELLINGER "Se me coloco agora ao lado de meu pai."
BERND Se me coloco agora ao lado de meu pai.
BERT HELLINGER O que opina o avô?
PAI DA MÃE† Sim, você faz bem.
BERT HELLINGER *para Bernd* Agora coloque-se ao lado de seu pai.

Quando Bernd se coloca ao lado do pai, esse coloca o braço em seus ombros. Bernd começa a soluçar.

BERT HELLINGER *para Bernd* Respire fundo. Com a boca aberta, expire e inspire profundamente.

Bernd soluça alto.

BERT HELLINGER Respire sem fazer ruído, respire simplesmente. Tome a força do pai.

Bernd respira fundo e calmamente.

BERT HELLINGER *agora olhe para a mãe.* Como a chamava?
BERND Christa.
BERT HELLINGER Você chamava a sua mãe de Christa? Pelo amor de Deus!
BERND Sim. A partir dos doze anos de idade passei a chamá-la de Christa.
BERT HELLINGER Diga: "Mamãe".
BERND Mamãe.
BERT HELLINGER "Eu me coloco ao lado de meu pai."
BERND Mamãe, eu me coloco ao lado de meu pai.
BERT HELLINGER "Este é o meu lugar."
BERND Este é o meu lugar.
BERT HELLINGER "Seja amável, se me coloco ao lado de meu pai."
BERND *suspira* Seja amável, se me coloco ao lado de meu pai.

A mãe assente com a cabeça e fita Bernd nos olhos, afavelmente.

BERT HELLINGER Vê? A mãe não o leva a mal. Ela está de acordo. Imagine, ela até se casou com seu pai!

Bernd ri.

BERT HELLINGER Está bem assim?
BERND Sim.

Então Bernd abraça novamente o pai e a mãe.

BERT HELLINGER *para o grupo* Ele ainda precisa disso. Está bem, de acordo. *e quando Bernd e os representantes acabam de retornar aos seus lugares* Em relacionamentos dizemos freqüentemente: Ele é culpado, ou ela é culpada. Ele não fez isso, ou ela não fez isso. Como se vê nas constelações, isso é totalmente sem importância. O essencial se encontra em um nível totalmente diferente.

Bernd e Karin fitam-se nos olhos e sorriem.

BERT HELLINGER *para o grupo* Agora fitam-se amavelmente.

Depois do almoço

BERND A constelação de há pouco continua agindo fortemente dentro de mim. É como se tivesse saído de uma espécie de sombra. Noto que o fluxo de energia em direção ao meu pai se encontra aberto. Também existem lágrimas nisso.
BERT HELLINGER Isso está correto, faz parte do processo.
BERND Mas essa sombra desapareceu.
BERT HELLINGER É uma bela imagem.

Você perde quando tenta segurar

Continuação da página 30

MARKUS Agora, nesta rodada, estou tenso. Antes sentia-me totalmente bem ao lado de minha noiva.

Markus toca Alexandra carinhosamente.

Ontem comecei a sentir-me próximo, também em relação ao grupo todo. Pude desfrutar realmente, abandonar-me totalmente, sem colocar quaisquer barreiras. Eu quero conservar esse sentimento. Tenho medo de perdê-lo quando voltar a essa burlesca vida cotidiana.
BERT HELLINGER Não, você perde quando tenta reter. A felicidade tem uma determinada característica: cresce sempre um pouco.
depois de uns instantes De acordo?
MARKUS Tenho de pensar sobre isso. Eu não entendi.
BERT HELLINGER Repito mais uma vez para você.
MARKUS Não, acusticamente já entendi.
BERT HELLINGER Aquilo que se retém, foge. O segredo do caminho é que progredimos nele quando deixamos para trás o que foi até agora. Também a felicidade habitual. Está claro agora?

Markus assente com a cabeça.

O contato começa com o olhar

ALEXANDRA Sinto-me excluída. Devo dizer também que a distância em relação ao Markus está aumentando.
BERT HELLINGER Pois então fite-o nos olhos.

Alexandra levanta os ombros e sorri carinhosamente para Markus.

BERT HELLINGER A distância não é tão grande quando a gente os vê assim.

Markus beija Alexandra no pescoço.

ALEXANDRA Então deve depender de alguma outra coisa.
BERT HELLINGER O contato começa com o olhar. E, com efeito, com o olhar amável, assim como vocês acabam de fazer.

Um dia depois

Sinto falta de meu pai

ALEXANDRA Começo a ver a vida como uma dádiva e não uma carga.

Alexandra olha para o chão e começa a chorar.

BERT HELLINGER Se você mantiver os olhos abertos, continuará sendo uma dádiva.
ALEXANDRA Pela primeira vez sou grata ao meu pai.

Ela soluça.

ALEXANDRA Ele simplesmente me faz falta.
BERT HELLINGER O que lhe faz falta?
ALEXANDRA O pai.
BERT HELLINGER O pai nunca pode faltar a alguém. Sabe por quê?
ALEXANDRA Sim, porque está aqui.
BERT HELLINGER Porque você é seu pai. Cada criança tem sempre os pais consigo. Uma bela idéia, não é verdade?
ALEXANDRA Sim.
BERT HELLINGER Mas houve algo na infância, quando você sentiu falta do pai.
ALEXANDRA Sim, se possível gostaria de colocá-lo.
BERT HELLINGER Está bem.

Pouco mais tarde

Alexandra: "Sou filha ilegítima"

A família de origem

ALEXANDRA Quero colocar a minha família de origem.
BERT HELLINGER Não estou certo de poder fazê-lo aqui. Se isso é necessário, tão pouco tempo antes do casamento.

Markus toma a mão de Alexandra.

ALEXANDRA Tenho a sensação de que ainda há algo entre nós dois.
BERT HELLINGER O quê?
ALEXANDRA O pai.
BERT HELLINGER Seu pai? Em que sentido?
ALEXANDRA Talvez falte o seu reconhecimento.
BERT HELLINGER Que ele esteja de acordo? Ele é contra o casamento?
ALEXANDRA Não, eu tenho a sensação de que esteja contra mim de maneira geral.
BERT HELLINGER O pai é contra você? Está bem, vou olhar.
ALEXANDRA Sou filha ilegítima e cresci com meus avós, junto com a minha mãe.
BERT HELLINGER Ah! Você é filha ilegítima. Essa é uma situação especial.
para os outros pares Não é bonito ver o bom fruto de um pecado?

Todos os casais, Alexandra e Markus riem. Markus beija Alexandra no pescoço.

BERT HELLINGER Está bem, coloque a sua constelação.

Figura 1

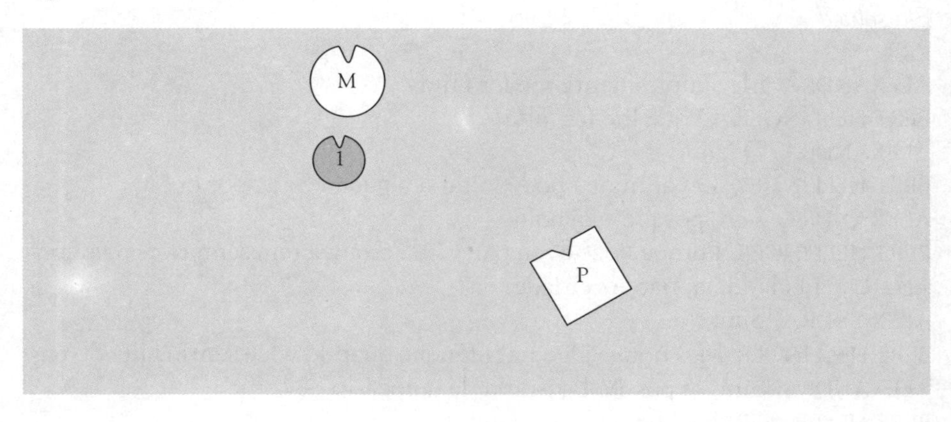

P **pai**
M **mãe**
1 **primeiro filho, mulher (= Alexandra)**

BERT HELLINGER *para Alexandra* O seu pai é casado, ou era casado naquela época?
ALEXANDRA Não, casou-se em seguida, depois se divorciou e agora voltou a se casar.
BERT HELLINGER Por que não se casou com a sua mãe? Quem não quis?

ALEXANDRA Só conheço a história de que ela não quis.
BERT HELLINGER A sua mãe se casou mais tarde?
ALEXANDRA Não.
BERT HELLINGER Estranho. O que houve com os pais de sua mãe?
ALEXANDRA A minha avó teve dois abortos naturais.
BERT HELLINGER Você cresceu junto aos avós?
ALEXANDRA Sim, mais ou menos, com a mãe, mas...
BERT HELLINGER O que fazia a mãe?
ALEXANDRA Trabalhava.
BERT HELLINGER *para a representante da mãe* Como se sente?
MÃE Tenho dor nas nádegas. Tenho dores terríveis.
BERT HELLINGER Tenho de afastar logo a filha daqui.

Hellinger a coloca junto ao pai.

Figura 2

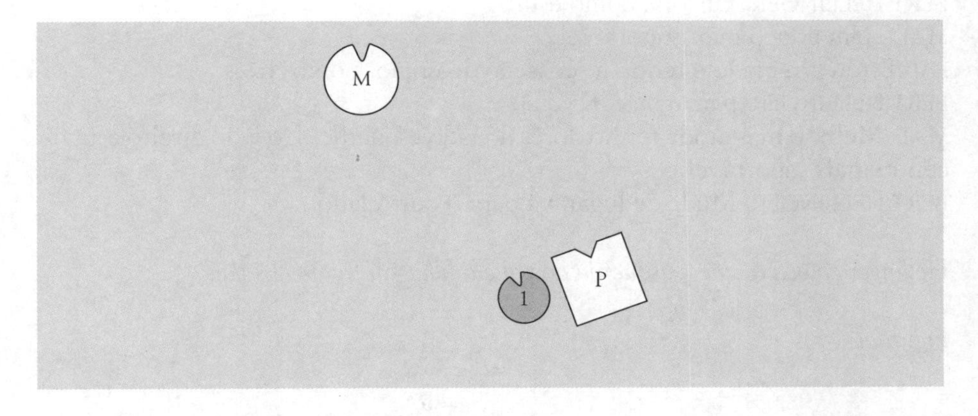

BERT HELLINGER *para a representante de Alexandra* Como se sente?
PRIMEIRO FILHO, MULHER Quando estava atrás da mãe, pensei: Quem sou eu na verdade?
BERT HELLINGER E agora?
PRIMEIRO FILHO, MULHER Agora está melhor.
BERT HELLINGER Como se sente o pai?
PAI Primeiro eu somente a via, mas não sentia absolutamente nada. Agora tenho um sentimento em relação à filha.
BERT HELLINGER Como se sente a mãe agora?
MÃE Não melhora. Sinto calor e me doem as nádegas. Minhas mãos estão queimando.

Hellinger coloca a mãe junto ao pai e à filha

Figura 3

BERT HELLINGER E agora, como está?
MÃE Um pouco mais suportável.
PAI Estou arrepiado e tenho a sensação de união: Somos três.
BERT HELLINGER *para a mãe* E você?
MÃE Melhor, mas ainda tenho dores do lado esquerdo. Do lado direito está ficando mais suportável.
BERT HELLINGER Mude de lugar, vá para o outro lado.

Hellinger coloca a mãe à esquerda do pai e a filha em frente aos pais.

Figura 4

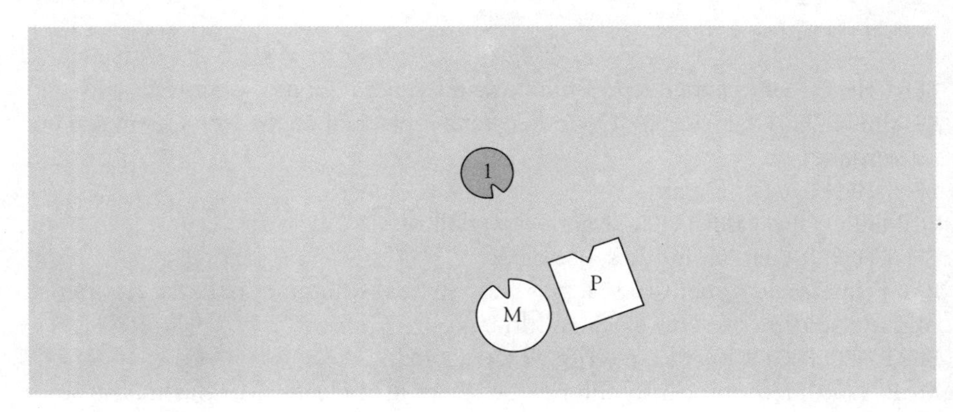

BERT HELLINGER Que tal agora?
MÃE Está melhorando.
PAI O sentimento de união ainda se mantém. Mas o formigamento desapareceu. Está melhor.
BERT HELLINGER *para a mãe* Fite-o e diga: "Perdi a oportunidade".
MÃE Perdi a oportunidade.
BERT HELLINGER "Sinto muito."
MÃE Sinto muito.
BERT HELLINGER Como é isso para a filha?
PRIMEIRO FILHO, MULHER Isso me emociona. Faz-me bem.
BERT HELLINGER *para Alexandra* Gostaria de colocar-se em seu lugar?

Alexandra tem lágrimas no olhos quando se coloca em seu lugar. Então respira fundo, sorri e abraça o pai. Abraça-o longa e ternamente. A representante da mãe olha a cena consternada.

HELLINGER *para a mãe* É tão duro para você? Aí aconteceu algo especial na família de origem.
MÃE Sim, sinto uma dor incrível.

Hellinger coloca a mãe alguns passos para o lado. Coloca a filha ao lado do pai.

Figura 5

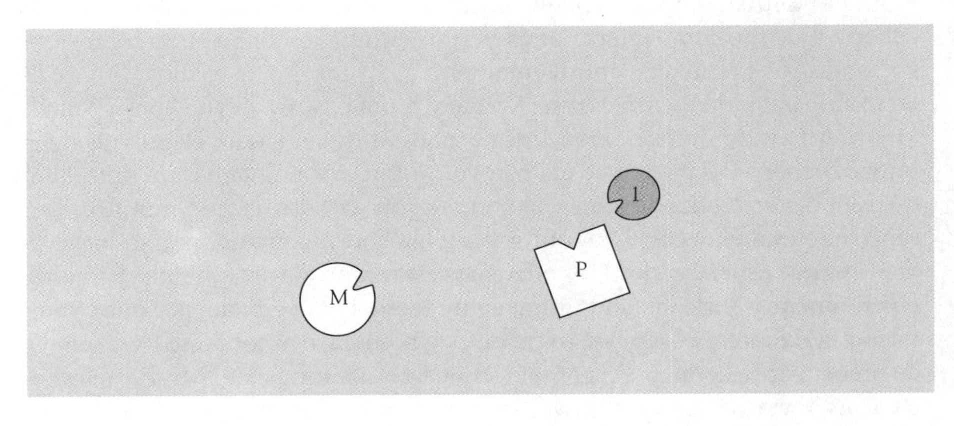

BERT HELLINGER *para a mãe* Diga à filha: "Aí é melhor para você".
MÃE Aí é melhor para você.
BERT HELLINGER "O que tiver de carregar, carrego eu mesma".
MÃE O que tiver de carregar, carrego eu mesma
BERT HELLINGER *para Alexandra* Como se sente?
ALEXANDRA Está certo!

BERT HELLINGER Diga à mãe: "Mesmo que agora me case, você continua sendo minha mãe".
ALEXANDRA Mesmo que agora me case, você continua sendo minha mãe *para Bert Hellinger* Posso abraçá-la?
BERT HELLINGER Claro que pode.

Alexandra abraça a mãe longa e ternamente.

MÃE Agora desapareceu a dor.
BERT HELLINGER Está bem, era isso.
para Alexandra Minha imagem é que, num certo sentido, você não pode nem deve abandonar a sua mãe. A mãe tem de ter um lugar junto a você. Ela tem de ser reconhecida. Está bem para você?
ALEXANDRA *assente com a cabeça, sorri e coloca o braço nos ombros de Markus.* Sim.
BERT HELLINGER Markus, você também pode concordar?

Markus assente com a cabeça, emocionado, e abraça Alexandra. Ela o beija na face.

O relacionamento de casal é um processo de morte

Continuação da página 138

BERT HELLINGER Seguimos com a rodada.
HOLGER Ontem à noite, o que você disse continuou dando voltas na minha cabeça: Que sou como uma criança frente à minha mulher e que a sobrecarrego com isso. À noite eu e minha mulher fomos juntos para a cama. Então, Elke tornou a sair do quarto e disse: Vou fumar um cigarro. Levou consigo um livro de Albert Schweitzer. Fiquei na cama e continuei lendo. Depois de algum tempo, pensei: Por que é que ela não volta? Então fui olhar e a encontrei lendo, sem cigarro. Elke disse-me: Já vou. Depois de outros vinte minutos, pensei: Onde está ela agora? Saí outra vez e ela continuava no mesmo lugar. Eu disse: O que está fazendo? Nós queremos estar juntos nesta oficina! Perguntas e pensamentos surgiam em minha mente, como: Na verdade, por que não está comigo? Prefere então esse livro, ou esse homem, o autor desse livro, em vez de preocupar-se comigo. Aí pensei: O que fazia a minha mãe? Minha mãe dançava, escrevia, se auto-realizava e nisso se esquecia de mim, seu filho. Ontem à noite ficou claro para mim que tudo isso estava relacionado. Esta noite, entre três e quatro da madrugada fiquei sentado do lado de fora e escrevi como louco umas cinco ou seis páginas. Eu as tenho aqui agora. Escrevi muitos detalhes sobre esse problema.
BERT HELLINGER Quero dizer-lhe algo sobre o segredo do relacionamento de um casal. Quando um casal se apaixona, então ambos pensam: Finalmente, agora encontrei a mãe que sempre desejei!

Depois de algum tempo essa idéia se revela como sendo um engano. Então, ambos são obrigados pela desilusão a ver o outro assim como ele é. Como um indivíduo.

Ainda há algo que é importante num relacionamento: o relacionamento de um casal é um processo de morte, uma constante despedida. Até que no fim se está só. Mas devido a isso, mais rico. E você viveu algo assim. Nesse desprender-se interiormente – e entretanto continuar ali – há grandeza.

Holger assente levemente com a cabeça, mas respira com dificuldade.

BERT HELLINGER Mas, como disse, o seu processo dura muito tempo. Não necessita fazê-lo de uma vez.

Holger ri.

Amor e ordem

BERT HELLINGER *para o grupo* Esse foi um curso intensivo. Para encerrar, contarei umas quantas reflexões acerca de "ordem e amor":

O amor preenche o que a ordem abarca.
O amor é a água; a ordem, a jarra.

A ordem cinge,
o amor flui.

Ordem e amor atuam em conjunto.
Como uma melodia sonante submete-se às harmonias,
assim submete-se o amor à ordem.

Assim como o ouvido dificilmente se acostuma
a dissonâncias, mesmo que se as esclareça,
assim a nossa alma dificilmente se acostuma
ao amor sem ordem.

Alguns tratam essa ordem
como se não fosse mais que uma opinião,
a qual se pode ter ou variar à vontade.

Em verdade, ela nos é dada.
Atua, mesmo que não a entendamos.
Ela não é idealizada, é encontrada.
Nós a compreendemos, como o sentido e a alma,
pelo seu efeito.

para os casais Desejo a vocês: Ordem e Amor no momento certo. E que estejam bem.

III. Amor e sofrimento no relacionamento

Neste capítulo, as afirmações de Bert Hellinger sobre aspectos essenciais da dinâmica do casal são apresentadas de forma condensada. Muito do que se tornou visível, de maneira exemplar, no capítulo anterior será aqui explicado e enquadrado em um contexto mais amplo.

1. O relacionamento bem-sucedido

O relacionamento de casal é o grande sonho

O relacionamento de casal é o caminho natural da vida. A infância e a juventude são orientadas para esse relacionamento. Por isso, a maioria dos filmes e romances termina exatamente quando o relacionamento tem êxito. Todo o resto acontece quase por si mesmo.

Somos orientados pela alma ao relacionamento de casal. Ele é o grande sonho e a verdadeira plenitude da vida humana. Por isso, entramos em um relacionamento com tão grandes expectativas e esperamos que, sentindo-nos antes incompletos e imperfeitos, por meio dele nos tornemos perfeitos e completos.

Entretanto, sabemos que o relacionamento encontra obstáculos em seu caminho. Isso não é de admirar, pois, onde quer que observemos a vida, ela se impõe contra resistências e tem de defender-se contra elas. O relacionamento não é uma exceção. Por isso, ele exige uma contínua adaptação ao que é novo.

Enamoramento cego e amor que vê

Com o amor começamos muito cedo, principalmente com o amor pela mãe. Esse é o primeiro e talvez o mais profundo amor. O amor pela mãe atinge, depois de algum tempo, certos limites. A criança sofre decepções e aprende então a agir e a viver com mais autonomia. Quando a criança chega à idade adulta, encontra uma outra pessoa que lhe será importante e que substitui a mãe. A mulher encontra um homem e o homem encontra uma mulher e, de repente, apaixonam-se perdidamente. Esse amor apaixonado é, entretanto, uma coisa muito estranha. Parece-me que, durante os primeiros tempos do enamoramento, cada um pensa: Finalmente, encontrei a minha mãe, assim como a havia desejado! Por isso, esse amor também é cego. Ele não vê o outro nitidamente.

No entanto, deve ser um lindo sentimento, segundo me disseram.

A dificuldade reside no fato de que ambos os parceiros têm a mesma sensação: Finalmente, encontrei a minha mãe! Só lentamente dão-se conta de que o outro tem outras necessidades e exigências a mim como companheiro, da mesma forma que eu mesmo tenho exigências com relação a ele. Nesse momento a paixão desvanece e começa o amor. Esse amor vê. Ama o outro assim como ele é.

Quando uma pessoa entrou num relacionamento com a sensação de "finalmente, encontrei a mãe ideal", então encontrou, ao mesmo tempo, alguém que o "eduque" outra vez! Que o quer formar, por assim dizer, de acordo com a sua imagem. Com isso coloca-se um grande obstáculo ao amor.

Quando o companheiro não é tal como se deseja, então o perdemos. Quem deseja remodelar o companheiro perde-o. Pois o segredo, por trás de tudo, é que cada um pensa que sua mãe ou seus pais foram os ideais e que sua família foi a ideal. E que o mundo estaria em ordem se todos fossem como seus pais e sua família, se as leis válidas em sua família de origem também fossem válidas em todo o mundo.

Toda família pensa assim. Olhando mais minuciosamente, vê-se que cada família supera as suas dificuldades de uma maneira peculiar. Da mesma forma, cada família desenvolve os seus próprios valores.

A solução para o casal seria reconhecer as diferenças entre as suas famílias como de igual valor e posição. E que nos deixemos enriquecer mutuamente pela família do outro.

Freqüentemente um dos companheiros diz: "Minha família em primeiro lugar!". Isso destrói o relacionamento. Assim como o homem e a mulher são, ao mesmo tempo, diferentes e, no entanto, equivalentes, assim o são também as suas famílias, diferentes e equivalentes.

As raízes diferentes

O relacionamento de casal está vinculado a um âmbito e tem raízes que remontam a um passado longínquo. Essas raízes se encontram na própria família de origem. Delas nós crescemos, por elas estamos marcados, apoiados e também limitados. Pois tudo, e também cada família, tem limites. Por isso, é necessário, no relacionamento de casais, que os parceiros estabeleçam algo em comum, porque têm raízes distintas.

O primeiro obstáculo em um relacionamento é que um não reconheça ou tenha dificuldades em reconhecer que o companheiro tem raízes diferentes das suas e, portanto, está marcado de maneira diferente. Que não se pode fazer de ambas raízes diferentes uma só raiz, senão que elas permanecem diferentes. Pois, assim como o homem e a mulher são diferentes, assim são também as suas famílias de origem. E como entre o homem e a mulher deve haver um processo que une o que é diferente, assim é também com relação à sua família de origem. Condição prévia para tanto é que cada um reconheça a família do outro, a valorize e a ame.

Uma ilusão que deve ser abandonada num relacionamento é a idéia de que a própria família é a ideal e que a família do outro deve ser assim como a própria para que também seja ideal. Tomam-se as famílias assim como elas são, portanto, imperfeitas, e é exatamente o imperfeito nas respectivas famílias que desenvolve força e dá força, estimulando os parceiros.

Reconhecer e valorizar o que é diferente

O relacionamento de casal começa com a valorização do que é diferente como equivalente. O diferente tem um mesmo valor e uma mesma validade. Assim como o homem e a mulher são diferentes, mas de igual valor e validade assim são também as suas famílias de origem de igual valor e validade. Desse reconhecimento nasce o amor. O fundamento do amor é a valorização do outro e de sua família assim como ele é e ela é.

A consumação sexual do amor

A consumação do amor não está nas mãos do indivíduo, pois a consumação do amor entre homem e mulher possui uma dimensão cósmica. Não é um prazer privado, mas sim, nele homem e mulher tornam-se parte de um movimento cósmico que os ultrapassa em muito. Essa consumação tem êxito desde que ambos estejam englobados nesse movimento.

A mulher é capaz de entregar-se totalmente e aceitar plenamente quando estiver ligada ao feminino no sentido mais amplo. Ao mesmo tempo, entretanto, essa união apresenta-se de forma concreta, quando ela estiver ligada à sua mãe. Dizendo mais exatamente, com a sua mãe como mulher e mãe. E ao mesmo tempo, com a mãe da mãe como mulher e mãe. Ademais, com a mãe do pai como mulher e como mãe. Essas linhas se estendem para longe no passado, quando então que a mulher é sustentada pelo feminino, tal como está fundamentado no movimento da vida.

Em harmonia com esse movimento, ela tem força para a entrega total e para a consumação. Ela tem a força para o prazer e para a paixão que lhe são inerentes. Ela também tem a força para concordar com as conseqüências da consumação do amor, seja o que for que ela traga para toda a vida. Com isso se converte em uma consumação profunda e, ao mesmo tempo, em um ato religioso, o ato mais profundo possível.

O mesmo é válido para o homem. Ele é capaz de entregar-se totalmente e aceitar plenamente, quando está englobado no masculino, assim como está fundamentado na consumação da vida. Então ele possui a força masculina. Essa força tem algo de bélico. O homem é, na verdade, um guerreiro. O fraco e sentimental não consegue realizar essa consumação profunda, pois não é homem. Um guerreiro pode realizá-la. Um guerreiro é alguém que também está disposto e é capaz de defender uma família. Ele pode se impor na vida e assim proteger a sua família e alimentá-la ou ajudar a alimentá-la.

Um homem não tem essa força profunda quando depende apenas de si mesmo. Ele a tem quando seu pai está atrás dele e, de fato, como homem e pai. E quando atrás de seu pai está o pai dele, como homem e pai. E, do mesmo modo, o pai de sua mãe, como homem e pai e ainda mais remotamente. Então ele é sustentado pelo masculino e está em harmonia com o masculino. Assim, um homem pode entregar-se à sua mulher, pode aceitá-la com força, prazer e paixão e pode concordar com as conseqüências da consumação do amor, sejam elas quais forem. Isso tem grandeza. A consumação do amor é, nesse sentido, a maior que conhecemos.

A consumação do amor é bem-sucedida, quando ambos os parceiros reconhecem que têm necessidade do que o outro lhe dá e que eles oferecem aquilo de que o outro necessita.

Esse intercâmbio é interrompido quando um demonstra que não está necessitado e então deixa o outro atribulado em sua necessidade: "Vou ver o que você precisa. Talvez o dê a você". Quando ele se comporta como se não tivesse necessidades e não precisasse disso, e então deixa o outro atribulado, essa é a mais profunda das feridas.

A consumação do amor é humilde. Qualquer outro intercâmbio se edifica sobre ela.

Os limites do dar e do aceitar

Somente se deve dar o tanto que o outro está disposto a retribuir em nível equivalente e tanto quanto é também capaz de fazê-lo.

Quando se dá mais do que o outro está disposto a retribuir, o parceiro se sente pressionado e dá ainda menos. Assim, o desequilíbrio aumenta continuamente.

Uma das experiências mais dolorosas em um relacionamento é perceber que o outro só pode retribuir com uma parte determinada ou muito pouco, comparado com o primeiro. Ou então ele retribui com algo diferente daquilo que realmente se necessita ou deseja e não aquilo que faz continuar a relação. Assim, temos de contentar-nos em não dar mais do que o outro está disposto a dar.

Pode ser que por meio desse respeito, o outro, lentamente, e por iniciativa própria, comece a dar mais. Pode também acontecer que permaneça muito pouco aquilo que o outro dá. Nesse caso, o relacionamento termina. O relacionamento de casal necessita uma certa medida no dar e no aceitar. Sem essa medida ele se extingue.

2. Amor e ordem no relacionamento

O amor só pode se desenvolver no âmbito de uma ordem

Existe um amor que toma posse. Quem ama dessa forma acha que, por meio dela, ganha poder sobre a ordem e sobre o destino. Entretanto, o amor só pode se desenvolver no âmbito de uma ordem.

A ordem implica que cada um que pertença a um sistema seja reconhecido de acordo com o lugar que lhe compete. Por exemplo, a primeira mulher, a segunda mulher, os filhos de ligações anteriores. Somente quando todos eles são reconhecidos como pertencentes, uma terceira relação, por exemplo, pode dar certo.

No amor existe uma hierarquia

No amor há uma hierarquia. Primeiro, vem o amor entre homem e mulher. Esse é o fundamento da família, ou seja, o amor entre o primeiro marido e a primeira mulher. Eles se encontram e da consumação do amor nascem os filhos. Os filhos são um fruto desse amor. Por essa razão, o relacionamento do casal tem precedência diante da paternidade.

O homem haure a força para ser pai do seu amor pela mulher. Se ele ama os filhos, ama também nos filhos a sua mulher.

E inversamente, a mulher tem a força de ser mãe porque sabe que o homen está a seu lado e dele toma a força para dedicar-se aos filhos. Isso tem êxito quando ela ama nos filhos também o marido, se a maternidade é para ela uma extensão do amor a seu companheiro.

Os filhos são felizes quando os pais amam-se mutuamente neles. E, mais que tudo, felizes quando sentem os seus pais como um casal. Então, sentem-se em ordem e consolados.

Entretanto, o amor entre o homem e a mulher não é a única força que apóia o amor aos filhos. A outra força flui da família de origem. Uma criança sente-se profundamente em débito diante de seus pais, porque deles recebe tanto e pouco lhes pode devolver. E por poder devolver tão pouco, sente-se desconfortável em sua família de origem e um dos motivos que leva uma criança que está se tornando adulta a separar-se dos pais é não poder devolver o suficiente. Entretanto, existe a possibilidade de compensar, quando esse filho estabelece a própria família e passa a seus próprios filhos aquilo que não tem condições de devolver a seus pais. Esse passar adiante desobriga. Então, a criança pode colocar-se em nível equivalente ao dos pais, pois agora também é pai ou mãe. A necessidade de compensação diante dos pais apóia o amor aos próprios filhos. Esse é um movimento muito belo.

O aceitar dos pais, o passar adiante aquilo que vem dos pais e o amor entre o casal atuam em conjunto para que o amor aos filhos também dê certo. Se, entretanto, o casal se separa e ambos se casam novamente, o parceiro posterior tem de reconhecer que para o outro o amor aos filhos de sua relação anterior tem prioridade frente ao amor pelo novo parceiro. Por exemplo, um homem em um segundo relacionamento é, em primeiro lugar, o pai dos filhos de seu matrimônio anterior e, somente em segundo lugar, o marido de sua nova companheira. Se a segunda mulher tem ciúmes e diz: "Estou em primeiro lugar e então vêm os seus filhos", a ordem está perturbada e, por isso, sofre também o amor entre o casal. Se, entretanto, a segunda mulher reconhece que para o marido os seus filhos têm prioridade, o marido pode dedicar-se com mais liberdade e intimidade à sua segunda mulher, porque ela não se coloca entre ele e os seus filhos.

PARTICIPANTE Então, na verdade, não se deveria casar pela segunda ou terceira vez.

BERT HELLINGER Quando se crê que o segundo ou o terceiro matrimônio pode ser igual ao primeiro, então não se deve tornar a casar. A segunda relação nunca é como a primeira. Ela é mais complexa. Quem reconhece isso e a isso se atém, pode ser feliz também em um segundo ou terceiro relacionamento.

Filhos de diferentes relacionamentos

Um terceiro filho, que provém do terceiro matrimônio do pai, ocupa o último lugar na hierarquia dos irmãos. Ele tem de reconhecer que os seus meios-irmãos de matrimônios anteriores têm prioridade para o pai. Ele é o terceiro filho do pai, mesmo que viva sozinho com os seus pais. Mas, para a terceira mulher ele é o primeiro filho e ocupa por isso o primeiro lugar em relação a ela. Aqui, o relacionamento do casal no terceiro matrimônio é a fonte do amor por essa criança. Porém, com relação aos filhos anteriores não pode sê-lo.

A nova mulher, normalmente, não deve se imiscuir nos assuntos que tangem aos filhos anteriores. Deve dizer a eles: "Para vocês a sua mãe é a verdadeira. Sou apenas a nova mulher de seu pai". Não deve se dar ares de importância, como se fosse a substituta da mãe ou até a melhor mãe. Os filhos permanecem sempre fiéis aos seus pais verdadeiros. Só poderá ser substituída a mãe, se essa for falecida ou de algum outro modo não estiver disponível. Isso se aplica principalmente a crianças pequenas.

Quando nasce um filho de uma relação extraconjugal

Se durante o casamento existe um relacionamento com um outro parceiro e desse relacionamento se origina um filho, em geral, o casamento está acabado. Isso também é válido quando a criança é abortada.

O novo relacionamento tem precedência em relação ao primeiro. O casamento anterior chega assim ao fim. Essa é uma dura lei. É uma lei da vida. Essas leis não são dadas de acordo com a nossa vontade. Até hoje não pude observar outra coisa.

Quando se origina uma criança, o novo sistema tem precedência em relação ao primeiro.

Compensação em um relacionamento sem filhos

OUTRA PARTICIPANTE Antes, você disse que a desobrigação chega quando um filho adulto forma uma nova família e, então, passa o amor aos seus próprios filhos. O que acontece se não tem filhos? Como pode dar-se então a desobrigação pelo amor que se recebeu dos pais?

BERT HELLINGER A desobrigação chega quando a gente se dedica a um todo maior, se repassamos dessa forma o que se recebeu dos pais.

Citando um exemplo. Em algumas mulheres de carreira, que se preocupam mais por sua carreira do que em dar, pode-se observar como enfraquecem com isso em sua alma e como perdem o peso da alma. Entretanto, se consideram a carreira como algo com que podem fazer algo bom, portanto, não para si mesmas, para impor-se, mas sim, num sentido mais amplo, então isso tem um outro efeito. Isso se aplica, naturalmente, também para os homens.

Longos relacionamentos sem casamento

Relacionamentos de casais têm uma direção interna. Depois de algum tempo, exigem firmeza e estabilidade. Por exemplo, através de uma decisão definitiva como um casamento, para que fique bem claro: Agora somos um par. Se há protelação, quer-se com isso dizer ao companheiro: Estou esperando por algo melhor. Dessa maneira o ferimos. Por isso, esses "longos relacionamentos" terminam, em geral, depois de algum tempo.

"Tenho um relacionamento com você" quer dizer nesse caso: "Você não é suficiente para mim".

"Vou me casar com você" quer dizer: "Você é a pessoa certa para mim".

Naturalmente, existem variações. Vivemos numa sociedade que, em parte, não deseja mais esse vínculo. Deseja-se a liberdade. Entretanto, essa liberdade tem seu preço. Esse preço é o vazio.

Concordar com o vínculo também tem seu preço. Mas também tem um alto lucro. O lucro é a plenitude. Mas o que se imagina é justamente o contrário. Muitos acham que através da liberdade alcançarão a plenitude. E, em relação ao vínculo tem-se a idéia de que ele seja vazio. Entretanto, ele é pleno, quando chega à plena consumação.

Porém não digam que eu disse isso! É uma imagem e cada um pode orientar-se por ela. Trata-se apenas disso!

3. Fidelidade e infidelidade

O "adultério"

Durante uma terapia de casal

MARIDO O problema é que eu, há nove meses, cometi adultério.
BERT HELLINGER O que é isso?
MARIDO Tive um relacionamento com uma outra mulher.
BERT HELLINGER O conceito de adultério é perigoso. Por isso, confrontei você desse modo. A questão é, você teve um relacionamento com uma outra mulher. Essa descrição é sem avaliação. Adultério implica uma avaliação e não sabemos se isso é oportuno. Se procedermos sem essas avaliações, podemos encontrar mais facilmente uma solução.
BERT HELLINGER *para a mulher* O que você diz disso?
MULHER Senti-me muito mal quando fiquei sabendo. Posteriormente, entretanto, tornou-se evidente que muitas coisas mudaram e se desencadearam entre nós e, agora, o que existe entre nós está mais forte.
BERT HELLINGER Exato. Talvez tenha sido necessário para fomentar o relacionamento. Quando observamos independentemente dos julgamentos morais e olhamos somente para o efeito, isso tem, muitas vezes, um significado totalmente diferente. Abordo esses assuntos dessa maneira, sem julgamentos morais.

A fidelidade deve resultar do amor

O que há de tão grave quando alguém tem uma outra relação? Na verdade, o que fica lesado? Às vezes o inocente comporta-se como se tivesse o direito de conservar o outro para sempre. Isso é uma presunção. Em vez de tentar ganhar o outro para si por meio do amor, ele o persegue. E então o outro ainda deve voltar? Já não pode mais fazer isso. Quando o inocente vingou-se acima das medidas, o culpado não pode mais voltar. Portanto, eu advogo pelo tratamento mais humano e pela moderação.

Tenho um grande respeito pela fidelidade, mas não por tal fidelidade. Ela tem de resultar do amor. Muitas vezes tem-se a pretensão: Eu sou a única pessoa que pode ter significado para você. Entretanto, freqüentemente, chega-se a uma situação em que se encontram outras pessoas importantes. Nesse caso o outro não tem o direito de persegui-lo. Ele deve respeitá-lo assim como é e, talvez, exista uma boa solução para todos. Essa virada positiva existe somente por meio do amor.

O medo de ser abandonado

Se um dos parceiros deseja abandonar o outro, chega-se freqüentemente a reações singulares, difíceis de ser explicadas. O parceiro que será abandonado começa a sentir um medo mortal. Tem a sensação de que, juntamente com o parceiro, perderá também a sua vida. Essa é exatamente aquela situação a que uma criança chega quando é repentinamente abandonada pela mãe. Entra em pânico e fica com um medo enorme.

Quando se observa a expressão facial de adultos abandonados, pode-se ler nela se essas pessoas se encontram agora com um sentimento infantil e que idade têm. Por exemplo, têm dois ou quatro anos de idade?

Por outro lado, se alguém tem sentimentos amadurecidos, nunca se encontra totalmente exposto. Ele sabe que a sua vida não depende da permanência ou da partida de seu companheiro.

Se um parceiro se encontra intensa e freqüentemente com sentimentos infantis, isso é um risco para o relacionamento. Às vezes um parceiro diz ao outro: Se você me abandonar eu me mato, pois então a vida não tem mais sentido para mim! Com isso, o outro assume o papel de mãe, que deve zelar pela sobrevivência da criança. Com isso, ele deixa de ser um companheiro e, para ele, não existe outra solução senão abandonar a relação.

A luta de um parceiro pelo outro freqüentemente retira sua energia do medo da criança de perder a mãe. Assim, a exigência de fidelidade não se dirige então tanto ao companheiro, mas à mãe. Também a fidelidade incondicional de um parceiro, principalmente quando é abnegada, é a transferência da fidelidade da criança pela sua mãe ao companheiro ou companheira. Então ela tem em si algo de irreal.

Para que um relacionamento dê certo é importante que cada um procure no outro um companheiro, e não uma mãe. Na consumação do amor sexual é importante que o casal se olhe nos olhos. Então tem-se um homem ou uma mulher à frente um do outro. Pelo contrário, quando se fecham os olhos podem emergir outras imagens.

A "confissão" de relações extraconjugais

Quando alguém comete uma falta e a confessa ao outro, então o outro tem de carregar as conseqüências. Por assim dizer, ele as transfere para o outro. A chamada sinceridade destrói a relação. Segredos devem ficar guardados, também aqueles de deslizes.

A solução consiste em colocar por si mesmo as coisas em ordem e carregar as conseqüências sozinho. Assim o outro fica livre de cargas. Se quero compensar, para que tudo fique bem outra vez, posso fazer para o outro algo de bom, em segredo, sem confissões. Isso é bem melhor do que confessar antes, provocando uma grande briga.

O "perdão" de relações extraconjugais

Se peço perdão ao meu companheiro, transfiro-lhe, com isso, a responsabilidade de fazer com que tudo fique bem. Por assim dizer, tudo depende agora do companheiro. Por isso, em geral, aquele a quem peço perdão fica zangado comigo. Ele se sente abusado. É semelhante à confissão. De uma hora para outra, aquele, que na verdade nada tem a ver com a coisa, tem de agir enquanto eu fico passivo.

Seria melhor se ele dissesse: "Fui injusto com você. Eu arco com as conseqüências. Sinto muito pela dor que lhe causei". Por meio dessas afirmações ele fica equilibrado em si mesmo e pode agir imediatamente. E o companheiro é respeitado.

Quem perdoa se encontra em posição superior

Quem perdoa um companheiro, por exemplo, devido a um deslize, diminui-o com isso. Assim, aquele que é perdoado talvez tenha de abandonar o companheiro, para manter a sua dignidade. O chamado perdão tem efeito negativo. Pelo contrário, quando o culpado diz: "Sinto muito", o outro pode anuir.

PARTICIPANTE Pois bem, e se aquele ao qual eu digo que sinto muito não aceita essa frase e deixa a culpa comigo, tenho então de carregar essa culpa?

BERT HELLINGER Sim. Eu carrego a culpa, porém tendo dito ao companheiro que sinto muito, mostrei-lhe respeito. Mais que isso não estou em condições de fazer.

PARTICIPANTE Eu não tinha intenção de confessar, mas a minha companheira percebeu que algo não estava em ordem. Insistiu durante longo tempo e com muita eficácia, até que eu finalmente confessei. Apesar de saber das conseqüências, não pude evitá-lo.

BERT HELLINGER Alguns que têm a consciência pesada sentem a necessidade secreta de expiar por isso. Eles conseguem fazer com que todos os segredos venham à luz. Trata-se, entretanto, de uma pergunta essencial: Qual é a minha atitude em relação à minha culpa? Quero desfazer-me dela agora ou digo a mim mesmo que quero conservá-la até o fim da vida? Se a conservo, sem dúvida, não sou inocente, mas tenho uma força que não teria sem a culpa. Então sou mais modesto e muito humano.

Reconciliar-se e começar de novo

A reconciliação é um valor, o perdão não. A não ser que ambos os parceiros perdoem-se mutuamente. Se um casal agiu mal um com o outro, e mais tarde dizem-se: Perdoamo-nos mutuamente, então nenhum dos dois se coloca em posição superior.

Pode-se também dizer: Nós nos reconciliamos. Isso significaria: Permitimo-nos começar de novo. Isso implica que não se retorne mais ao que passou. Tem de ficar no passado. É como um novo começo. Essa é a verdadeira reconciliação.

A aliança

Carta de um casal a Bert Hellinger alguns meses depois de haverem colocado as suas constelações familiares atuais e de origem em um de seus cursos:

> *Prezado Senhor Hellinger,*
> *A sua frase durante a nossa constelação: "O relacionamento terminou" desencadeou em mim e em meu marido uma crise considerável. Parecia absurdo, pois sempre havíamos sido um casal exemplar diante de nós mesmos e também para os outros.*
> *Entretanto, depois da constelação refletimos sobre a nossa relação: como se teve início. Como aceitamos um ao outro. Como havíamos vivido, até agora, o nosso relacionamento.*
> *Depois, durante alguns dias, tiramos as alianças e nos demos a liberdade de partir ou decidirmo-nos um pelo outro. Depois desse período bem doloroso para nós, meu marido decidiu-se novamente por mim. De minha parte não foi necessário decidir de novo.*
> *Nesse contexto, foi impressionante para mim perceber a função protetora que uma aliança exerce para a alma. Quando, depois de alguns dias, tornei a colocar a aliança, passou o terremoto em minha alma, apesar de ainda não saber qual ia ser a decisão de meu marido.*

4. Como conseguir a separação

Quando acabou

EGON Eu e minha mulher conhecemo-nos há oito anos. Somos casados há três anos. Contudo, estamos separados há um ano. Apaixonei-me por uma outra mulher e abandonei minha esposa. No novo relacionamento sentia-me relativamente desorientado e incapaz de construir uma nova relação. Sentia-me ainda muito ligado à minha esposa. Durante um ano, ela esperou pela minha volta. Agora, vive há quase seis meses um novo relacionamento estável. Sinto, entretanto, que existe ainda um forte vínculo e gostaria de esclarecer isso.
BERT HELLINGER Vocês têm filhos?
EGON Não.
BERT HELLINGER Não há nada a ser esclarecido. Cada um segue o seu caminho. O que se pode esclarecer aí? Esse abandono não tem conserto.

Um relacionamento começa com um capital inicial. Esse capital pode ser incrementado através do intercâmbio de amor. Dessa forma, o vínculo torna-se mais firme. Pode-se também gastar esse capital. E o capital que foi gasto, não pode ser renovado. Então o relacionamento acaba.

para o grupo Basta imaginar como seria se ele voltasse agora para a sua esposa. Que chances existem? Ele permanece o pobre pecador que abandonou a sua esposa. Nunca mais poderá ser como era. Não há outra oportunidade. Quem assim se separa, não tem mais chance. Enfrenta o fim e a separação.

Mas a segunda mulher não se atreverá a conservá-lo. O jogo então se repetirá. Quem se mete por tal caminho, já não pode voltar tão facilmente. Depois de algum tempo a possibilidade de um relacionamento estável e duradouro se esvanece. Já não é mais possível.

para Egon O que você diz disso?

EGON Essas são as minhas próprias reflexões. No entretanto, vivencio de outra maneira, sinto de outra maneira.

BERT HELLINGER Aquele que vivencia de outra maneira, sofre por mais tempo, para expiar. Mas isso não muda nada.

BERT HELLINGER *para Magdalena* Você deseja dizer alguma coisa sobre isso?

MAGDALENA No momento não posso dizer nada que pudesse ser proveitoso. Realmente, por muito tempo tive a esperança de que o relacionamento se reatasse. Durante um ano contei firmemente com isto. De algum modo, eu sabia: Pertencemos um ao outro. Até que, depois de um ano, notei que eu me havia distanciado. Alguma coisa tinha mudado. Pouco depois, conheci outra pessoa. Antes não havia tido ninguém, nem mesmo em pensamento.

BERT HELLINGER Você já percorreu o seu processo de separação. Mas ainda vou dar-lhes um conselho para uma boa separação.

Chega-se a uma boa separação quando os parceiros dizem um ao outro: "Eu o amei muito. Tudo o que lhe dei, dei com prazer. Você me deu muito e eu o honro. Por aquilo que não deu certo em nosso relacionamento assumo uma parte da culpa e deixo a sua parte aos seus cuidados. E agora o deixo em paz". Assim se separam e cada um segue o seu caminho.

Egon e Magdalena assentem com a cabeça, comovidos.

BERT HELLINGER Quando um relacionamento termina, isso está sempre vinculado a uma profunda dor. É importante que ambos os parceiros se abandonem a ela. Muitas pessoas preferem esquivar-se à dor. Por exemplo, através de acusações ou procurando pela culpa: Quem é culpado? Agora sou culpado? O outro é culpado? Por trás dessa procura e dessas acusações está a idéia de que poderia ter sido diferente. Ou que talvez pudesse haver uma reviravolta. Entretanto, a corrente da vida flui para a frente, e não para trás.

A vida continua fluindo

PARTICIPANTE *para Bert Hellinger* Você disse que a vida segue fluindo para adiante e não para trás. Se um casal se separa ou se divorcia, isso pode ser reversível ou não? Se os dois mais tarde se reencontram, pode-se dizer que isso, em geral, não tem futuro?
BERT HELLINGER Alguma vez fiz afirmações de caráter geral?

O participante ri.

BERT HELLINGER Por trás do que você diz, esconde-se a imagem de um ideal. Se se encontram, seria, por assim, dizer, o melhor ou o ideal. Entretanto, não sabemos se isso é o certo ou o melhor. Uma vez me ocorreu um aforismo sobre a "felicidade dual". Esse aforismo diz:

> A felicidade almejada pelo eu, escapa-nos com facilidade.
> Nós crescemos quando ela se vai.
> A felicidade da alma chega e permanece.
> E cresce conosco.

Aquilo que consideramos como feliz freqüentemente é o cômodo. Mas a grandeza não é alcançada pelo caminho confortável. Tampouco profundeza e realização se alcançam pelo caminho confortável. São dois níveis diferentes. Por isso também vejo com serenidade quando um casal se separa. Ou quando vejo que um relacionamento se acabou. Não faço nenhuma tentativa de encobrir nada. Dessa maneira, os parceiros conservam a sua dignidade.
voltando o olhar para Egon e Magdalena Olhe como ambos estão dignos agora. Eles cresceram.

A autonomia

BERT HELLINGER *para um jovem casal, que não é casado, nem vive junto, e há seis anos não sabe como desligar-se um do outro* Um se desliga do outro quando reconhece que foi bonito. Da mesma maneira, quando se reconhece que se negou algo e assume-se a responsabilidade por isso. Então assegura-se um ao outro: "Agora eu o deixo em paz". Essa seria a solução.
LEO Eu não sei se estou disposto a deixá-la ir.
BERT HELLINGER Depois da Primeira Guerra Mundial houve uma inflação. Naquela época existiam notas no valor de um bilhão de marcos! Algumas pessoas conservaram essas notas na esperança de que elas ainda tivessem algum valor.
LEO Isso é duro, mas é verdade.

BERT HELLINGER Ainda há um segredo, mas o revelo a contragosto: Uma separação tem de ser comprada através de uma longa dor. Somente quando se sofreu por bastante tempo pode-se ter uma separação com boa consciência. Essa é a outra alternativa que também ofereço como solução.

Ou se reconhece que acabou e cada um segue o seu próprio caminho. Isso é mais difícil do que perseverar juntos no sofrimento ainda por longo tempo. É confortável continuar no antigo relacionamento, mesmo quando ele terminou.

Agora vocês podem escolher. Eu lhes dei três alternativas.

LEO O problema é que essas três alternativas já estavam claras antes.

BERT HELLINGER Cheguei tarde demais outra vez! Eu sei que como terapeuta chega-se freqüentemente tarde demais. Está bem, eu os despeço em sua autonomia.

para o grupo Quando já se decidiu claramente, existe ainda a tentação de procurar-se um terapeuta e deixar-se confirmar por ele que não pode ser, para que se possa ainda rebelar-se contra ele durante algum tempo.

para o casal Essa é a quarta alternativa. Está bem, agora paro aqui.

A dor da separação

PARTICIPANTE No trabalho com constelações familiares sente-se que a dor também encerra muita força. A minha pergunta é: O que pode favorecer uma atitude interior, na qual não nos defendamos com unhas e dentes contra a dor? Em meu caso, noto que continuamente me defendo e me oponho à dor.

BERT HELLINGER Existem diferentes tipos de dor. Uma dor muito séria é a dor da separação. Quando um relacionamento se desfaz ou quando morre um companheiro ou morre um filho, essa é uma dor muito profunda. Quando nos expomos a essa dor e permitimos que ela penetre em nosso coração, em nosso corpo e em nossa alma em toda a sua amargura e intensidade, então essa dor é, via de regra, breve, embora no início pareça interminável. Sem dúvida, depois que passamos por ela, a separação foi superada.

Um mecanismo freqüente para escapar a ela é procurar a culpa ou ficar zangado. Por exemplo, fica-se zangado com aquele que morreu, porque ele morreu. Isso é muito freqüente, principalmente em crianças.

Uma outra tentativa de evitar a dor é a autocompaixão. Na autocompaixão não vejo absolutamente o outro. Olho só para mim.

Pois então, esses são caminhos com os quais se quer evitar a dor.

A despedida do provisório

Entretanto, existe uma dor que está além de nossa culpa e além de nosso esforço. Essa dor tem a ver com os golpes do destino. Somos lançados nessa dor e elevados a um nível que está além de nossos desejos e da idéia de uma vida realizada. Se nos expusermos a essa dor e a esse destino, dá-se uma purificação desses desejos, das idéias e ilusões que estão ligadas a eles. Então, expomo-nos a uma realidade que é maior que a felicidade habitual, embora a felicidade habitual seja um grande bem. Esses não são antagonismos.

Se, por exemplo, um casal ganha um filho deficiente que exigirá toda a atenção e cuidados dos pais por toda a vida, então a idéia de uma vida plena e feliz no sentido convencional termina. Se esse casal se entrega ao seu destino e diz: "Sim, é o nosso filho e nós o assumimos", e dizem à criança: "Agora estamos com você, como seus pais, por mais que a vida nos exija", então esse casal alcança uma profundeza de força e realização, que é negada à outra felicidade. Quando vemos pais assim, ela irradia também em outros aspectos. Tornamo-nos mais modestos e podemos entrar em sintonia com essa realidade mais profunda.

A realidade mais profunda não é a felicidade nesse sentido, mas a dor. Ela é a última realidade. Não posso explicar por quê. Mas provavelmente tem a ver com o fato de que a dor possibilita a despedida do provisório.

Quando observamos a vida em sua totalidade, ela é algo provisório e algo passageiro. Por trás dela age algo permanente, seja lá o que for esse permanente. Eu não posso defini-lo e nem quero fazê-lo. Mas a dor indica que algo se encontra por detrás. Ela possibilita a visão e o passo em sua direção.

É difícil descrever isso. Tampouco pode-se tentar descrevê-lo como se fosse algo que permitisse ser fixado. Está bem assim para você?

PARTICIPANTE Sim. Você compartilharia a minha percepção de que esse "expor-se à dor" é, em resumo, uma dádiva e pouco tem a ver com uma conquista? Com dádiva quero dizer uma entrega, que não é algo que se possa fazer, senão algo que se deixa acontecer.

BERT HELLINGER Não, não se pode deixar acontecer. Ele sobrevém a uma pessoa e a gente tem de se expor a ele. Isso é algo ativo. O mero deixar acontecer não tem força, o "expor-se a" é que a tem. Isso também é uma conquista, uma grande conquista da alma. Senão a força é abafada. Isso também acontece.

IV. Temas especiais

O capítulo a seguir contém trechos de terapias e explicações de Bert Hellinger sobre questões concretas de relacionamentos de casais.

Não se deve falar sobre relações íntimas anteriores

BERT HELLINGER Tudo o que se refere a uma relação íntima anterior deve ficar em segredo entre os parceiros. Não se deve falar sobre isso. Isso faz parte do respeito pelo outro e também por si mesmo. Por exemplo, provoca um efeito negativo se um homem pergunta à sua mulher: Como era antes em suas relações? Ou a mulher pergunta ao marido: Como era antes? Isso não deve ser indagado. Isso destrói algo. Dessa forma o companheiro anterior é, por assim dizer, traído. Então isso dificulta também a relação com o novo companheiro. Ele não confia totalmente no outro. Eu considero muito importante que isso seja respeitado.

Os pais não devem contar a seus filhos acerca de suas dificuldades matrimoniais. Isso seria muito ruim para as crianças. Quando os filhos sabem disso, freqüentemente castigam-se por sabê-lo. Quando essas crianças se tornam adultas e participam de terapias de grupo, então dizem: Minha mãe disse isto ou aquilo sobre o meu pai. Ou o pai disse isso ou aquilo sobre a mãe. Eu os aconselho a esquecer isso. Pode-se esquecê-lo, por assim dizer, no sentido de "despedi-lo da alma", deixá-lo lá onde pode permanecer como segredo. Então a alma fica novamente purificada.

O marido não pode gerar filhos

Terapia breve com um casal

BERT HELLINGER De que se trata?
MICHAEL Estamos juntos há oito anos e somos casados há quatro. Eu, na realidade, tenho uma relação profunda com Susanne. Porém, em muitos momen-

tos brigamos intensamente um como o outro, de tal maneira, que parece que tudo acabou.

HELLINGER Vocês têm filhos?

MICHAEL Não, não temos filhos. Gostaríamos de tê-los, mas eles não vêm.

BERT HELLINGER Um de vocês é, por assim dizer, "deficiente" nesse sentido?

MICHAEL Submeti-me a um exame e meus espermatozóides não são tão móveis como poderiam ser.

BERT HELLINGER *para a mulher* Você deseja ter filhos?

SUSANNE Não, não desejo ter filhos. Tenho dois filhos de uma relação anterior.

BERT HELLINGER Desejo dizer algo relativo às "Ordens do Amor" em tal situação: Quando um dos companherios não pode ter filhos, seja qual for a razão, então ele não deve reter o outro. Deve dizer: É o meu destino e o carrego sozinho. Interiormente ele deve liberar o companheiro.

Se aqui é assim, não sei. Pois a mulher não queria filhos – até agora. Assim, isso se neutralizaria mutuamente.

BERT HELLINGER *para Susanne* O que você diz disso?

SUSANNE Para mim foi um alívio quando ele me disse que não podia ter filhos. Era algo como: Eu sou culpada, mas algo acontece também com ele. Para mim foi conciliador quando fiquei sabendo.

para Michael Esse fato não dificultou a situação. Na verdade, a situação ficou mais fácil quando fiquei sabendo que para você é difícil ter filhos.

BERT HELLINGER *para Susanne* Diga-lhe: "Agora aceito você".

SUSANNE *sorri e fita Michael nos olhos* Agora aceito você.

Michael está muito comovido.

BERT HELLINGER *para Michael* Diga-o a ela também.

MICHAEL Agora aceito você, com amor.

BERT HELLINGER Deixo assim. De acordo?

Michael e Susanne sorriem, assentem com a cabeça e enxugam as lágrimas das faces. Depois parece que querem seguir discutindo.

BERT HELLINGER *sorrindo* Nem mais uma palavra, senão estragam tudo.

para o grupo Há pouco tempo recebi uma carta de uma participante de um de meus cursos. Nela escrevia: as constelações familiares desenrolam-se como se um pintor pintasse um quadro. O artista sabe exatamente quando o quadro está pronto. Cada traço adicional estragaria o resultado.

Ainda lhes contarei uma história a esse respeito.

A história de alguém que queria saber exatamente

Havia um homem que perdera a sua mulher. Ele não tinha trabalho e não podia sustentar os seus filhos. Então um amigo lhe disse: "Nas redondezas existe um eremita que sabe como transformar pedras em ouro. Talvez ele o ajude!".

O homem disse a si mesmo: Essa é uma boa idéia". Pôs-se a caminho, procurou o eremita e o encontrou numa caverna.
Assim que o viu, perguntou-lhe: "É verdade que você sabe como transformar pedras em ouro?"
"Sim, eu sei."
"E você me revelaria o segredo?"
"Sim, e o faço com prazer. Na próxima lua cheia você vai ao segundo vale a partir daqui – depois de amanhã já é lua cheia – e lá junte pedregulhos grandes e um pouco de madeira." Em seguida, o eremita desapareceu por um momento na caverna, mas logo voltou com algo na mão e prosseguiu: "Então você pega esse frasco com seis ervas e, uma hora antes da meia-noite, coloca-as sobre a madeira e acende o fogo. Uma hora mais tarde, pouco antes da meia-noite, portanto, as pedras estarão transformadas em ouro".
O homem agradeceu ao eremita e tomou o caminho de casa. Entretanto, quando já havia andado por algum tempo, começou a ter dúvidas: "Isso não pode ser tudo. Deve faltar alguma coisa!" Deu meia-volta, e quando chegou ao eremita, disse: "Andei refletindo. Isso não pode ser tudo. Com certeza falta alguma coisa que você não me revelou." "Sim", disse o eremita, é que durante a hora em que o fogo estiver ardendo, você não deve pensar num urso branco!"

Michael e Susanne riem.

Quando um casal planeja ter um filho

PARTICIPANTE Quais as conseqüências, quando um casal planeja cuidadosamente um filho desejado.
BERT HELLINGER O planejamento de filhos desejados tem na alma um efeito singular. Tem algo de técnico. É como interferir na natureza e, por assim dizer, colocá-la ao próprio serviço em vez de submeter-se a ela. Por outro lado, quando os pais se amam e estão abertos para uma criança, sem planejar exatamente, aquilo que ocorre na alma é muito mais bonito, tanto para o casal como, mais tarde, para a criança.

Uma criança a quem se diz: "Você foi um filho desejado. Nós planejamos você", normalmente não se sente bem. Uma criança que aconteceu via de regra se encontra bem ou, pelo menos, melhor.

O essencial nos é dado

BERT HELLINGER No ato genésico os pais não podem escolher o que vão e o que não vão dar à criança. Do mesmo modo, a criança não é livre para escolher o que toma dos pais. Isso lhe é dado, em todos os aspectos. Quando uma pessoa não reconhece e não aceita o que vem de seus pais, ela não pode se desenvolver.

Não obstante, cada pessoa reconhece que tem algo que vai além de seus pais, algo pessoal. Poder-se-ia dizer: uma graça própria. Também isso nos é dado. Só podemos nos desenvolver, se reconhecermos e aceitarmos também o que nos é próprio.

Quando uma criança nasceu morta

BERT HELLINGER *para uma mulher cujo primeiro filho nasceu morto* Quando uma criança nasce morta é importante que receba um nome e que seja considerada como membro integral da família.

MULHER Isso não aconteceu.

BERT HELLINGER Vocês têm outros filhos?

MULHER Mais dois filhos.

BERT HELLINGER Como se contam esses filhos? Como primeiro e segundo ou como segundo e terceiro?

MULHER Como primeiro e segundo.

BERT HELLINGER Exato! Tem-se de dizer aos filhos que antes deles havia nascido uma criança que morreu e que ela pertence à família como primeiro e como filho mais velho. Então, diz-se à criança seguinte, você é a segunda e à seguinte você é a terceira. Isso é importante para as crianças.

Para os pais é importante que olhem juntos para a criança morta e, então, olhem-se nos olhos e digam: Esse é nosso filho. Nós o quisemos. Agora o deixamos ir, mas lhe reservamos um lugar em nosso coração.

Um aborto espontâneo pertence ao sistema familiar?

PARTICIPANTE Faz diferença para o sistema familiar se houve um aborto espontâneo ou se uma criança nasceu e morreu cedo?

BERT HELLINGER A criança que chega viva ao mundo e morre pertence ao sistema familiar. Também a criança que nasceu morta. A criança que morre no ventre da mãe e depois nasce, também pertence ao sistema. Entretanto, um aborto, via de regra, não faz parte do sistema. Não se pode dizer com certeza onde começa e onde termina exatamente. Vê-se, entretanto, nas constelações familiares.

Quando é necessário um teste de paternidade?

MULHER Ontem eu não disse que a criança mais velha provavelmente não é de meu marido.

BERT HELLINGER Nessa situação existe somente uma solução: tem-se de fazer um teste de paternidade. Sem um teste de paternidade não existe clareza. Quando existe clareza sabe-se qual é o próximo passo. Podemos deixar assim por enquanto?

Marido e mulher assentem com a cabeça.

TERAPEUTA Em meu consultório, na colocação de uma constelação familiar, parecia que o pai não era o pai do jovem cliente. Até que ponto é lícito questionar totalmente a paternidade, baseando-se numa constelação?
BERT HELLINGER De uma constelação não se pode deduzir que alguém não seja o pai. Lembro-me de um curso onde um homem punha em dúvida que uma criança fosse verdadeiramente seu filho. A constelação lhe deu razão. Eu, entretanto, nunca confio numa constelação em questões de paternidade. Exijo sempre um teste de paternidade. Eu lhe disse: Se você quiser ter certeza, tem de fazer um teste de paternidade. Então ficou provado que a criança era, sem dúvida, seu filho. Em uma constelação não se deve especular. Tem-se de trabalhar com fatos realmente concretos.

Um outro exemplo: Em um de meus cursos estavam presentes, certa vez, vários irmãos cuja mãe havia tido, durante o casamento, crianças de diferentes homens. Uma das irmãs disse no curso: Eu realmente sou do marido de minha mãe. Talvez os meus irmãos sejam de outro. Em seguida, ela foi visitar a mãe no Sul do Tirol e lhe perguntou. A mãe respondeu: Não, você é filha daquele policial!

A mulher contou mais tarde que, na verdade, ela sempre havia sabido. Pois quando era pequena, sempre que vinha pela rua e lá estava o policial, ele a conduzia intencionalmente pela faixa de pedestres.

Continuar sendo pais depois do divórcio

Durante uma sessão de terapia que se ocupava do divórcio

MULHER Eu concordo com o divórcio, mas falta-me uma boa solução para a criança.
BERT HELLINGER Uma separação dá-se entre o casal, mas não entre os pais. Os pais continuam sendo pais. Nesse âmbito vocês ficam ligados um ao outro. É importante que se assegurem mutuamente: Continuamos sendo os pais de nosso filho. Da mesma maneira, que transmitam ao filho: “Estou ao seu lado como sua mãe”. Ou: “Estou ao seu lado como seu pai”. Assim vocês encontram um caminho para a criança. Está bem?

O casal assente com acabeça.

A quem pertencem as crianças depois do divórcio?

PARTICIPANTE Quando em uma constelação familiar, você acha que uma criança, depois do divórcio, deve ir para o pai ou para a mãe, você sempre quer dizer fisicamente ou você quer dizer freqüentemente somente em nível emocional? Por exemplo, quando uma das crianças é muito pequena e o pai não a quer.

BERT HELLINGER Para onde cada criança deve ir, depende somente das circunstâncias. Não existe regra fixa. Entretanto, eu me oriento pelo seguinte: as crianças devem ir para aquele que mais respeita e ama nelas o outro parceiro. Esse é um belo princípio que tudo distensiona. Quando ambos os pais respeitam e amam nas crianças o outro parceiro, as crianças ficam muito bem. Então, a questão de para onde as crianças devam ir não será formulada dessa forma.

Se uma mulher diz: "Meu marido não quer as crianças", freqüentemente ela não respeita o marido. Tampouco ela o respeita nas crianças . Assim que ela passa a respeitar o marido nas crianças dá-se, às vezes, uma transformação singular por parte do marido, sem que se fale sobre o assunto.

O que pode fazer o pai quando não lhe permitem ver os filhos?

PARTICIPANTE Vimos, em várias constelações, que o acesso dos pais aos filhos foi oficialmente negado. Isso se encontra com relativa freqüência em pares que não eram casados. Um homem pode fazer algo para conseguir acesso ao filho, principalmente quando a criança é pequena demais para defender os seus próprios direitos? Ou tem simplesmente de esperar?
BERT HELLINGER Um pai que foi excluído tem para o exterior uma posição fraca. Todo o processo de expulsão do pai é muito bem descrito no conto "O lobo e os sete cabritinhos". O lobo é um pai excluído e a mãe reúne as crianças ao seu redor. Ela proíbe às crianças o acesso ao pai e, mais tarde, o assassinam juntos. Antes, o pai tem de fingir que é outro para chegar aos filhos. Até aqui, é o texto real desse conto.

O excluído tem, entretanto, a posição mais forte. É preciso saber disso. Se ele estiver consciente disso, pode esperar, pois, no fim, a criança se une àquele ao qual foi feita a injustiça. Portanto, não ao genitor que vence, mas àquele que aparentemente perdeu. Essa seria uma atitude básica para tal pai. Ele adota essa atitude e faz o seu filho entender que ele é seu pai e que o filho pode contar sempre com ele, seja como for. Ele não precisa dizer isso diretamente ao filho, se não tiver acesso a ele. Manda, por exemplo, um amigo que transmite à criança essa mensagem. Talvez até um amigo da mãe. Isso também seria refinado.

De uma sessão de terapia

BERT HELLINGER *para o marido* Sua mãe desprezava o marido, o seu pai?
MARIDO Eu penso que sim.

O homem parece bastante confuso.

BERT HELLINGER Você está muito comovido. Para que possa fazer frente à sua mulher, você precisa da força de seu pai, assim como da força do pai de seu pai. Então a sua mulher poderá olhá-lo com maior respeito.

Existe um conto que ilustra de maneira muito exata o menosprezo do pai pela sua mulher. O conto se chama: "O lobo e os sete cabritinhos". A primeira frase do conto é: A mãe chama os seus filhos, os sete cabritos, e lhes diz: "Cuidado com o seu pai, pois ele é mau!". Este é, na verdade, o lobo.

E o que faz então a mulher? Ela proíbe ao marido o acesso aos filhos. Em conseqüência disso, o marido tem de disfarçar-se para pode visitá-los. Tem de comer giz e vestir uma pele branca. Assim consegue chegar a seus filhos. Por isso, a mãe quer matá-lo com a ajuda deles.

Certa vez inventei uma versão diferente dessa história: O lobo não diz: Deixem-me entrar. Ele diz: Eu sou o seu pai! Podem deixar-me entrar sem medo. Também trouxe algo para vocês. Os sete cabritinhos contestam: Não, a mamãe nos proibiu. Você tem de provar que é nosso pai. Porém, por fim, ficam curiosos e o deixam entrar.

O lobo senta-se com os sete à mesa e começa a mostrar o que trouxe. As crianças ficam contentes. De repente, chega a mãe, a cabra-mãe, e entra. O lobo diz prontamente: Se você quiser, pode fazer-nos companhia!

O marido e a mulher riem com vontade.

Naturalmente, esse é um conto muito sutil. Quando observamos casamentos que terminaram em divórcio, vê-se freqüentemente coisas assim. É vedado o acesso do pai aos filhos, porque se diz: Ele é mau. Esse conto descreve essa dinâmica.

Já encontrei uma solução para o lobo, para a cabra, sua mulher, e os seus sete filhos. Nesse caso trata-se de um casamento já divorciado. A solução é a seguinte: Os filhos mais velhos vão para o pai. O mais novo fica com a mãe.

O marido e a mulher sorriem.

O caminho errado

Hellinger, depois de interromper a constelação de um homem que tem duas filhas do primeiro casamento, um filho com a segunda parceira e que agora vive com uma nova companheira.

BERT HELLINGER *para o grupo* Realizei pesquisas sobre "caminhos errados". Nisso, pude observar que, quando alguém trilha por tempo consideravelmente longo o caminho errado, já não há volta.

Ainda há algo a ser observado: Independentemente de alguém estar ou ter estado emaranhado, isso não o isenta da responsabilidade pelo que faz ou pelo que fez.

para o homem Por exemplo, em relação às mulheres anteriores e às respectivas crianças.

para o grupo Ainda há algo mais a ponderar: Nós somos livres para fazer o que quisermos, por exemplo, deixar um companheiro. Cada um é livre de fazê-lo. Entretanto, não temos a liberdade de determinar as conseqüências. Elas resultam do que foi feito. Aqui termina a nossa liberdade.

A dupla transferência

PARTICIPANTE À margem de uma conferência sobre terapia de casais, escutei algo acerca da chamada transferência dupla. Você poderia explicar o que se entende por transferência dupla?
BERT HELLINGER Essa é uma das mais freqüentes causas de conflitos num relacionamento, conflitos esses que parecem sem solução. É como boxear com uma sombra. Os verdadeiros adversários não são vistos.

Um exemplo: Um casal visitou um de meus cursos. Na primeira noite, a mulher saiu sem dizer uma palavra e voltou somente na manhã seguinte, colocou-se em frente ao marido e disse: "Eu estou voltando de um encontro com meu amante!". Ela e o marido tinham cinco filhos. Às vezes, quando via seu marido, ficava zangada com ele e totalmente fora de si sem qualquer motivo.

Durante o curso constatou-se que o seu pai, no verão, mandava a mulher e os filhos para o campo. Ele ficava com sua amante na cidade. De vez em quando visitava, juntamente com a amante, a sua mulher e os filhos no campo. Sua mulher os atendia amavelmente. Ela não era virtuosa?
PARTICIPANTE Não!
BERT HELLINGER O sentimento que a mulher deveria ter tido ou certamente tivera, quer dizer, a raiva, agora a tem a sua filha. E ela a desabafa. Mas não diante de seu pai, senão diante do marido.

Aqui há, portanto, um deslocamento no sujeito, da mãe para a filha. E existe um deslocamento no objeto, do pai para o marido. Esse é um caso de dupla transferência. Mas, ao mesmo tempo, a filha torna-se como seu pai. Ela trata o seu marido como seu pai tratava a sua mãe. Essa é a lealdade dupla, tanto para com a mãe como para o pai.

Aborto provocado e culpa

Depois de uma constelação familiar que tratava de um aborto.

BERT HELLINGER *para o grupo* Via de regra, um aborto provocado é vivenciado no fundo da alma como uma grave culpa. Exige-se da criança o máximo, porque se deseja livrar de uma carga. Pensa-se que se pode livrar. Mas a alma não está de acordo. A alma sente a culpa. Então, freqüentemente, tem início entre o casal um processo de querer livrar-se da culpa por meio de expiação. Assim, ambos procuram estar mal ou, muito freqüentemente, fazer com que relacionamentos posteriores não possam dar certo.

Agora, pensemos um momento: Como ficam as crianças abortadas quando os pais expiam por isso? Ficam mal. Porque o mal não pode ter um fim. Em si, essas crianças estão em paz. Para uma criança a morte não é nada de mau. Mas os pais estão em desarmonia, pois não o assumem.

Em caso de culpa existem duas soluções possíveis. A primeira é que se assuma, no sentido de: eu o quis e o assumo. Quem assume a culpa recebe da mesma uma força, que os inocentes não têm. Com essa força, os pais da criança abortada podem dar a ela um lugar em seus corações. Eles podem dizer-lhe: Agora eu sou seu pai. Agora sou sua mãe. Eu o aceito como meu filho e respeito que você tenha cedido lugar para que eu estivesse melhor.

A segunda possibilidade para uma solução é o que há pouco se expressou durante a constelação familiar do cliente. Ele disse: "Já passou". Aqui há algo de verdadeiro. Depois de algum tempo, a culpa deverá ter passado. E pode passar se é assumida. Isso é muito importante. Depois, permite-se a si mesmo um novo começo.

para o homem O que agora deveria acontecer seria que a separação da antiga companheira se desse em profundidade e em plena consciência da culpa. Que agora se separe dela, leve no coração a criança abortada e se dedique, então, à nova companheira. Esse seria aqui o movimento curativo. Então tem-se uma melhor chance de encontrar a plenitude no novo relacionamento. Conscientes da própria culpa, reduzimos as nossas exigências.
para o par Existe ainda um segredo de como lidar com as dificuldades. É o seguinte: não se volta ao passado, nem mesmo em pensamento, e fica-se no presente. Um presente importante são agora os seus filhos. Vocês sabem o que é melhor para os filhos? O melhor para os filhos é sentir os pais como um casal.

PARTICIPANTE Dever-se-ia colocar pela criança abortada um boneco ou algo assim, para ser lembrado disso durante toda a vida?
BERT HELLINGER Não, isso seria mau. Assim, não se permitiria que passasse. Assim, a criança abortada não teria sossego. Aceita-se a criança no coração e, depois de algum tempo, deixa-se que se vá. Assim, ela pode se retirar.

Antigamente, às vezes se plantava uma arvorezinha como recordação para tal criança. Deixava-se que florescesse e também murchasse, como sinal de que podia passar. Depois de algum tempo, todo o mal devia ter passado.
PARTICIPANTE Assim como você abordou agora culpa e inocência, poder-se-ia pensar que alguém que, a todo custo, queira evitar a culpa vive mais incompleto do que alguém que se entregue também a esse aspecto.
BERT HELLINGER Sim, exatamente. Os inocentes são muito leves. Aqueles que desejam manter a sua inocência a todo custo são, na verdade, estreitos. Entretanto, se alguém se faz culpado para assim ganhar grandeza, então é ainda pior.

PARTICIPANTE Antes você disse que somente o casal tem a ver com uma criança abortada. Na constelação anterior, você pediu aos representantes dos filhos do novo relacionamento para que se voltassem e olhassem para as crianças abortadas e você lhes perguntou como se sentiam. Isso me confundiu.
BERT HELLINGER Antes afirmei firmemente que as crianças abortadas eram assunto somente do casal. É verdade, quando se toma de modo correto. Quando o casal soluciona a questão entre eles, então as crianças estão livres. Mas existem muitas situações em que as crianças ficam tocadas, sim. Vê-se numa constelação. Se as crianças reais estivessem aqui, eu não teria colocado a constelação. Não iria expor os pais diante dos filhos. Isso não se faz.

A "pílula do dia seguinte"

PARTICIPANTE Na minha opinião, a "pílula do dia seguinte" encobre se foi provocado um aborto ou não. Como se lida com esse problema?
BERT HELLINGER Essa é uma área em que não ouso decidir nada. Ao contrário, nisso sou cauteloso.
PARTICIPANTE Quanto a essa pergunta, queria esclarecer que sou médica de pronto-socorro e, como tal, tenho freqüentemente de receitar a "pílula do dia seguinte". Repetidamente, tenho crises de consciência, pois considero o aborto um homicídio. Entretanto, a minha profissão me obriga a dar a pílula. O que você diz sobre isso?
BERT HELLINGER Minha imagem é de que não se pode comparar as duas coisas.
PARTICIPANTE Para mim, entretanto, é uma questão de princípios, exatamente como os parágrafos sobre o aborto que temos na Alemanha: Quando começa a vida? Se definirmos o começo da vida como o momento em que o espermatozóide se funde com o óvulo, então, para mim, a "pílula do dia seguinte" é, de fato, uma forma de aborto.
BERT HELLINGER Não creio que se possa ou deva definir assim. Com essas definições intervém-se de uma maneira para mim inadmissível. Se houve uma concepção e se sabe que a criança está no ventre da mãe e se desenvolve, somente então, sabe-se algo claro. O restante é, para mim, casuístico e muito limitado. Portanto, não me atreveria a responder à pergunta sobre quando começa a vida.

Se desejamos definir exatamente o começo da vida, que efeito teria isso para a alma? Observando-o num sentido mais amplo, vejo, então, que com essa definição exata nos colocamos no lugar de Deus ou do princípio superior, seja isso o que for. Seria para mim uma pretensão que evito ter.

Também não é possível designar o aborto como homicídio. O aborto tem, na verdade, um efeito distinto do assassinato. Se fosse a mesma coisa, o aborto teria nas constelações familiares o mesmo efeito que um homicídio. Mas não tem. Pode-se ver nas constelações que não é o mesmo. Também aí sou cauteloso.

Quando uma pessoa mais velha se casa com alguém bem mais jovem

PARTICIPANTE Você poderia dizer algo sobre as chances de um relacionamento, no qual um homem mais velho não deseja mais filhos, porque já tem alguns, e a parceira mais jovem deseja tê-los?
BERT HELLINGER Essa é a situação típica: Um homem, que tem o futuro às suas costas, casa-se com uma mulher que tem o futuro à sua frente. Na maioria das vezes isso não dá certo.

Quando um homem mais velho casa-se com uma mulher consideravelmente mais jovem, então está casando com sua mãe. A mulher jovem não representa sua mulher, mas sim, sua mãe. Do mesmo modo, a mulher muito mais velha. Um relacionamento existe entre pessoas da mesma idade, naturalmente dentro de certos limites.

Uma mulher que se casa com um homem mais jovem, deve contar com a possibilidade de que ele a deixará. Pelo contrário, a mulher mais jovem mantém-se com o homem mais velho. Isso é mera observação.

Quando se casa com um gêmeo

BERT HELLINGER Um gêmeo não pode viver sem seu irmão gêmeo. Tem-se que saber disso. Quem tem um parceiro que é gêmeo, tem que reconhecer que o outro gêmeo tem precedência para seu parceiro. Isso atua como um primeiro vínculo. Quem o reconhece recebe o amor de seu parceiro assim como de seu irmão gêmeo.

Não se pode nem se deve excluir o outro. Senão o gêmeo procura substituir o seu irmão. Isso se dá freqüentemente através de um relacionamento extraconjugal. O parceiro extraconjugal representa o gêmeo.

A espera com amor

BERT HELLINGER O amor dá certo quando os dois parceiros estão desligados de sua família de origem com amor. Entretanto, se ainda têm encargos de sua família de origem, por exemplo, se carregam destinos que, na verdade, não lhes pertencem, isso será trazido para o relacionamento, perturbando-o. Em tal caso os dois parceiros necessitam paciência para que um não fique zangado com o outro. Vêem que o outro está enredado e esperam até que isso se solucione. Essa afetuosa espera contém, por um lado, uma grande renúncia mas, por outro lado, cria uma atmosfera na qual o emaranhamento talvez venha à luz e possa ser solucionado.
PARTICIPANTE Quanto tempo pode-se esperar, ou seja, quando chego a exigir demais de mim, talvez sem notar?
BERT HELLINGER Quando um parceiro está passando por uma crise, então o outro pode imaginar que ele está esperando ao lado do leito de um enfermo até

que o parceiro torne a ficar são. Espera com tolerância, mas permanece interiormente equilibrado. Entretanto, existe um limite a partir do qual isso não é mais razoável. Assim que esse limite é atingido, acontece a separação.

Entretanto, quando se espera com amor, às vezes dá-se uma mudança no interior do parceiro. Porém, não se espera da posição de quem ajuda, senão da posição de companheiro. Assim, o outro não é humilhado. Quando se ajuda demais um parceiro, ele não pode mais compensar e então dá-se a separação. Pelo contrário, uma espera respeitosa encerra em si uma grande força.

Um outro exemplo: Quando de um divórcio, às vezes, o acesso de um dos pais aos seus filhos é vedado. Então, ambos lutam pelas crianças. O pai luta pelos filhos ou a mãe luta pelos filhos. E isso é mau para todos. Quando, porém, por exemplo, o homem ao qual é vedado o acesso aos filhos espera com tranqüilidade, então algo muda nessa tranqüila atenção.

Uma vez me telefonaram dizendo: "Minha mulher fugiu com as crianças para os Estados Unidos. Que devo fazer?". Sua mulher havia estado em um de meus cursos. Era americana e, por assim dizer, havia fugido dos Estados Unidos casando-se com um alemão. O casal tinha dois filhos. Quando esteve comigo, disse-lhe: "Você tem de voltar para os Estados Unidos e deixar as crianças com seu marido". Mas ela, porém, fugiu com as crianças. Eu disse ao marido: "espere simplesmente, com equilíbrio e sem fazer nada". Depois de um ano as crianças voltaram. Esse é o efeito da espera equilibrada – às vezes.

Relacionamento à distância

BERT HELLINGER *a um casal que toma lugar ao seu lado, parecendo muito unidos* Quando olho para vocês pergunto-me se vocês têm, por acaso, algum problema.
HEIDI Acho que deixamos nosso problema em casa. Quero dizer, viemos para cá e tudo está bom e diferente. Em casa temos os problemas.
BERT HELLINGER Não é esta uma boa possibilidade para a sua solução?

Heidi e Klaus riem.

Quando voltarem para casa, podem reservar, no porão, uma sala para os problemas e então depositá-los lá. Essa seria também uma possibilidade!

Heidi e Klaus assentem com a cabeça.

HEIDI Não vivemos juntos.
BERT HELLINGER É esse o problema? Por que não vivem juntos?
HEIDI Suponho que o nosso relacionamento seja ainda muito recente.
BERT HELLINGER Como é que o relacionamento deve crescer e se desenvolver?
HEIDI *reflete* Talvez à distância por algum tempo e então pode ser que nos juntemos.

BERT HELLINGER Você quer assim?
HEIDI Eu tenho medo disso.
BERT HELLINGER Exato. Você já foi casada antes?
HEIDI Não, mas tive um relacionamento firme e dele tenho uma filha de treze anos.
BERT HELLINGER Como foi que terminou?
HEIDI Ele vivia muito longe. Era também uma relação de fim de semana.
BERT HELLINGER Ah! Você já está acostumada com o distante.

Heide e Klaus riem.

BERT HELLINGER Vou contar uma história a vocês: Em um de meus grupos havia um casal que já estava casado há seis anos, mas ainda não viviam juntos. O marido disse que só podia encontrar o trabalho adequado em outra parte. Ademais, lá também tinha uma namorada. Os outros participantes do grupo tentaram tornar claro para ele que, no lugar em que sua mulher vivia, ele poderia conseguir o mesmo trabalho. Mas disso ele não queria saber.

Mais tarde descobrimos que seu pai tinha tido tuberculose. Durante muitos anos, havia vivido em um sanatório longínquo e voltava só de vez em quando para casa. Durante as suas visitas, tinha medo de contaminar a mulher e o filho. Por isso, ficava sempre por pouco tempo e voltava logo ao sanatório. O homem havia assumido esse medo de seu pai, sem que tivesse consciência disso. Depois do curso, mudou-se para a casa de sua mulher. Têm filhos e são felizes.
HEIDI *comovida* Poderia ser algo assim.

A indissolubilidade do vínculo

PARTICIPANTE Qual é a sua opinião sobre o princípio católico da indissolubilidade do casamento?
BERT HELLINGER Considero absolutamente certo. Mas não porque seja católico, e sim, porque mostra que os vínculos são indissolúveis.
PARTICIPANTE Esse princípio deveria ser uma meta?
BERT HELLINGER Como meta é errado. Como descrição de um fato é correto. A vida tem inúmeras facetas para que se possa reduzi-la a algumas poucas leis. As ordens, às quais aqui nos referimos, não são leis no sentido de prescrições. A árvore que cresce segue uma ordem mas não uma prescrição. Assim que se faça prescrições, ela atrofia. Essa é a minha atitude nesta questão. Observam-se quais são as ordens que estão em conformidade com a vida. E então procura-se segui-las até onde se pode. E quando não se pode, adapta-se ao ambiente. Princípios rígidos já não se mantêm em nossa sociedade. Somos alérgicos a essas ordens externas. Elas desmoronaram. Mas as ordens fundamentais sustentantes ainda estão lá. Com elas trabalha o terapeuta. Se ele as reconhece, então há também soluções.

Se, por exemplo, o primeiro casamento terminou em divórcio, o vínculo continua existindo. Quem o reconhece e respeita pode também entrar num segundo vínculo.

Casar nem sempre é o melhor

BERT HELLINGER E o que há com vocês?
PETER Já estamos juntos há cinco anos. Estamos aqui porque temos a sensação de que algo está bloqueado.
BERT HELLINGER Um de vocês esteve anteriormente num relacionamento fixo?
PETER Sim, vivi durante doze anos com uma outra mulher.
BERT HELLINGER Você tem filhos desse relacionamento?
PETER Não.
BERT HELLINGER *para a mulher* E você?
SILKE Tive muitos relacionamentos, um noivado, mas nenhum casamento.
BERT HELLINGER Tem filhos?
SILKE Não.
BERT HELLINGER Por que terminou o noivado?
SILKE Não podia ligar-me ao homem apesar de ele querer casar-se comigo. Naquela época tive um sonho decisivo. O sonho foi tão claro que tive de partir.
BERT HELLINGER Como foi o sonho?
SILKE Fomos a uma igreja que estava cheia de gente. O pai do noivo era o padre e nós dois nos aproximamos como casal de noivos. Então ele perguntou: Querem se casar? Em vez de dizer sim, disse um claro não e saí.
BERT HELLINGER A sua decisão foi uma conseqüência do sonho ou o sonho foi uma conseqüência de sua decisão? O que acha?
SILKE Neste momento não posso perceber isso.
BERT HELLINGER Esse sonho foi uma conseqüência da decisão. Nessa situação, parece mais fácil empurrar a responsabilidade para o sonho em vez de assumi-la.
SILKE Eu também assumi a decisão, mas foi muito difícil.
BERT HELLINGER E por que é que vocês dois não se casam?
PETER Vista de minha parte, é uma idéia totalmente nova.
BERT HELLINGER *para Silke* E para você?
SILKE Para mim essa idéia já existe há muito tempo, mas tenho a sensação de que não deva ter a iniciativa nisso. Sinto isso bem claramente. Para mim a idéia não é tão nova.
BERT HELLINGER Bem, eu não posso ver como é que vocês podem tornar-se mais felizes do que já o são agora.
PETER Só posso dizer que às vezes me sinto capaz disso e às vezes não.
BERT HELLINGER Acho que encontraram a melhor solução. É uma solução provisória mas, por ora, é a melhor.
para o grupo Eu não estou certo de que o casamento seja o melhor em qualquer relação.

para Silke e Peter Se já houve vários vínculos, a necessidade de um vínculo total, com todas as suas conseqüências, pode desaparecer. Toma-se a segunda melhor solução, uma vez que no seu caso, como posso ver, não se trata de fundar uma família. Trata-se somente de um relacionamento. E quando se trata somente de um relacionamento, o casamento não é tão importante, é?
PETER Sinto em mim uma ambivalência quanto à família. Isso certamente é algo que prejudica o nosso relacionamento. Portanto...
BERT HELLINGER *interrompe* Não, é assim mesmo. Não digo que deveria ser de outra maneira. E você também não deve dizer que deveria ser de outra maneira. Vocês encontraram uma boa solução. Ela é adequada para vocês. Podem aceitar isso?
PETER Sim, até sou grato por isso.
BERT HELLINGER *para Silke* E você?
SILKE Tenho a sensação de que há uma outra coisa que nos persegue e que não está solucionada.
BERT HELLINGER Existiria uma solução, mas ela é um pouco difícil. Não sei se devo dizê-la. Devo?
PETER Sim.
BERT HELLINGER *para Silke* Devo?
SILKE Sim.
BERT HELLINGER Quando chegarem em casa, devem fitar-se nos olhos, sem dizer nada. Em vez de conversar sobre o relacionamento, olhem-se nos olhos. De acordo?
PETER Sim.
SILKE *sorrindo* Está bem.

O balanço matrimonial

BERT HELLINGER Do que se trata?
RICHARD Há pouco tempo, festejamos o nosso vigésimo aniversário de casamento. Fiz um balanço e disse: Somando todos os dias bons, chego ao resultado de que um ano desses vinte foi um ano pleno.
BERT HELLINGER Quero contar-lhe algo. Dei um curso em Londres. Lá estava uma mulher de quarenta anos, que, quando pequena, havia tido paralisia infantil e, desde então, usava uma cadeira de rodas elétrica. Ela queria colocar uma constelação familiar comigo. Eu disse a ela: Não, não coloco a constelação familiar com você. Só faço uma pergunta: Imagine que você não tivesse tido paralisia infantil e tivesse crescido como todas as outras crianças e hoje não fosse uma mulher com deficiência física. E agora compare com o que é realmente: com a deficiência que você tem. Qual das duas vidas é a mais valiosa? Com isso ela começou a fazer rodeios e outras perguntas em lugar da resposta. Eu disse: Minha pergunta foi bem simples. Qual das vidas é a mais valiosa? Então ela ficou profundamente tocada e disse: a de agora.

Richard permanece imóvel.

BERT HELLINGER *para Richard* Quero dizer-lhe algo: Você não é apto para ser guarda-livros.

A esposa de Richard sorri.

RICHARD Creio que o que queria dizer ainda não chegou aonde devia.
BERT HELLINGER O que acabei de dizer?
RICHARD Que eu não sirvo para ser guarda-livros.
BERT HELLINGER Em que sentido?
RICHARD Você acha que se eu agora somar o que foi bom e o que não foi...
BERT HELLINGER Você não sabe fazer balanço.

Richard e sua mulher riem.

BERT HELLINGER Quero contar-lhe algo mais. Eu dei um curso em Viena. Lá havia uma participante que tinha câncer e se qualificava de psicótica. Ela tinha tomado as chamadas drogas alucinógenas. Eu lhe perguntei: Como é que alguém toma drogas? Ela disse: Porque me faltava algo. E eu então: Ah! É assim. Alguém toma drogas porque lhe falta algo. Mas quando essa pessoa diz que lhe falta algo, não nota o que já tem.

Richard e sua mulher permanecem calados e comovidos.

O soltar

Relacionamentos exigem que cada um, ela e ele, se despoje, apesar de no relacionamento enriquecermo-nos pela presença do outro. Dia após dia o relacionamento exige que nos desprendamos. Por exemplo, de um sonho que tínhamos quando nos encontramos pela primeira vez.

Um importante limite em um relacionamento consiste em que o dar e o aceitar só podem alcançar de antemão uma certa medida. Posso dar ao meu parceiro somente determinadas coisas. Outras eu não lhe posso dar. Eu sei, que ele não as aceitará. O inverso também é assim.

Já no primeiro encontro sabe-se o que será possível e o que não será. Quanto mais claramente se encara esse fato, tanto mais serena e humilde será a relação. Mas, através disso, será também mais feliz.

V. Pares em situações especiais

Neste capítulo são documentados acontecimentos decisivos na vida de alguns casais. As terapias que seguem provêm de cursos na Alemanha, Áustria, Suíça e Estados Unidos.

"Vivemos uma relação a três"

Breve conversa terapêutica com o homem e as duas mulheres. Em seguida, colocação da família de origem de Judith: incesto pelo pai.

BERT HELLINGER Qual casal deseja trabalhar?

Judith se apresenta.

BERT HELLINGER Você está sozinha aqui?

Judith diz que não e aponta para uma mulher e um homem sentados ao seu lado.

BERT HELLINGER Vocês estão em uma relação a três?

Judith e os outros dois assentem com a cabeça.

BERT HELLINGER Muito bem. Venham para cá.

Ao lado de Hellinger sentam-se Max, então Eva e por último Judith.

BERT HELLINGER De que se trata?

MAX Como já foi dito, estamos aqui em três. Tenho um relacionamento com ambas as mulheres. Em parte também trabalhamos juntos. Existe amor e, não obstante, as coisas nem sempre dão certo porque um de nós três se sente magoado.
BERT HELLINGER Vou contar-lhes uma história oriental sobre esse tema. Um homem se acercou de outro e contou muito entusiasmado: "Agora tenho duas mulheres. Você não pode imaginar como é bom! Você também tem que experimentar!". O outro deixou-se convencer facilmente e, pouco tempo depois, casou-se com uma segunda mulher. Em conseqüência disso, a primeira mulher ficou zangada e não quis mais dormir com ele. E a segunda mulher também não queria mais nada com ele. De repente, viu-se completamente só. Em sua aflição, foi à meia-noite para a mesquita. Para sua surpresa encontrou lá, rezando, aquele homem que lhe havia dado a dica das duas mulheres. Foi ao seu encontro e disse: "É terrível ter duas mulheres!". "Sim", retrucou o outro, "eu só lhe disse aquilo porque me sentia muito solitário na mesquita à noite e queria ter um pouco de companhia".

Max, Eva e Judith riem às gargalhadas.

BERT HELLINGER Isso serviu só para relaxar. Voltemos para o que é sério.
para Max Você é casado?
MAX Não sou casado, mas tenho ainda duas mulheres: uma garotinha e uma adulta, sua mãe. Ela e minha filha estão bem dentro de meu coração. No ano passado tornei a ter, por algum tempo, um relacionamento com a mãe de minha filha.
BERT HELLINGER Você nunca foi casado?
MAX Fui casado duas vezes. Não há filhos desses casamentos.
BERT HELLINGER *para Judith e Eva* Alguma de vocês já foi casada?

As duas mulheres dizem que não.

BERT HELLINGER *Por assim dizer, ele é o primeiro companheiro de vocês?*
EVA e JUDITH Não exatamente.
BERT HELLINGER Ambas viveram antes em um relacionamento fixo?

Eva e Judith assentem com a cabeça.

EVA Para mim ele é o segundo parceiro.
BERT HELLINGER Por que o primeiro relacionamento terminou?
EVA Abortei um filho desse homem.
JUDITH O meu primeiro relacionamento foi realmente um amor de juventude. Até hoje tenho um contato muito amistoso com ele. Foi realmente um relacionamento fraternal, onde a sexualidade absolutamente não funcionava. Entretanto, simplesmente nos queríamos muito.

Meu segundo parceiro ainda era casado quando nos conhecemos e desligou-se da mulher durante o nosso relacionamento. Assim que se desligou dela, abandonou-me.

BERT HELLINGER Espero ter aqui lugar suficiente para a constelação.

JUDITH Não sei se isso é importante, mas no ano passado, de junho a setembro, estive muito apaixonada por um homem, com o qual também tive um relacionamento durante esses meses. Para mim, entretanto, estava claro que meu relacionamento a três tem prioridade e que eu desejo primeiro um esclarecimento. Por isso, ele se foi.

BERT HELLINGER Na verdade, eu deveria colocar três sistemas: o sistema de Max, o sistema de Eva e o sistema de Judith.

Vou começar com Judith.

para Judith Escolha representantes para você, para o seu primeiro parceiro, para o homem que nesse meio tempo se divorciou e para sua mulher. Ele tem filhos?

JUDITH Não. Mas uma outra mulher abortou um filho seu. Entretanto, não a sua esposa.

BERT HELLINGER Coloque também essa mulher que abortou esse filho.

JUDITH O atual relacionamento a três também?

BERT HELLINGER Não, quero primeiramente reconhecer o que está por trás. Depois vou decidir se colocaremos o relacionamento atual.

Figura 1

Mulh **Mulher (= Judith)**
1H **Primeiro homem, não casado com ela**
2H **Segundo homem, não casado com ela**
M2H **Mulher do segundo homem**
P2H **Parceira do segundo homem**

BERT HELLINGER *para Judith, olhando para a constelação* Você se encontra bastante sozinha lá. O que houve em sua família de origem?
JUDITH Bem, eu penso que importante para o nosso relacionamento a três...
BERT HELLINGER *interrompe a Judith* Não, independentemente disso. Eu trabalho com você à parte do relacionamento.
JUDITH Há seis meses, tenho indícios de que meu pai, quando eu tinha entre dez e treze anos, gerou ainda um meio-irmão com uma outra mulher. Ademais, aconteceram muitas coisas dramáticas em minha família de origem.
BERT HELLINGER O quê?
JUDITH Meu pai abusou de mim e, quando eu tinha dezenove anos, se suicidou.
BERT HELLINGER Vou trabalhar com isso agora. Isso é importante. Se solucionarmos isso, poderemos esclarecer as outras coisas. A partir de que idade deu-se o incesto?
JUDITH Mais ou menos a partir dos três anos e nove meses até quatro anos.
BERT HELLINGER Como era a relação de seus pais?
JUDITH Terrível. Eu amava muito meu pai e rejeitava a minha mãe. Só na puberdade tive uma incrível aversão contra o meu pai.
BERT HELLINGER Como era o relacionamento de sua mãe com ele?
JUDITH Terrível.
BERT HELLINGER Coloque a sua mãe e o seu pai na constelação. Assim como essa outra mulher e o seu meio-irmão.

Figura 2

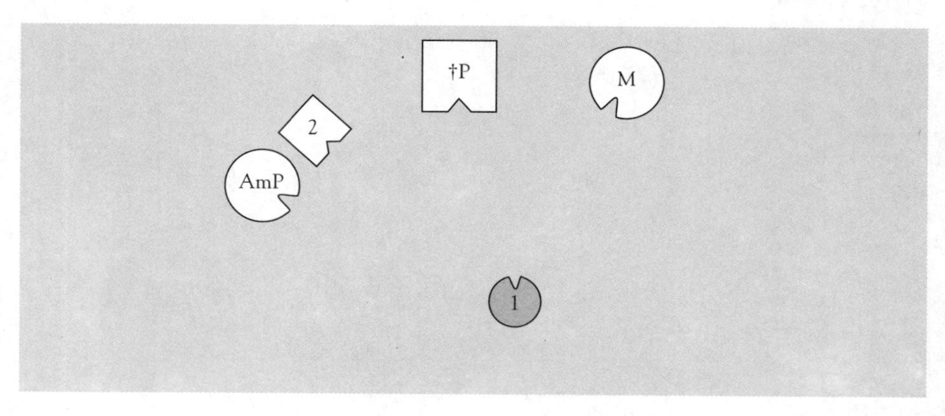

†P pai, suicidou-se quando Judith tinha 19 anos
M mãe
1 primeiro filho, mulher (= Judith)
AmP amante do pai durante o matrimônio, mãe de 2
2 segundo filho, homem

JUDITH Já trabalhei bastante o incesto. Pode ser que isso se mostre na maneira como coloquei as pessoas.
BERT HELLINGER Olhando para isso, eu digo que você não o trabalhou. Imagine somente como as linhas energéticas correm por aqui. Elas se dirigem todas à sua representante. Não há nada resolvido, senão não poderia ser assim. Mas farei o melhor que puder.
para o grupo Tudo se dirige para ela. Ela está no centro da carga.
BERT HELLINGER *para a representante de Judith* Como se sente?
PRIMEIRO FILHO, MULHER Tenho um peso aqui no peito. Sinto-me totalmente ameaçada pelos pais. É muito forte e igualmente violento de ambas as partes. Gostaria de fugir daqui. *Indica a partir dos pais em direção à parceira extraconjugal do pai e ao meio-irmão.* De alguma maneira, em direção aos dois. Desejo dizer: Tirem-me daqui.
BERT HELLINGER Esse é o lugar seguro.
para o pai Como se sente?
PAI† Tenho palpitação e vejo somente a Judith. Não tenho nenhuma outra relação e me sinto muito observado.
BERT HELLINGER *para a mãe* Que tal para você?
MÃE Estou totalmente orientada para a filha e a considero arbitrária e maldosa. Riu-se de mim quando fui colocada aqui. Isso me pôs tremendamente furiosa. Os outros me são indiferentes.
BERT HELLINGER *para Judith* O que houve com o seu pai?
JUDITH Meu pai e uma antiga namorada amavam-se muito e queriam casar-se. Ambos já tinham decidido assim. Então ela contraiu uma doença incurável e se separaram de comum acordo. Essa mulher morreu com trinta ou trinta e dois anos.
BERT HELLINGER Coloque-a também.

Judith coloca a antiga noiva diretamente atrás de sua representante.

BERT HELLINGER Esta é a identificação.

Para que se possa ver melhor a dinâmica, Hellinger desloca a representante de Judith alguns passos para a esquerda. A antiga noiva do pai está então sozinha no centro da constelação.

Figura 3

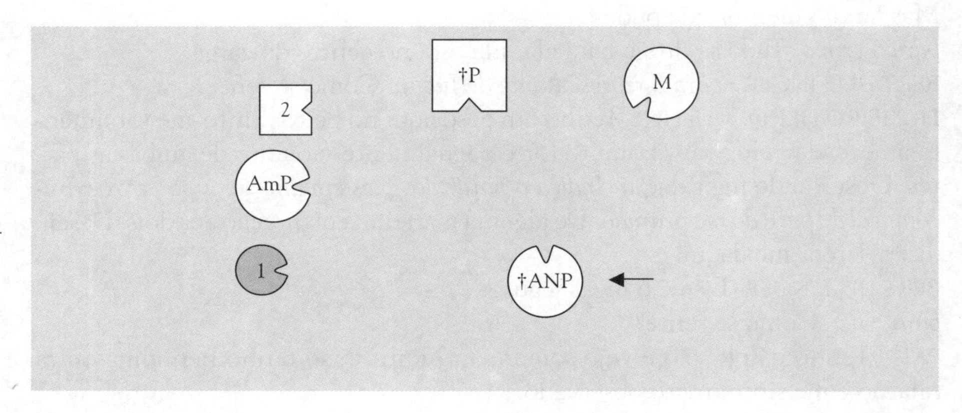

†ANP Antiga noiva do pai, que tinha uma doença incurável e morreu com cerca de trinta anos.

BERT HELLINGER O olhar se dirige à noiva do pai. Esta é a mulher para a qual se dirigem os olhares.
ANTIGA NOIVA DO PAI† *chorando* Eu quase não posso agüentar.
BERT HELLINGER *para o pai* O que há com você?
PAI † Estou totalmente fixado nela.
BERT HELLINGER Vá para o lado dela.

O pai se dirige para a sua antiga noiva e ambos se abraçam ternamente.

BERT HELLINGER *para a mãe* E agora, o que há com você?
MÃE Sinto que estou relaxando um pouco. Surge uma tristeza. A raiva se foi.
BERT HELLINGER *para a mãe* Coloque-se ao lado da falecida noiva.
para o pai E você se coloca agora entre a sua mulher e a sua falecida noiva.

Figura 4

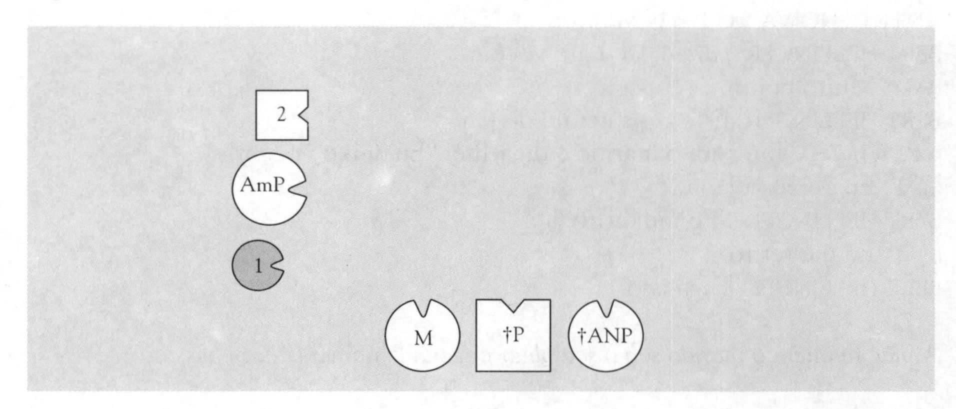

BERT HELLINGER *para o pai* Como é isso?
PAI† Um pouco estranho.
BERT HELLINGER *para a antiga noiva* Para você?
ANTIGA NOIVA DO PAI† Muito esquisito.

Hellinger coloca o pai à direita da noiva.

ANTIGA NOIVA DO PAI† Agora está um pouco melhor. Mas me sinto perdida. Não faço idéia de onde estou.

Em seguida, Hellinger vira a noiva e coloca o pai de Judith atrás dela.

Figura 5

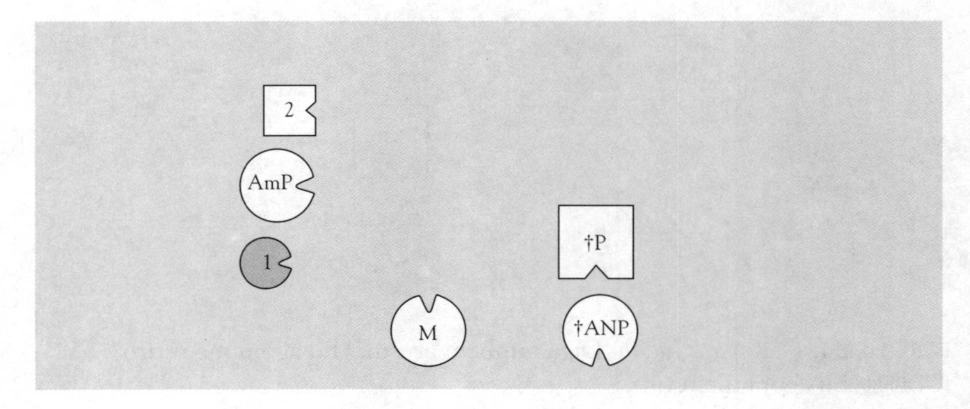

BERT HELLINGER *para a antiga noiva* Que tal assim?
ANTIGA NOIVA DO PAI† Melhor.
BERT HELLINGER *para o pai* Para você?
PAI† Muito bom.
BERT HELLINGER Este é o suicídio do pai.
para a mãe Olhe para o marido e diga-lhe: "Eu deixo você ir".
MÃE Eu deixo você ir.
BERT HELLINGER "Eu me retiro."
MÃE Eu me retiro.
BERT HELLINGER Faça isso.

A mãe mantém o marido sob o seu olhar e recua lentamente doze passos.

BERT HELLINGER Que tal?
MÃE Muito melhor. Agora eu gostaria que minha filha...
BERT HELLINGER Sim, eu vou colocar você um pouco mais perto, para que não esteja tão longe.
depois que a mãe chegou um pouco mais perto, para Judith Agora trabalharei diretamente com você.

Judith está agora ao lado da mãe e com ela olha em direção ao pai e à sua falecida noiva.

Figura 6

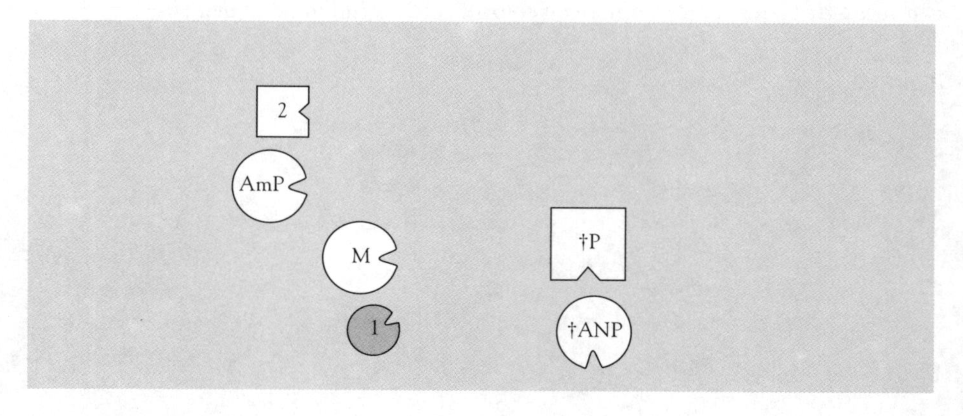

BERT HELLINGER *para Judith* Diga também ao pai: "Eu agora me retiro".
JUDITH Eu agora me retiro.
BERT HELLINGER "E o deixo aí."
JUDITH *depois de um momento* E o deixo aí.
BERT HELLINGER "E agora renuncio a você."

JUDITH *comovida* E agora renuncio a você.
BERT HELLINGER "Fico com a mãe."
JUDITH Fico com a mãe.
BERT HELLINGER *para o pai de Judith* Diga à filha: "Sinto muito".
PAI† Sinto muito.

Imediatamente após o representante do pai de Judith ter dito estas palavras, ela começa a soluçar alto e profundamente e cai nos braços de sua mãe.

BERT HELLINGER *para Judith que soluça alto* Respire fundo, mas sem som. Olhe para o pai muito calmamente e diga-lhe: "Deixo você aí".
JUDITH *mais calma* Deixo você aí.
BERT HELLINGER "E agora me retiro."
JUDITH E agora me retiro.
BERT HELLINGER "Fico com a mãe."
JUDITH Fico com a mãe.
BERT HELLINGER *para o pai* Diga à Judith: "Sinto muito".
PAI† Sinto muito.
BERT HELLINGER "E agora eu me retiro."
PAI† E agora eu me retiro.
BERT HELLINGER "Meu lugar é aqui."
PAI† Meu lugar é aqui.
BERT HELLINGER *para a noiva do pai* Que tal é para você?
ANTIGA NOIVA DO PAI † Agora está melhor. Está resolvido.
BERT HELLINGER Como se sente a mãe agora?
MÃE Sinto que preciso da minha filha como um apoio interior.
BERT HELLINGER Diga a Judith, fitando-a ao mesmo tempo: "Sinto muito".
MÃE Sinto muito.
BERT HELLINGER "Agora sou sua mãe."
MÃE Agora sou sua mãe.
para Hellinger É difícil.
BERT HELLINGER É, sim. Diga a ela: "E você é minha filha".
MÃE E você é minha filha.
BERT HELLINGER "Agora eu protejo você."
MÃE Agora eu protejo você.
BERT HELLINGER *para Judith* Diga à mãe: "Eu a aceito agora como minha mãe".
JUDITH *comovida* Eu a aceito agora como minha mãe.
BERT HELLINGER "E você pode ter a mim como sua filha."
JUDITH E você pode ter a mim como sua filha.

Judith e sua mãe abraçam-se longa e ternamente.

BERT HELLINGER *quando Max e Eva, os outros dois que fazem parte da relação a três, sinalizam que agora também querem trabalhar* Não. Judith está agora com a sua mãe, não posso continuar agora. Primeiro deve-se dar um tempo. De acordo?

Judith, Max e Eva assentem com um movimento de cabeça.

BERT HELLINGER *para o grupo* Quero voltar ainda uma vez ao tema incesto. No tratamento do tema incesto as diferentes atitudes dos terapeutas tornam-se especialmente claras.

Existe uma atitude, que parte do princípio de que uma pessoa necessita apenas ter boa vontade e não fará uma coisa assim. E se não tiver essa boa vontade é culpado e será responsabilizado por isso. Com penalidades e outras coisas semelhantes isso ficará regularizado. Esta atitude é usual não apenas na terapia, mas também a encontramos na política e na vida diária.

Porém aquele que olha com atenção, vê que o ser humano está vinculado a dinâmicas que o governam e que ele não pode dominar. Quem leva isso em consideração e trata o tema incesto dessa maneira vê que, mesmo por trás dos piores tipos de comportamento, agem forças como lealdade, fidelidade e amor. Por isso o terapeuta prescinde de qualquer condenação e dá atenção ao contexto. Freqüentemente uma pessoa está carregada por acontecimentos em sua família de origem, dos quais não tem a mínima idéia. Entretanto, algo acontecido no sistema pode atuar durante muitos anos.

Vou mencionar um exemplo drástico: Um dia veio a mim um advogado. Repentinamente havia-se dado conta de que em sua família três homens com 27 anos de idade haviam-se suicidado no dia 31 de dezembro. Ele achou que isso não poderia ser apenas um acaso. Em seguida, descobriu que o primeiro marido de sua bisavó havia morrido com 27 anos no dia 31 de dezembro. A princípio ninguém sabia mais nada sobre ele. Então descobriu-se que ele havia sido envenenado por sua própria mulher, a bisavó do advogado, e por seu amante, que veio mais tarde a casar-se com ela. O próximo na família a completar 27 anos era um primo do advogado. Como o 31 de dezembro estava próximo, o advogado foi visitá-lo para preveni-lo. O seu primo já havia comprado um revólver para matar-se. Nenhum desses homens conhecia os motivos profundos e os emaranhamentos familiares.

Isso também é válido para crimes sexuais ou para incesto. Freqüentemente atuam aí dinâmicas que, em geral, não entendemos. O terapeuta tenta reconhecer esses emaranhamentos para desfazê-los e libertar a todos. Também os ofensores! Não é que, então, o ofensor seja inocente.

Existe uma ordem jurídica que vela para que essas coisas não aconteçam. Essa ordem atua a um nível moral e também procede segundo critérios morais. E assim tem de ser!

Nas constelações familiares não se trata de exonerar a culpa do ofensor como se ele não tivesse de responsabilizar-se publicamente pelas conseqüências de seus atos ou não tivesse de expiar por eles. A terapia e a ordem jurídica são dois níveis diferentes que não devem ser confundidos.

Dois dias depois

BERT HELLINGER *para Max, quando este quer trabalhar* Essa relação a três tem um futuro ou é apenas algo passageiro?
MAX Eu acho que ela tem futuro.
BERT HELLINGER Está bem claro que ela não tem futuro. É algo passageiro. E assim deve ser aceita.

Max assente levemente com a cabeça.

BERT HELLINGER Uma vez uma mulher me perguntou o que deveria fazer. Era muito ciumenta com relação ao seu marido. Eu disse: Mais cedo ou mais tarde você irá perdê-lo. Aproveite-o enquanto isso!
depois de um breve silêncio Isso é tudo o que posso aconselhar a vocês.

Max assente, tocado.

BERT HELLINGER *para o grupo* O que foi que eu fiz agora? Trouxe sonhos de volta à realidade.

Max, Eva e Judith assentem com a cabeça.

"Tivemos um grave acidente de automóvel"

BERT HELLINGER *para Marc* De onde vem a sua deficiência?
MARC De um grave acidente de automóvel...

Marc luta para encontrar palavras, mas não consegue continuar falando.

CHANTAL Meu marido tem uma paralisia monolateral e afasia. Quer dizer, tem dificuldade para falar.
BERT HELLINGER *para Marc* Deixarei sua mulher falar por você. De acordo?

Marc assente com a cabeça.

BERT HELLINGER De que se trata em seu caso?
CHANTAL De minha parte, trata-se de ter muitos sentimentos mas não conseguir transmiti-los. Sinto-me como uma flor no deserto.
BERT HELLINGER Devemos arranjar um pouco de chuva para a flor?

Chantal ri. Marc pede a Chantal que traduza o que foi dito para o francês. Então Marc também ri.

BERT HELLINGER Ah, sua língua materna é o francês.
para Chantal Como ocorreu o acidente?
CHANTAL Um carro se chocou contra o nosso. Foi perda total. Eu guiava e meu marido estava sentado ao meu lado. Sua deficiência foi conseqüência do acidente.
BERT HELLINGER Ele foi apanhado em cheio e você não.

Chantal assente com a cabeça.

BERT HELLINGER Fite seu marido e diga-lhe: "Eu a carrego com você".
CHANTAL Eu a carrego com você.

Chantal coloca sua mão na mão paralisada de Marc. Ele acaricia as costas da mão dela com a mão sã.

CHANTAL *chorando* Sim, eu a carrego com você.
BERT HELLINGER Essa foi a primeira chuvarada para a flor.

Ambos riem abertamente.

BERT HELLINGER Desejo esclarecer isso. Vocês sofreram juntos um acidente. Ele foi apanhado em cheio e você não. Aquele que sofre menos com o acidente tem sentimentos de culpa em relação ao outro. Ele tem um ganho e o outro uma perda.
CHANTAL Já antes do acidente não podia demonstrar meus sentimentos. O acidente, na verdade, me ajudou nesse sentido.
BERT HELLINGER Estou tratando de outra coisa. Isso agora foi uma distração.

Chantal ri.

BERT HELLINGER Você tem uma vantagem, sem que você seja melhor. Você tem essa vantagem sem esforço próprio. Por isso não a mereceu. Seu marido tem uma desvantagem. Ele também não a mereceu. É um destino que compartilham. A solução seria que você dissesse: "Eu aceito como uma dádiva ter escapado ilesa do acidente. E deixo que você receba parte disso, cuidando bem de você".

Chantal olha Marc nos olhos. Ambos assentem com a cabeça e estão muito comovidos.

BERT HELLINGER Essa foi a segunda chuvarada!

Ambos riem.

BERT HELLINGER *para Chantal* Vocês têm filhos?
CHANTAL Não, bem que nós queríamos, mas eles não vieram.
BERT HELLINGER A solução é que você lhe diga: "Nós a carregamos juntos". E você o cumula de amor.

Chantal acaricia Marc na face. Em seguida ele encosta a testa carinhosamente na cabeça de Chantal.

BERT HELLINGER *para Chantal* Você é a chuva e ele é a flor.

Chantal e Marc riem relaxados.

BERT HELLINGER Está bem assim?
CHANTAL *cética* Sim e não.
BERT HELLINGER Você está se esquivando da responsabilidade.
para o grupo Aqui existe uma inversão. Ela se comporta como se fosse a necessitada, que requer algo dele em vez de, pelo contrário, reconhecer que ele é o necessitado que requer algo dela. Não se trata de pretensões que se reclamam à força, mas de pretensões que se desenvolvem a partir da situação.

Vou fazer um exercício simples com vocês. Marc, deite-se de costas no chão. Você consegue?

Marc assente com a cabeça e deita-se no chão sem grande esforço a cerca de cinco passos de distância de Hellinger.

BERT HELLINGER *para Chantal* Deite-se ao lado dele.
Para Marc, quando ele quer se virar para sua mulher deitada ao seu lado para olhá-la no rosto Não, agora você olha para cima, para o teto.
BERT HELLINGER *para Chantal* E você olha para Marc.

Chantal mantém as mãos cruzadas sobre o peito, olhando para o perfil de Marc. Então toma a sua mão espástica.

BERT HELLINGER *para Chantal* Olhe para o coração de Marc.
passado um momento Olhe atentamente para o seu rosto e o seu coração, até perceber como ele se sente.

Enquanto Hellinger pronuncia as últimas palavras, Marc começa a chorar. Ele levanta a sua mão sã e quer assim esconder o rosto. Então começa a soluçar alto.

Chantal o puxa para si. Deitados no chão, abraçam-se amorosamente. A mão espástica de Marc começa a tremer fortemente. Ele chora profundamente e com amargura. Com uma das mãos, Chantal acaricia seus cabelos e com a outra o abraça.

BERT HELLINGER Diga-lhe: "Eu seguro você".
CHANTAL *em francês* Eu seguro você.

Marc soluça fortemente.

BERT HELLINGER Repita-o.
CHANTAL *em francês* Eu seguro você. Eu seguro você.

Deitados no chão os dois se abraçam e fitam-se no fundo dos olhos. Os soluços de Marc se acalmam lentamente. Também o tremor em sua mão espástica diminuiu. Passados uns momentos eles se levantam e sentam-se ao lado de Hellinger.

BERT HELLINGER *para Chantal* Agora está bem para você?
CHANTAL Sim, agora sinto-me mais próxima dele. Mas ainda falta alguma coisa. Falta uma pequena ponte.
BERT HELLINGER *para o grupo* Isso é negar-se a morrer.

Enquanto Hellinger fica calado por um longo tempo, Chantal parece escutar dentro de si mesma.

BERT HELLINGER Agora deixo como está.

Chantal e Marc voltam para os seus lugares, porém seguem ouvindo atentamente.

BERT HELLINGER *para o grupo* O que a mulher poderia fazer em tal situação e o que o terapeuta poderia fazer em tal situação, contar-lhes-ei com uma história.

O *hóspede*

Em algum lugar, muito longe daqui, lá onde foi uma vez o faroeste, caminha alguém com a mochila nas costas por uma vasta terra desabitada. Depois de longas horas de marcha – o sol já está alto e sua sede está aumentando – vê no horizonte a sede de uma fazenda. "Graças a Deus", pensa ele, "finalmente um ser humano nesta solidão. Vou entrar lá, pedir a ele algo para beber, e talvez nos sentemos ainda na varanda e conversemos antes que eu torne a seguir o meu caminho." E ele se põe a imaginar como vai ser agradável.

Mas, ao aproximar-se, vê que o fazendeiro está trabalhando no jardim fronteiro à casa e começa a ser acometido de dúvidas. "Provavelmente ele tem mui-

to o que fazer e se eu disser o que quero vou importuná-lo. Ele pode achar que sou um descarado." E quando chega à porta do jardim, somente acena para o fazendeiro e segue o seu caminho.

O fazendeiro, por sua vez, já o havia visto ao longe e tinha-se alegrado. "Graças a Deus! Finalmente um ser humano nesta solidão. Espero que venha ter comigo. Então beberemos algo juntos, e talvez nos sentemos ainda na varanda e conversemos antes que ele siga o seu caminho." E entrou na casa para colocar bebidas na geladeira.

Mas quando viu o forasteiro aproximar-se, também começou a ser acometido de dúvidas. "Com certeza ele tem pressa e se eu disser o que quero vou importuná-lo; e ele poderia achar que eu sou atrevido. Entretanto, talvez ele tenha sede e tome a iniciativa de dirigir-se a mim. É melhor eu ficar no jardim e fingir que estou trabalhando. Lá, ele com certeza me verá, e se realmente quiser entrar, ele mesmo o dirá." Quando o outro apenas acenou e seguiu o seu caminho, lamentou: "Que pena!"

Mas o forasteiro continua caminhando. O sol continua a subir e sua sede aumenta, e demora horas até que ele veja no horizonte a sede de uma outra fazenda. Diz a si mesmo: "Desta vez entro, mesmo que o importune. Tenho tanta sede, que preciso tomar algo".

Entretanto, o fazendeiro também o viu de longe e pensou: "Espero que não venha para cá. Era só o que me faltava. Tenho muito o que fazer e não posso ocupar-me de gente estranha". E continuou o seu trabalho sem levantar os olhos.

O forasteiro entretanto, viu-o no campo, foi ao seu encontro e disse: "Tenho muita sede. Por favor, dê-me algo para beber". O fazendeiro pensou: "Agora não posso recusar, afinal também sou humano". Levou-o à sua casa e trouxe-lhe algo para beber.

O forasteiro disse: "Estive observando o seu jardim. Vê-se que aqui há uma pessoa que entende o seu ofício, que ama as plantas e sabe o que necessitam". O fazendeiro se alegrou e disse: "Vejo que você também entende do assunto". Sentou-se e conversaram por longo tempo.

Então o forasteiro levantou-se e disse: "Já é hora de me retirar". O fazendeiro, entretanto, resistiu dizendo: "Veja, o sol já está bem baixo. Fique esta noite por aqui. Então sentaremos na varanda e conversaremos antes que você, amanhã, torne a partir". E o forasteiro concordou.

Ao cair da noite sentaram-se na varanda e a terra vasta parecia transfigurada à luz do crepúsculo. Quando escureceu, o forasteiro começou a contar como o mundo havia se transformado para ele desde que se havia dado conta de que um outro o seguia a cada passo. No princípio não acreditou que alguém caminhasse continuamente a seu lado. Que quando parava, o outro parava e que quando se punha a caminho, o outro também se levantava. E necessitou algum tempo até entender quem era o seu acompanhante.

"A minha perpétua companheira é a minha morte", disse ele. "Acostumei-me tanto a ela, que já não quero prescindir dela. É a minha melhor e mais fiel amiga. Quando não sei o que é certo e o que devo fazer, silencio por um instante e peço a ela uma resposta. Então me exponho a ela por inteiro, por assim dizer com toda a minha superfície; sei que ela está lá e eu estou aqui. E sem agarrar-me a qualquer desejo, espero até que venha dela um sinal. Se estou equilibrado e a encaro com coragem, depois de algum tempo, vem dela para mim uma palavra, como um raio que clareia o que estava na escuridão – e tenho clareza."

Para o fazendeiro a conversa era estranha e ele ficou calado olhando por muito tempo para a escuridão. Então também viu quem o acompanhava, a sua morte – e ele curvou-se perante a ela. Para ele foi como se o que restasse de sua vida tivesse se transformado. Preciosa como o amor que sabe da despedida e, como o amor, plena até a borda.

Na manhã seguinte comeram juntos e o fazendeiro disse: "Mesmo que você parta, fica-me uma amiga". Então saíram e deram-se as mãos. O forasteiro seguiu o seu caminho e o fazendeiro voltou ao seu campo.

"Meu marido é alcoólatra"

PARTICIPANTE Meu marido é alcoólatra. Eu não posso viver com alguém que é viciado em álcool e que me ameaça.
BERT HELLINGER Sim, essa é também a minha opinião. Quando um parceiro tem um problema, digamos, que seja alcoólatra, então ele não pode exigir que o outro fique com ele. Ele tem de arcar com as conseqüências. Assim que o confrontarmos com isso e dissermos: "Agora deixo o problema do álcool com você e o abandono", ele talvez possa mudar. Então carrega sozinho a responsabilidade e recebe força. Mas se você simplesmente ficar ao lado dele, isso não o ajudará.

De um outro curso:

Uma terapia breve com um ex-alcoólatra

BERT HELLINGER E o que há com vocês?
BERNHARD Estamos casados há oito anos. Vivemos separados há dois anos e três meses e há nove meses reatamos o nosso relacionamento, porém continuamos morando separados. Desejamos voltar a morar juntos, mas não conseguimos.
BERT HELLINGER Vocês têm filhos?

BERNHARD Uma filha de sete anos.
BERT HELLINGER Havia um motivo imediato para a separação?
BERNHARD Havia desavenças que no fim chegaram a violência de minha parte em relação à minha mulher. Naquela época eu estava sob a influência do álcool e de noite criou-se uma situação, por cujo motivo ela então se mudou. Senão teria piorado ainda mais.
BERT HELLINGER E como está agora com relação ao álcool?
BERNHARD Eu abandonei o álcool. Aceitei que sou dependente e que não posso lidar com isso. Estou abstêmio há um ano.
BERT HELLINGER *para a mulher* O que você diz disso?
ANNELIESE Tudo o que meu marido disse corresponde também ao meu ponto de vista.
BERT HELLINGER Existe uma solução padrão para uma situação como a de vocês. Quer dizer: Um casal permite-se, sob uma condição especial, um novo começo. Entretanto, essa condição é muito difícil. Você a conhece?
BERNHARD Não.
BERT HELLINGER Do que passou não se fala.
BERNHARD Essa é uma condição difícil.
BERT HELLINGER Exatamente.
para a mulher O que você diz então de minha condição?
ANNELIESE É muito difícil.
BERT HELLINGER Alguns querem a felicidade de graça.

Anneliese e Bernhard riem.

BERT HELLINGER Essa condição contém a renúncia à vingança, assim como à superioridade e, além disso à culpa e à inocência. Essa é uma grande renúncia. Muito bem, eu lhes disse o essencial.

Bernhard e Anneliese assentem com a cabeça.

BERT HELLINGER Uma vez fiquei sabendo de uma mulher que fundou uma Ordem para doentes incuráveis. Essa Ordem era conhecida pela especial alegria de seus membros. Vocês podem imaginar isso? É que eles tinham uma importante regra: por princípio, não se falava de doença.

Anneliese e Bernhard riem.

A mulher sofre de uma doença mortal

BERT HELLINGER Que há com vocês?
WERNER Vim para cá com Sieglinde porque ela está muito doente.
BERT HELLINGER Qual é a doença?

SIEGLINDE Tenho câncer de mama.
BERT HELLINGER Qual é a prognose?
SIEGLINDE A medicina tradicional deu-me até o verão. Mas eu e meu homeopata estamos confiantes. No momento, sinto-me a caminho da recuperação.
BERT HELLINGER Vocês têm filhos?
WERNER Não temos filhos em comum. Mas eu tenho três filhos de um relacionamento anterior e Sieglinde tem dois filhos.
BERT HELLINGER Coloquem-se um em frente ao outro.

Werner e Sieglinde estão a cerca de cinco passos de distância um do outro. Sieglinde mantém o olhar desviado.

BERT HELLINGER *para Sieglinde* Não, olhe para ele.

Ambos fitam-se longa e profundamente nos olhos. Então o pé direito de Werner oscila para a frente e também suas mãos estendem-se levemente para diante.

BERT HELLINGER *para Werner* Obedeça ao seu impulso.

Werner precipita-se para Sieglinde e a toma ternamente nos braços. Ela também o aperta nos braços.

BERT HELLINGER *para Werner* Diga-lhe: "Fico com você, tanto quanto me for permitido".
WERNER *fita Sieglinde nos olhos* Fico com você tanto quanto me for permitido.
BERT HELLINGER *para Sieglinde* Diga o mesmo a ele.
SIEGLINDE Fico com você tanto quanto me for permitido.

Sieglinde sorri. Ambos se abraçam firme e ternamente. Então agradecem a Bert Hellinger.

O parceiro tem grave doença mental

PARTICIPANTE Como deve comportar-se um cônjuge quando o outro contrai grave doença mental? Apesar disso, tem de permanecer com o companheiro?
BERT HELLINGER Um exemplo: Em um curso, veio até mim uma mulher casada. Era mãe de três filhos. Seu marido havia tido um acidente hípico e, desde então, sofria de grave deficiência mental. Eu disse a ela: Você deve tratá-lo como se estivesse morto, como se o casamento estivesse terminado. Você não pode carregar por toda a vida as conseqüências de seu acidente. Ela também contou que algum tempo antes do acidente o seu marido havia dito que não queria mais ter relações sexuais com ela.

Algumas semanas depois do curso, visitou seu marido em uma instituição para vítimas de acidentes graves. Embora o seu marido estivesse praticamente inconsciente, ela lhe disse: "Nós nos casamos e temos três filhos. Respeito você como pai de nossos filhos e conservo em mim a sua recordação. Entretanto, o nosso casamento terminou. Agora sinto-me livre". Quando pronunciou essas palavras o rosto do marido ficou radiante. Isso é adequado e aí há grandeza para todos.

PARTICIPANTE Quando se tem uma imagem da solução, como essa mulher no último exemplo, pode acontecer que, apesar disso, se recaia na imagem antiga?

BERT HELLINGER É mais provável que se recaia na imagem antiga. Por isso, existem tão poucas soluções, pois solução tem algo a ver com culpa. O exemplo anterior mostra que a mulher só pode dissolver o casamento com o seu marido com grave deficiência mental assumindo também uma culpa e estando disposta a fazer algo que muitos consideram mau. Esse tipo de solução necessita uma disposição à culpa.

Culpa não quer dizer maldade. Em geral é exatamente o contrário. Muitas vezes, o bom ou o certo nos fazem culpados e o mau nos transmite um sentimento de inocência. Muitos que permanecem no problema ou sofrem devido ao seu mau relacionamento sentem-se inocentes. Para a passagem desse tipo de inocência à culpa necessita-se força interior. E somente quem também enfrenta a culpa pode dar esse passo para a solução, pois, nesse nível somos mais solitários. A recaída ao antigo padrão é mais confortável.

Quando um parceiro tem deficiência física

Quando o casal toma lugar ao lado de Hellinger, vê-se claramente que a mulher tem paralisia no pé esquerdo e por isso manca.

BERT HELLINGER De que se trata?
KARIN *chorosa* Eu saí de casa há um mês.
BERND Desde então temos casas separadas.
BERT HELLINGER *para Karin* É ruim?
KARIN É melhor. Mas eu ainda me sinto... *Ela chora e não consegue continuar falando.*
BERT HELLINGER Quem quis a separação?
BERND Minha mulher.
BERT HELLINGER *para Karin* Você tem uma deficiência física?
KARIN Com um ano de idade tive paralisia infantil.
BERT HELLINGER Por que ele se casou com você?
KARIN Porque sou uma pessoa forte.
BERT HELLINGER Você tem uma deficiência.
para Bernd Por que se casou com ela?
BERND Estava e estou fascinado pela sua maneira de ser.
BERT HELLINGER Ela agradeceu por ter-se casado com ela apesar de sua deficiência?

Bernd fica calado.

BERT HELLINGER *para Karin* Você agradeceu a ele?
KARIN Não.
BERT HELLINGER Exato, por isso você se vai. Você nega que é uma dádiva especial ele ter-se casado com você e se faz de grande em vez de reconhecer e valorizar que ele tenha se casado com você e que a ama. Isso faz sentido?
KARIN É difícil de aceitar.
BERT HELLINGER Exatamente.
para Bernd Faz sentido para você o que eu disse?
BERND *tocado* Sim.
BERT HELLINGER Deixo por aqui. De acordo?

Bernd assente com a cabeça e Karin fica calada.

BERT HELLINGER *para o grupo* Desejo dizer algo sobre isso. Quando um homem se casa com uma mulher com uma deficiência ou quando uma mulher se casa com um homem com uma deficiência, o parceiro deficiente é aquele que recebe mais. E, então, deve-se chegar a uma compensação, porque senão o parceiro deficiente se vai. Existe nessa situação somente uma saída: que o parceiro deficiente reconheça que o outro lhe deu algo especial. Esse reconhecimento afetuoso é uma compensação.
para o casal Então vocês ainda podem ser felizes. Mas esse agradecimento é humilde e por isso muito difícil.

A terceira filha é de outro homem

BERT HELLINGER De que se trata?
REBEKKA Em nosso caso trata-se de uma mentira. Estamos casados há trinta e seis anos e temos três filhos. Quer dizer, dois filhos em comum e a terceira filha é de minha relação extraconjugal. Entretanto, meu marido não sabia, nem a minha filha. Eles o souberam há dois anos. Em decorrência disso, e como tudo se desenvolveu na família, os filhos não estão bem e nós tampouco.
BERT HELLINGER Primeiro deixemos a mentira de lado. Eu não o julgo assim. Quando algo assim acontece, também está ligado a um grande medo. Em tais situações digo às vezes: No decorrer da vida todos têm direito a alguns pecados.

Rebekka e Heinz riem.

BERT HELLINGER Quando parceiros se permitem isso mutuamente, podem relacionar-se com mais serenidade. Entretanto, isso tem uma grande influência. Podemos ver melhor se vocês colocarem o seu sistema atual.
para o marido Quer dizer mais alguma coisa?

HEINZ O que me traz grandes problemas é que o pai de minha filha, infelizmente, nunca ficou sabendo. Ele morreu há três anos. Gostaria de conversar com esse homem.

BERT HELLINGER Isso é ainda uma informação importante. Quantos anos tem a filha?

REBEKKA Trinta anos.

BERT HELLINGER E ela sabe que é de um outro pai?

REBEKKA Sim, ficou sabendo há dois anos.

BERT HELLINGER Bem, são coisas que acontecem na vida. Pode-se solucioná-las quando as tratamos com cuidado. Um de vocês esteve antes num relacionamento firme?

REBEKKA Não.

HEINZ Não.

BERT HELLINGER *para Rebekka* Coloque as seguintes pessoas: seu marido, você, os dois filhos em comum, a terceira filha e o seu pai. Esse homem era casado?

REBEKKA Não.

BERT HELLINGER Tinha ainda outros filhos?

REBEKKA Não.

BERT HELLINGER Morreu de quê?

REBEKKA Das seqüelas de um diabete.

Figura 1a, colocada pela mulher

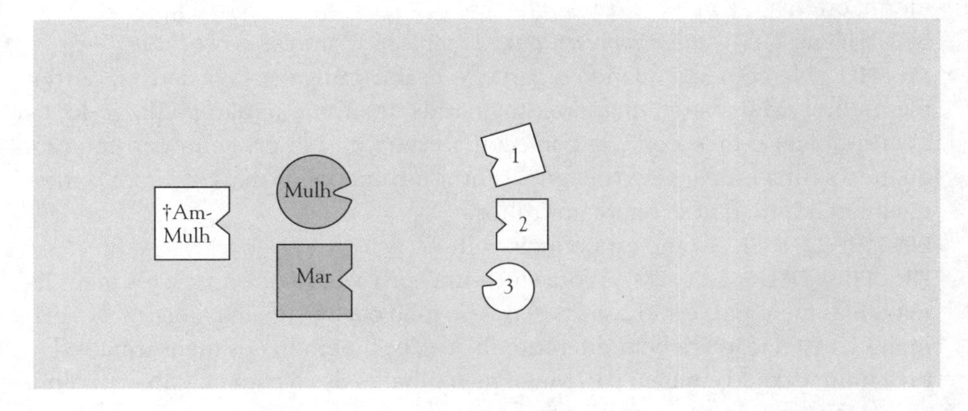

Mar	**marido (= Heinz)**
Mulh	**mulher (= Rebekka)**
1	**primeiro filho, homem**
2	**segundo filho, homem**
†AmMulh	**amante da mulher, pai de 3, falecido**
3	**terceiro filho, mulher, considerada como sendo do marido**

BERT HELLINGER *para o marido* Como você colocaria?

Figura 1b, colocada pelo marido

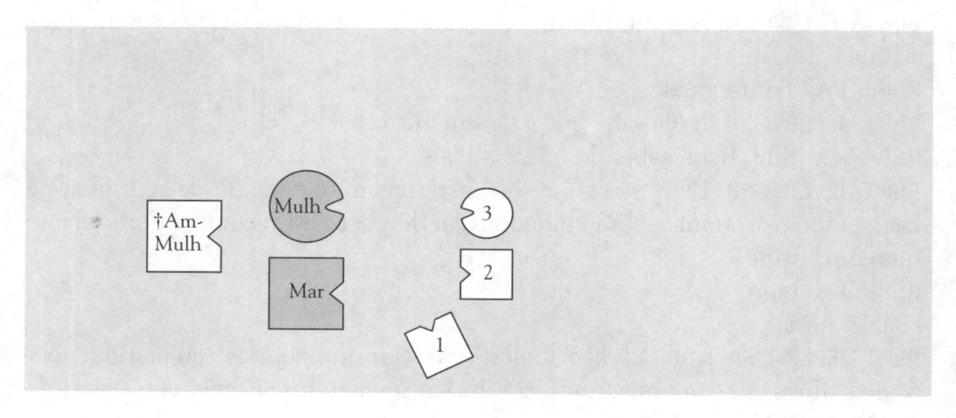

BERT HELLINGER *para os representantes* Vocês podem dizer como se sentiram na primeira e na segunda constelação.
para o representante do marido Como se sente?
MARIDO Tenho a sensação de uma ameaça vindo por trás. É algo que não conheço. Não sei de onde vem.
A diferença em relação à primeira constelação é que agora os filhos, de certo modo, estão a meu lado. Antes estava só.
BERT HELLINGER *para a representante da mulher* Como se sente?
MULHER No começo, quando o parceiro extraconjugal estava à vista, sentia-me melhor. Mais tarde, quando estava atrás de mim e já não podia vê-lo, fiquei inquieta e meu coração começou a esvoaçar. Na primeira constelação, quando a filha estava perto de mim, sentia-me um pouco mais segura. Da mesma maneira, no que se refere aos filhos.
BERT HELLINGER Como está o mais velho?
PRIMEIRO FILHO, HOMEM Agora sinto-me mais seguro que antes. Os meus irmãos e os meus pais estão à vista. Atrás de meu pai existe uma ameaça. Na primeira constelação era bem diferente. Não sentia nem via os meus irmãos. Estava muito fixado em meu pai. Mas o meu olhar ia de cá para lá. Uma vez olhei para a minha mãe que, entretanto, estava demasiado próxima e então voltei a olhar para o pai. Agora, na segunda constelação está melhor.
BERT HELLINGER Como está o segundo filho?
SEGUNDO FILHO, HOMEM Antes estava muito apertado para mim. Eram linhas de comunicação que se cruzavam: de mim para o meu pai, dele para a mãe. O amante da mãe estava em segundo plano, quase escondido. Como se fosse um fantasma, algo ameaçador ou desconhecido.
BERT HELLINGER Como está o pai da filha?

AMANTE DA MULHER† No todo sinto-me demasiado perto da família. Preferiria afastar-me um pouco. Em ambas as constelações era importante que eu pudesse ver a minha filha. Em ambos os casos foi assim.
BERT HELLINGER Como está a filha?
TERCEIRO FILHO, MULHER Aqui sinto-me melhor do que antes. Mas quase não consigo divisar os meus irmãos, ou melhor dizendo, os meus meios-irmãos. Antes era muito terrível. Sentia-me muito perdida. Tinha um sentimento de agressão contra a minha mãe. Agora posso vê-la razoavelmente bem. Sobretudo, posso ver meu pai. Porém, não tenho clareza quanto a essa relação a três. Aí existe algo que não está claro. E isso é o que mais me preocupa. Quase não consigo divisar os meus irmãos.

Hellinger faz a filha recuar três passos. Então coloca o pai a seu lado. Por fim, coloca a sua mãe perto dele.

Figura 2

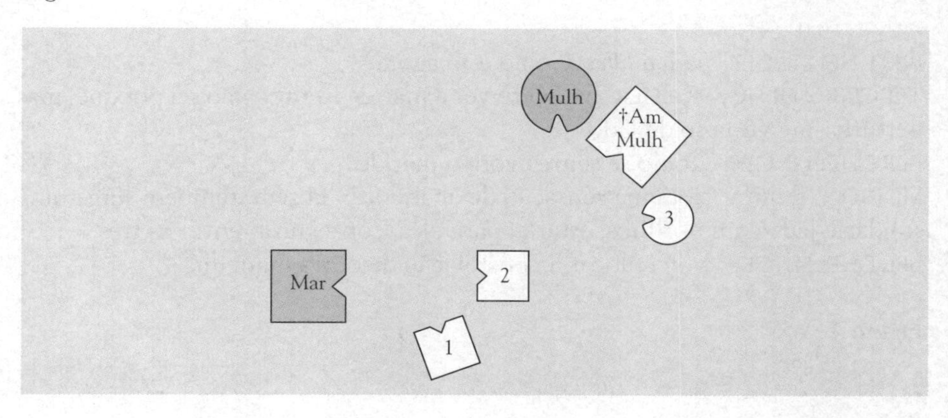

BERT HELLINGER Como é agora para a mulher?
MULHER Sinto-me totalmente triste. Existe uma grande tristeza em mim.
AMANTE DA MULHER† Para mim está bom assim.
TERCEIRO FILHO, MULHER Lentamente está se tornando claro. Mas a minha mãe deveria olhar uma vez para mim.

Hellinger coloca o pai da filha à direita da mãe. Em seguida, coloca a filha mais perto dela.

Figura 3

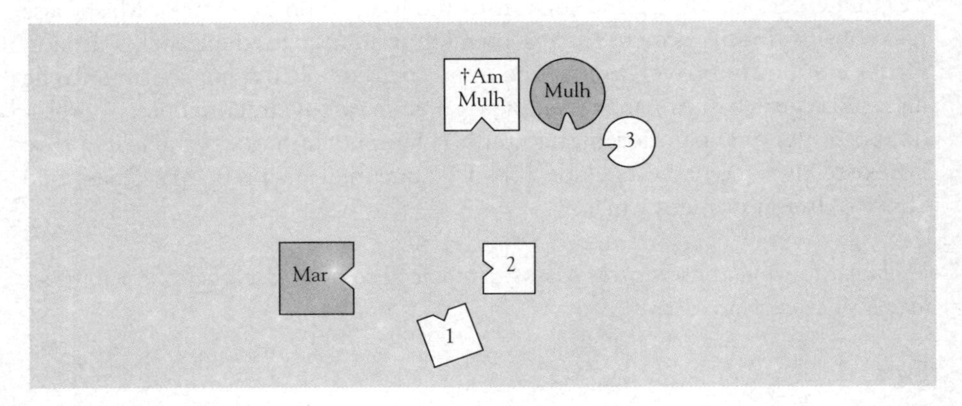

BERT HELLINGER *para a filha* Como está agora?
TERCEIRO FILHO, MULHER Eu quero ver a mãe de frente. Não sei por quê, mas perturba-me vê-la só de lado.
BERT HELLINGER Como se sente agora o marido?
MARIDO É um vazio, uma sensação de abandono. Porém, também surge uma solidariedade com os filhos, estar aí para eles, consegui-lo entre os três.
BERT HELLINGER Vou colocar a constelação de outra maneira.

Figura 4

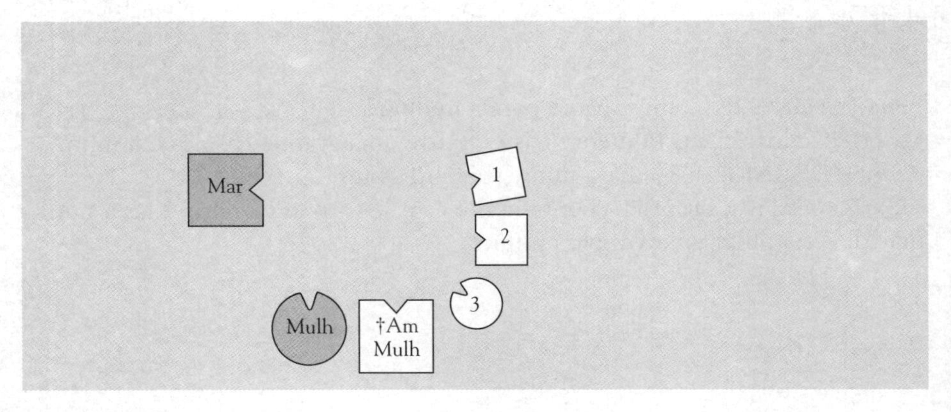

BERT HELLINGER Como se sente o marido agora?
MARIDO Sinto-me só, mas a situação está clara. Está melhor que antes, quando tinha a ameaça pelas costas. Vejo também assim como uma cisão.

BERT HELLINGER *para o filho mais velho* Como se sente?
PRIMEIRO FILHO, HOMEM Quando o pai ainda estava aqui era muito melhor. Agora estou olhando outra vez para um buraco.
BERT HELLINGER Você pode colocar-se ao lado dele. Os dois filhos podem colocar-se ao lado do pai.

Figura 5

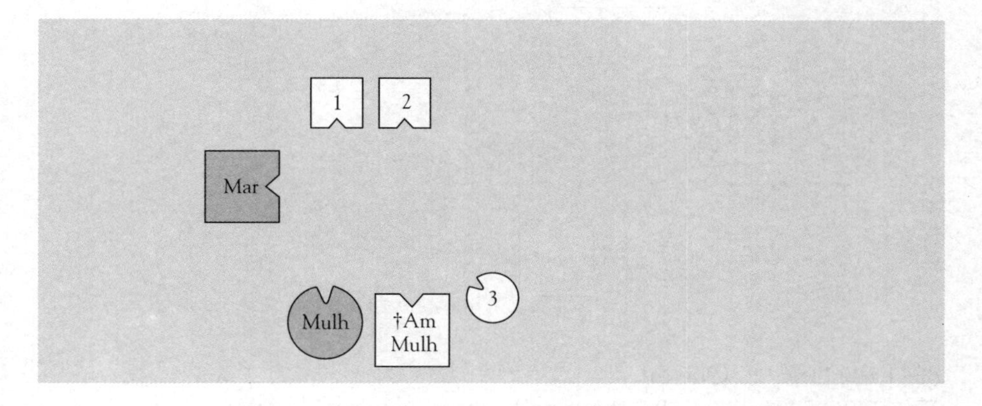

PRIMEIRO FILHO, HOMEM Agora está melhor.
SEGUNDO FILHO, HOMEM Para mim também está melhor agora. Sobretudo, vejo outra vez a mãe. Antes ela estava fora do jogo. Sentia falta dela.
BERT HELLINGER Como se sente a mãe?
MULHER Sinto falta do meu marido. Agora está fora de vista.
BERT HELLINGER Coloque-se mais perto. Experimente.

Hellinger coloca a mulher perto do marido.

Figura 6

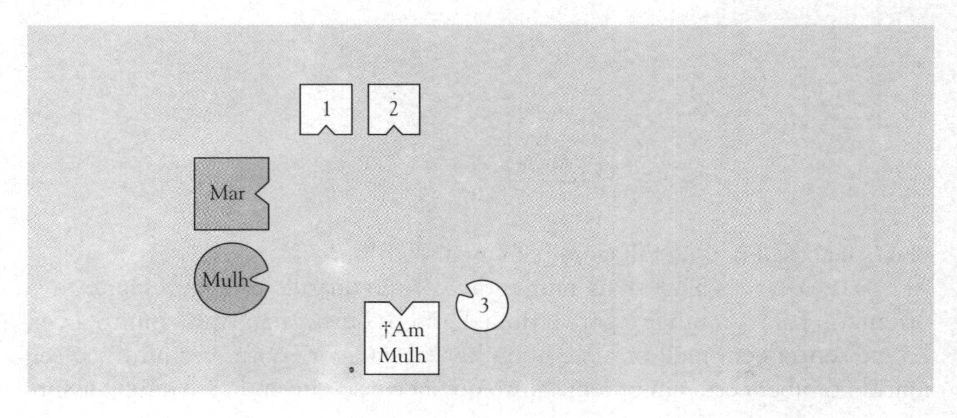

BERT HELLINGER *para o marido* Que tal?
MARIDO Acho louvável se ela se aproximar outra vez.
BERT HELLINGER *para a filha* Coloque-se entre o pai e a mãe.

Figura 7

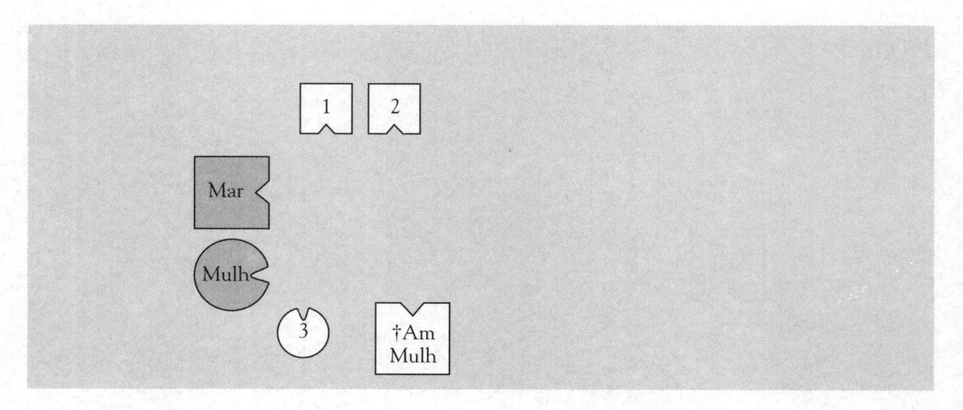

BERT HELLINGER Que tal?
TERCEIRO FILHO, MULHER *balança a cabeça* Não está bom.

Em seguida, Hellinger coloca a filha à esquerda do pai.

Figura 8

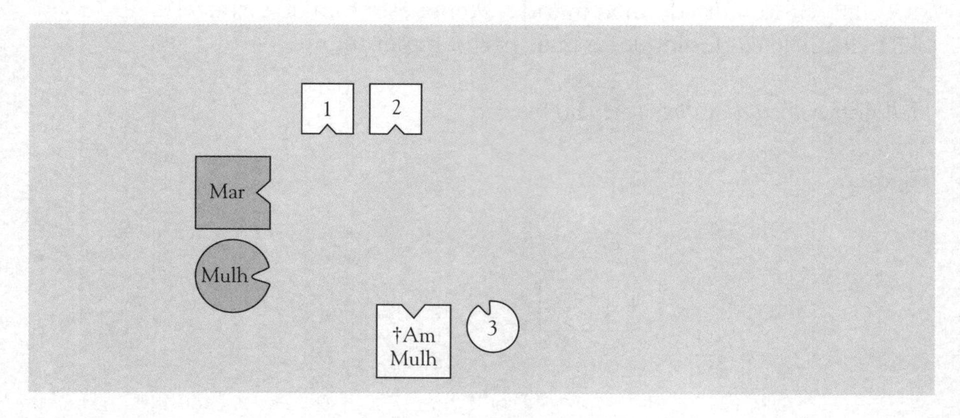

BERT HELLINGER Que tal agora para o pai da filha?
AMANTE DA MULHER † Para mim estava ótimo quando estávamos lá. Estava orientado para a mulher e para a filha. Com os outros não tinha muito a ver. Lá me sentia bem melhor. Que a mulher esteja agora outra vez junto ao seu marido também está em ordem. Sinto que lá é o seu lugar. Posso deixar assim.

TERCEIRO FILHO, MULHER Comecei imediatamente a me sentir mal quando a mãe deslizou para o seu marido. O que mais me agradou foi quando ela estava ao lado de meu pai e eu finalmente pude ver isso.
BERT HELLINGER *para o grupo* Neste momento desejo dizer algo geral sobre a dinâmica em tais situações. Aqui é válido o princípio de que o novo sistema tem precedência em relação ao velho.
para Rebekka e Heinz Quando, durante o casamento, um dos parceiros tem um filho de uma relação extraconjugal, normalmente o casamento terminou. Nesse caso a mulher deve ir para o parceiro extraconjugal, pois esse é então o novo sistema e ela deve deixar o antigo sistema. Qualquer outra solução é pior para todos os implicados. Sobretudo, é mau para a criança, pois ela se sente insegura em tal família. Freqüentemente tem também sentimentos de culpa. Também a mulher tem sentimentos de culpa em relação ao marido. O único lugar seguro para tal criança é junto ao pai. Quando a mulher não abandona o casamento, a criança tem de ir, de todo jeito, para o pai. Lá seria para a criança o lugar seguro.

Hellinger muda então a constelação.

Figura 9

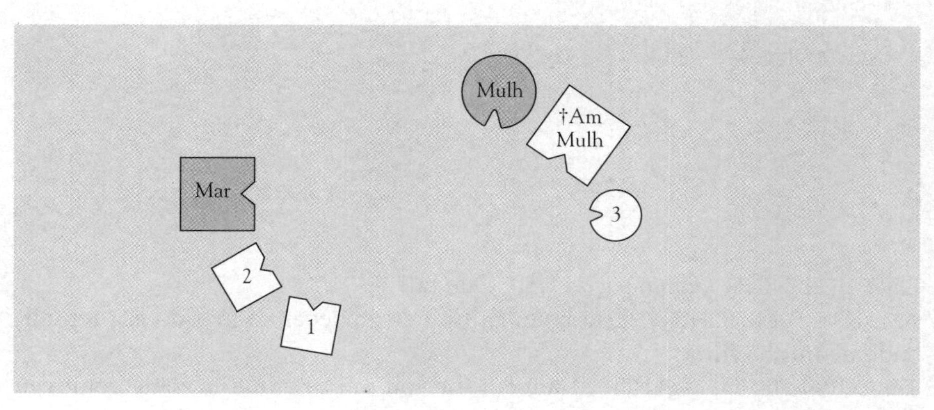

BERT HELLINGER Como se sente agora a mãe?
MULHER Melhor que antes.
AMANTE DA MULHER† Eu me sinto bem.
TERCEIRO FILHO, MULHER Agora também estou melhor.
MARIDO É uma verdadeira perda. Mas é uma solução clara.
BERT HELLINGER *para o grupo* A situação mais difícil é a do parceiro que é deixado para trás. Pois ele paga o preço. Entretanto, o novo sistema tem precedência em relação ao anterior. Naturalmente a mulher continua sendo mãe de seus filhos. Entretanto, o casamento, via de regra, terminou.

BERT HELLINGER *para Rebekka e Heinz* Vocês podem colocar-se em seus lugares. Assim podem sentir como é.
para Heinz, quando está em seu lugar Como se sente?
HEINZ Não estou bem.
BERT HELLINGER O que você deseja?
HEINZ Quero a minha mulher e a minha filha.
BERT HELLINGER Ela não é sua filha.
HEINZ Mas, para mim, ela o foi durante 28 anos.
BERT HELLINGER Você investiu muito amor.
HEINZ Sim, muitíssimo. Desde o seu quarto ano de vida ela é diabética, como o seu pai.

Hellinger coloca Rebekka mais próxima ao marido e a filha, à direita de seu pai.

Figura 10

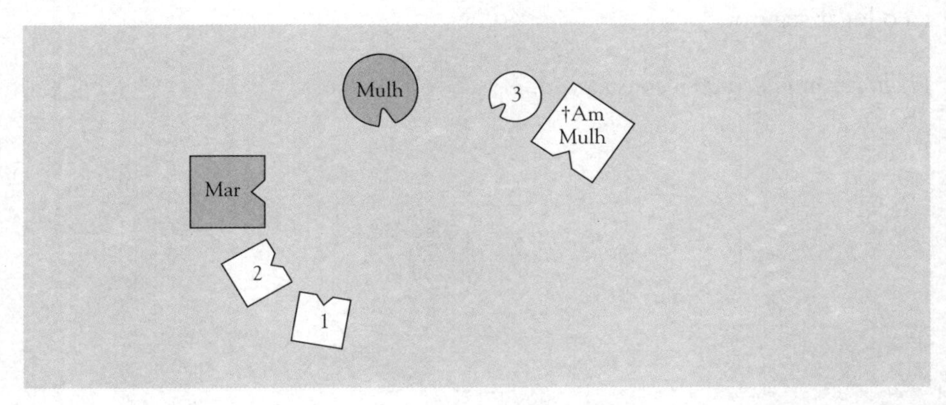

BERT HELLINGER *para o pai da filha* Que tal?
AMANTE DA MULHER† Está bem. Falta-me agradecer ao marido por ter cuidado de minha filha.
TERCEIRO FILHO, MULHER Também lhe sou muito grata. Isso me comoveu muito. Não obstante, estou contente de estar com meu pai. Mas, sinto-me também muito ligada ao meu padrasto. Agora sinto isso.
REBEKKA Aqui sinto-me muito perdida.

Hellinger coloca Rebekka ao lado de Heinz.

Figura 11

BERT HELLINGER *para Rebekka* Que tal?
REBEKKA É melhor. Mas eu teria de olhar em duas direções diferentes para ter meus filhos junto a mim.

Heinz respira com dificuldade.

BERT HELLINGER *para Heinz* Que tal para você?
HEINZ Não posso exprimi-lo com palavras.
após um momento em silêncio É estranho, muito estranho.
BERT HELLINGER *para ambos* O casamento está terminado. Vocês têm de reconhecer isso.

Hellinger torna a aumentar a distância entre Rebekka e Heinz.

Figura 12

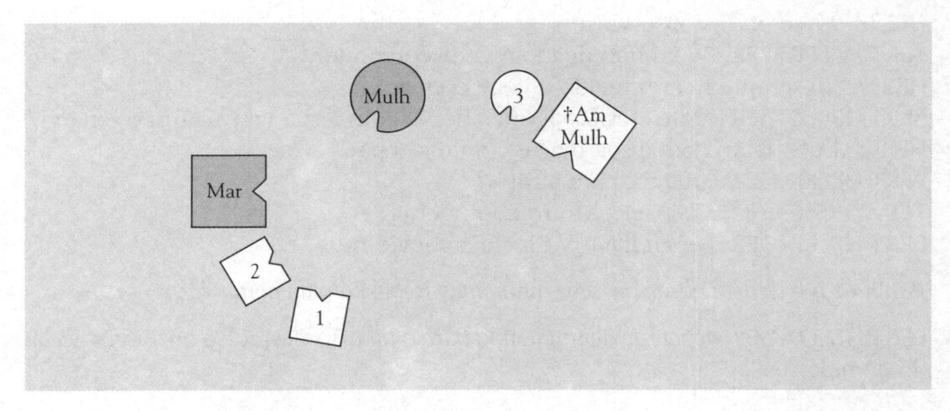

BERT HELLINGER *para Rebekka* Fite o seu marido e diga-lhe: "Eu assumo as conseqüências".
REBEKKA *comovida* Eu assumo as conseqüências.
BERT HELLINGER "Tudo isso trouxe algo de bom."
REBEKKA Tudo isso trouxe algo de bom.

Hellinger coloca a filha perto da mãe.

Figura 13

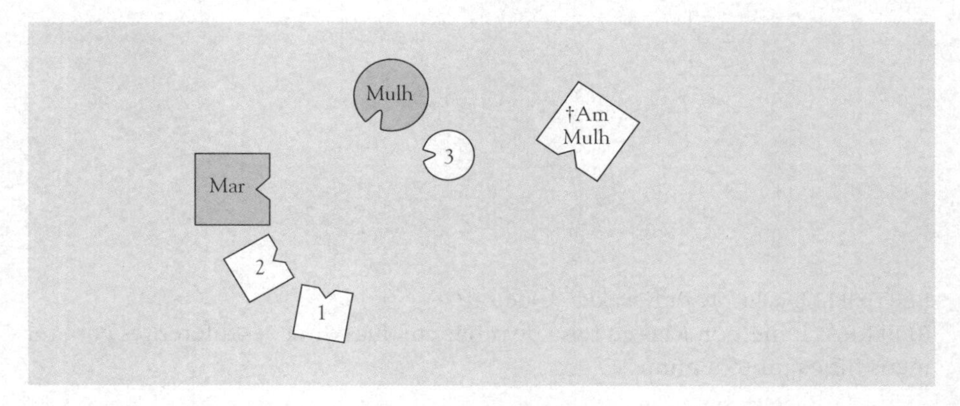

BERT HELLINGER *depois que Heinz quis abraçar Rebekka* Não, isso não é adequado. Olhe para Rebekka e diga-lhe: "Eu deixo você em paz".
HEINZ Eu deixo você em paz. Eu deixo você.
BERT HELLINGER "Guardo aquilo de bom que tivemos."
HEINZ Guardo aquilo de bom que tivemos.
BERT HELLINGER "E agora eu deixo você em paz."
HEINZ E agora eu deixo você em paz.
BERT HELLINGER Agora diga à filha: "Eu deixo você com a sua mãe e o seu pai".
HEINZ Eu deixo você com a sua mãe e com o seu pai.
BERT HELLINGER "O que lhe dei, dei com prazer."
HEINZ *emocionado* Eu lhe dei tudo com prazer.
BERT HELLINGER "Você pode conservá-lo."
HEINZ Você pode conservá-lo.
BERT HELLINGER "E eu fico ligado a você com amor."
HEINZ Eu sempre ficarei ligado a você com amor.
BERT HELLINGER "Entretanto, agora a deixo com a sua mãe e com o seu pai."
HEINZ Eu a deixo com a sua mãe e com o seu pai.
BERT HELLINGER Que tal para a filha?
TERCEIRO FILHO, MULHER Muito comovente.
BERT HELLINGER *para a filha* Vá a ele e abrace-o.

A filha e o padrasto abraçam-se ternamente. Rebekka olha comovida.

BERT HELLINGER *depois de algum tempo para a filha* Coloque-se outra vez ao lado da mãe.

Depois Hellinger coloca o pai biológico mais perto da filha.

Figura 14

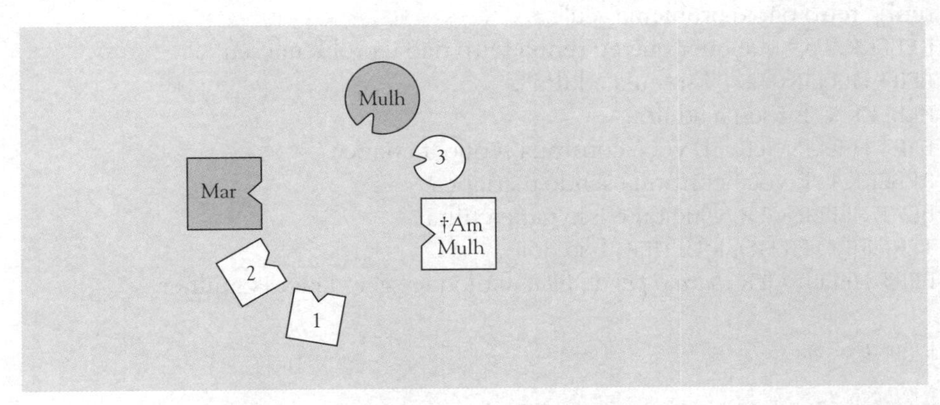

BERT HELLINGER *para a filha* Fite a mãe e diga-lhe: "Mamãe, eu o aceito de você também por esse preço".
TERCEIRO FILHO, MULHER Eu o aceito de você também por esse preço.
BERT HELLINGER "Que você pagou."
TERCEIRO FILHO, MULHER Que você pagou.
BERT HELLINGER "Eu o aceito com amor."
TERCEIRO FILHO, MULHER Eu o aceito com amor.
BERT HELLINGER "O que há entre você e o seu marido, deixo-o com vocês como segredo."
TERCEIRO FILHO, MULHER O que há entre você e o seu marido, deixo-o com vocês como segredo.
BERT HELLINGER "Eu permaneço a filha".
TERCEIRO FILHO, MULHER Eu permaneço a filha.
BERT HELLINGER *para a filha* Que tal é para você?
TERCEIRO FILHO, MULHER Em ordem.
BERT HELLINGER Que tal é para a mãe?
REBEKKA *chorando* Está bem.
BERT HELLINGER Diga à filha: "Amei muito o seu pai".
REBEKKA Não posso dizê-lo.
BERT HELLINGER Tente simplesmemte.
REBEKKA Mas não é assim.
BERT HELLINGER Diga a ela: "Amei muito o seu pai."
REBEKKA Amei muito o seu pai.
BERT HELLINGER "E ainda o amo em você."
REBEKKA E ainda o amo em você.
BERT HELLINGER Que tal? É certo?
REBEKKA Não posso senti-lo assim.
BERT HELLINGER O que sente?

Rebekka fica em silêncio.

BERT HELLINGER *passado algum tempo* Agora diga à filha: "O que quer que eu tenha feito não é problema seu".
REBEKKA O que quer que eu tenha feito não é problema seu.
BERT HELLINGER "Eu sou a adulta".
REBEKKA Eu sou a adulta.
BERT HELLINGER "E você continua sendo a criança".
REBEKKA E você continua sendo a criança .
BERT HELLINGER Que tal é isso para a filha?
TERCEIRO FILHO, MULHER Isso dói.
BERT HELLINGER *para o pai da filha* Coloque-se ao lado da mulher.

Figura 15

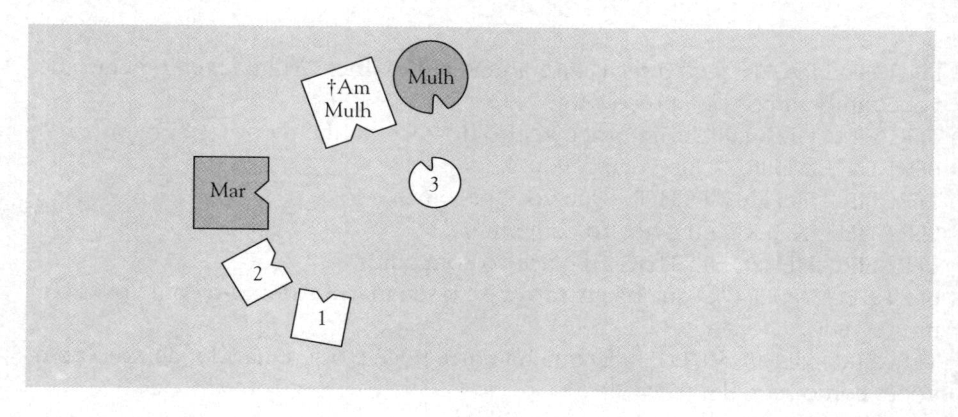

BERT HELLINGER Como se sente o marido agora?
HEINZ Mal. Tenho medo.
BERT HELLINGER Eu interrompo aqui. Não posso continuar.

Heinz e Rebekka assentem com a cabeça.

A necessidade de compensação

BERT HELLINGER *para o grupo* O amor dá certo quando o dar e o aceitar entre o casal estão equilibrados. Portanto, quando cada um que dá também aceita e cada um que aceita também dá. A necessidade de compensação é uma necessidade fundamental. Pode-se compará-la com a força da gravidade. A força da gravidade atua por toda a parte e ela atua equilibrando. Nos relacionamentos também é assim.

Quem dá está em posição superior. Por ter dado, sente-se no direito de receber. E aquele que recebe sente-se em dívida em relação ao outro. Somente depois de ter dado também, sente-se livre dessa dívida. Essa necessidade de compensação é o fundamento de qualquer relação social. Somente porque existe essa necessidade, existe o intercâmbio entre pessoas que convivem. Sem a necessidade de compensação, não existe o intercâmbio.

No relacionamento entre o casal a necessidade de compensação está ligada ao vínculo e ao amor. Porque um parceiro ama, ele dá. E porque o outro também ama, também dá. Mas, por cautela, dá um pouco mais. Por isso, o outro também dá um pouco mais. E o intercâmbio se mantém. Quando a compensação é exata, o relacionamento termina pois, então, os dois estão quites, por assim dizer, em duplo sentido.

Num relacionamento vivo origina-se uma transação de dar e receber. Quanto mais altas as transações, mais profunda é a satisfação mútua. Sentimo-nos então muito bem no relacionamento. O dar mais sublime manifesta-se na seguinte frase: Assim como você é, é perfeito para mim. A confirmação de que alguém, assim como é, é o melhor exemplar possível de si mesmo, satisfaz profundamente a alma.

Sobretudo, quanto mais altas as transações, menor é a liberdade, pois, o vínculo aumenta através do intercâmbio. Mas, quando se está satisfeito e pleno, não se necessita outra coisa. Entretanto, existem pessoas para as quais a liberdade é mais importante. Elas fogem desse vínculo que é aprofundado através do intercâmbio e, por isso, mantêm baixas as transações. Na verdade, então, recebem pouco mas têm muita liberdade. Porém, essa liberdade é vazia.

Nos relacionamentos existe também a compensação do que é mau. Se, por exemplo, o marido trai a mulher e ela, por sua vez, mantém-se inocente, isso é difícil de compensar. Porém, se ela fizer algo semelhante com o marido, mais tarde pode-se reatar o intercâmbio positivo. Quando, entretanto, o parceiro enganado teme compensar no mal, ele destrói com isso o relacionamento.

Um outro exemplo: Uma mulher engravida e o marido não quer acreditar que é seu filho. Isso é para a mulher uma grave ofensa e uma profunda humilhação. Ela pode dizer-lhe: Essa ferida é tão grande que não quero mais saber de você. Nesse caso, é a sua inocência que separa. Se ela dissesse: Eu espero o futuro. Se alguma vez fizer-me culpada lhe direi: Pense naquela época. Você também ainda me devia algo. Agora está compensado.
para Heinz e Rebekka Assim ficamos no nível do pecado. Pois pecadores entendem-se muito melhor que os justos. Também já perceberam?

Heinz e Rebekka sorriem.

Um outro exemplo: Um dos parceiros incorre em alguma culpa e o outro lhe diz: Agora espero uma reparação. Ou quando o inocente, por assim dizer, quer trazer de volta o parceiro culpado mas não se dispõe, ele mesmo, a descer ao nível da culpa e da fraqueza humana. Então o culpado não pode voltar. Quem tiver de voltar como um coitadinho, não volta nunca! Somente quem puder voltar de cabeça erguida ou com a cabeça um pouco abaixada, volta realmente.

Quando um fez algo ao outro, então o outro sente a necessidade de fazer algo que lhe doa. Se não o faz, fica em posição superior. E então não há mais intercâmbio. Mas quando essa compensação negativa acontece com amor, então pode continuar indo bem. Eu sei que parece estranho, mas pode-se dizer: "Eu sou mau porque amo o outro" ou "Quero salvar a relação e por isso estou zangado com ele". Mas porque o amo faço-lhe algo menos mal do que ele me fez. Assim o intercâmbio negativo termina.

Alguns tratam a compensação negativa assim como à positiva. Quer dizer, fazem ao outro, por cautela, um pouco mais do que é mau. Então o outro sente-se no direito e faz-lhe algo mais do que é mau. Chega-se então a uma alta transação do negativo. Isso também cria vínculos. De tanta infelicidade o casal não se separa.

BERT HELLINGER *olhando para Heinz e Rebekka* Isso foi, por assim dizer, a introdução. Durante o trabalho, a minha imagem era de que a mulher não se perdoa pelo que passou. Na verdade, ela procura agora uma compensação, fazendo com que ela mesma não esteja bem. Essa é a compensação através da expiação. Ela é muito difundida e é sumamente destrutiva. De fato, a mulher está totalmente concentrada em si mesma. Então ela não pode ver o amor do marido. Ele estava disposto a abrir-lhe o coração, mesmo que o relacionamento terminasse. Do mesmo modo a mulher não pode ver o amor da filha. E também não pode ver o amor do parceiro extraconjugal. Ela ficou concentrada em si mesma. Através de sua expiação, chega-se a um equilíbrio que tem más conseqüências para todos. Tem más conseqüências para ela. Tem más conseqüências para o marido, pois não se reconhece tudo o que ele fez por ela. Tem más conseqüências para o pai da filha e para a filha também.

A compensação no nível do amor

Entretanto, dever-se-ia dar uma compensação em um nível mais alto. Por exemplo, se a mulher dissesse ao marido: Na verdade, passamos tempos muito bonitos. Naquela época, quando nos casamos e, mais tarde, quando tivemos os dois filhos. Pois bem, então eu "fiz algo diferente". Agora assumo as conseqüências. Mas quando olho para minha filha, digo: Não é ela uma bela conseqüência do pecado?

Algumas pessoas acham que só dos chamados bons atos resultam coisas boas. Isso é assim também em caso contrário.

Entretanto, porque a mulher não pensa com amor em seu marido nem naquela relação extraconjugal, tampouco pode olhar para a filha com amor. Pelo contrário, se passa ao nível superior, pode dizer: "Fiz-me culpada porém vejo que teve um bom resultado. Também assumo as conseqüências dolorosas,

por exemplo, que eu talvez tenha de me separar de meu marido". Isso seria mais que expiação. Mas a expiação é o mais fácil, apesar de não ser útil a ninguém. Tudo o que acontece em um nível superior, no sentido de uma compensação, necessita mais força e traz bênção.
para Rebekka Não posso dizer nada além disso agora.

Rebekka está sentada em silêncio com os braços cruzados.

BERT HELLINGER Você tem de separar suas mãos e então estará mais livre. *Toma a mão de Rebekka.* O que houve em sua família de origem?
REBEKKA Meu pai provém de uma família com nove filhos. Quatro irmãos morreram na guerra e um morreu jovem em um acidente.
BERT HELLINGER Quer dizer, cinco morreram?
REBEKKA *comovida* Um irmão de meu pai era alcoólatra e foi decididamente excluído da família.

Rebekka chora.

BERT HELLINGER Coloque os dois braços à minha volta.

Rebekka coloca a cabeça no ombro de Hellinger. Depois o abraça com ambos os braços e soluça.

BERT HELLINGER Respire fundo.

Rebekka está cheia de dor. Durante vários minutos chora apoiada nos ombros de Hellinger. Sua respiração vai se acalmando.

REBEKKA *para Hellinger* Não há uma solução?

Depois dessas palavras Rebekka torna a chorar. Seu marido olha comovido para ela. Depois de alguns minutos Rebekka se acalma e levanta a cabeça.

BERT HELLINGER Olhe para o seu marido. Diga-lhe: "Por favor, tome-me outra vez como sua mulher".
REBEKKA Por favor, tome-me outra vez como sua mulher.

Heinz enxuga ternamente as lágrimas de suas faces. Ambos estão muito comovidos.

BERT HELLINGER *para Heinz* Tome-a nos braços.

Abraçam-se longa e ternamente.

BERT HELLINGER Esqueci de revelar um importante segredo. Agora posso fazê-lo. Existem circunstâncias pelas quais um casamento, via de regra, chega ao fim. Mas depois pode-se casar novamente com o parceiro!

Heinz e Rebekka estão muito comovidos.

BERT HELLINGER Sejam felizes. Está bem?

Heinz e Rebekka assentem com a cabeça.

Inseminação artificial e adoção em um relacionamento

De um curso nos Estados Unidos. Bert Hellinger trabalhou juntamente com o terapeuta americano Hunter Beaumont.

Nota preliminar

Esta é uma constelação muito complexa pois reúne vários temas.
Primeiro, o tema da esterilidade do homem e quais os seus efeitos quando ele não quer reconhecer as suas conseqüências ou trata de esquivar-se delas através de inseminação artificial ou adoção.
Segundo, o tema da inseminação artificial e qual o efeito que tem para o relacionamento e para a criança que daí se origina.
Terceiro, o tema da adoção. Qual o preço que exige dos pais adotivos e como pode ser encontrada uma boa solução para eles e para as crianças.

BERT HELLINGER *para Walter* Agora trabalharei com você.
WALTER Fui pai durante uma grande parte de minha vida. Fui casado duas vezes e tenho quatro filhos. Com os dois filhos do primeiro casamento não tenho qualquer contato. Tenho contato com os filhos do segundo casamento mas, na verdade, é difícil e conflituoso.
BERT HELLINGER Vamos colocar a constelação: você, a primeira mulher com os dois filhos e a segunda mulher com os dois filhos.
WALTER Talvez ainda devesse mencionar o que torna a coisa complicada. Não posso gerar filhos. Por isso, a primeira criança foi adotada e a segunda nasceu através de inseminação artificial. As outras duas crianças são também adotadas.
BERT HELLINGER A segunda criança nasceu através de inseminação artificial. Foi o seu esperma?
WALTER Não, o meu esperma fica encerrado em meu corpo. O esperma veio de um doador.
BERT HELLINGER O doador é conhecido?
WALTER Não, só sei que era judeu.

BERT HELLINGER Eu creio que existe uma nova lei nos Estados Unidos, segundo a qual os doadores têm de deixar o seu endereço e que as suas crianças, depois dos dezoito anos, podem conhecer esse endereço. Vale também para essa criança?

WALTER Não sei. Foi em 1950. Eu não sei se naquela época já existia essa lei.

No começo, Hellinger faz colocar somente a constelação da primeira família. Os membros da segunda família são colocados somente de maneira que se possa reconhecer o seu pertencimento a um sistema ou outro.

Figura 1

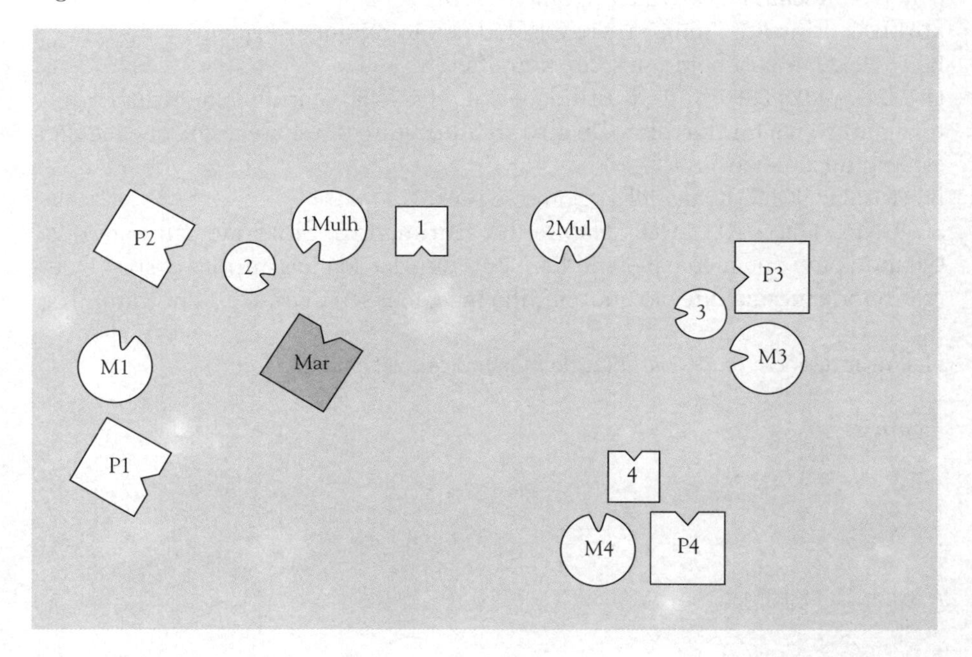

Mar	**marido (= Walter)**
1Mulh	**primeira mulher**
1	**primeiro filho, homem, adotado**
P1	**pai da criança adotada**
M1	**mãe da criança adotada**
2	**segundo filho, mulher, gerada através de inseminação artificial**
P2	**pai do segundo filho, doador de esperma**
2Mul	**segunda mulher**
3	**terceiro filho, mulher, adotada**
P3	**pai do terceiro filho**
M3	**mãe do terceiro filho**
4	**quarto filho, homem, adotado**
P4	**pai do quarto filho**
M4	**mãe do quarto filho**

BERT HELLINGER *para Walter* Primeiro quero dizer algo sobre o papel do doador e também sobre o efeito da inseminação artificial em uma família.

Entre os sistemas existe uma ordem de precedência. O novo sistema tem precedência em relação ao primeiro. Por isso, assim que exista uma criança de um outro relacionamento, o relacionamento anterior está terminado. Isso é o que se deu neste caso. Quando você e a sua mulher se decidiram por uma inseminação artificial, através de um outro homem, o casamento terminou. Foi uma conseqüência inevitável.

para o representante de Walter Como se sente?

MARIDO Sinto-me muito triste e isolado. Não sei quem é quem.

BERT HELLINGER Como se sente a mulher?

PRIMEIRA MULHER Sinto hostilidade em relação ao marido. Não sinto contato algum com a minha filha. Quanto ao filho, sinto dor. Parece-me que ele não está no lugar certo.

BERT HELLINGER *para a filha* Como se sente?

SEGUNDO FILHO, MULHER Não tenho sentimentos. Sinto-me cair para trás. Quando ouvi que meu pai era judeu, senti uma facada nas minhas costas. Quero olhar na mesma direção que a minha mãe, mas seu marido está no caminho.

Hellinger desloca a mãe e a filha, de maneira que olhem para fora.

Figura 2

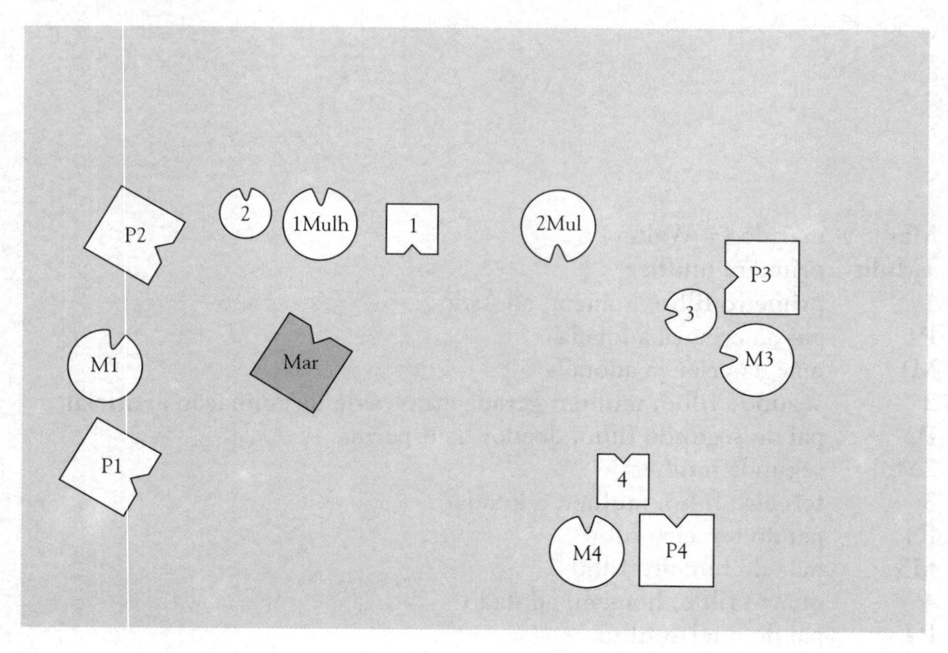

BERT HELLINGER *para a mulher* Que tal?
PRIMEIRA MULHER Sinto-me melhor em relação à minha filha. Entretanto, continuo tendo a sensação de que algo deve acontecer com meu filho. Em ambos os casos não pude olhar para ele. Isso me dói.
SEGUNDO FILHO, MULHER Olho para o chão, mas agora sinto a minha mãe.
BERT HELLINGER *para o grupo* A essa criança roubaram o pai.
para Walter A ela roubaram o pai. Ela tem uma pesada carga a carregar.
para o pai da filha Como se sente?
PAI DO SEGUNDO FILHO No começo sentia muito calor e amor por ela. Agora sinto-me pesado. Só vejo essas duas. Os outros nem percebo. Minha energia flui para a filha e um pouco para a sua mãe.
BERT HELLINGER Você não está disponível.

Coloca-o um pouco mais longe.

Figura 3

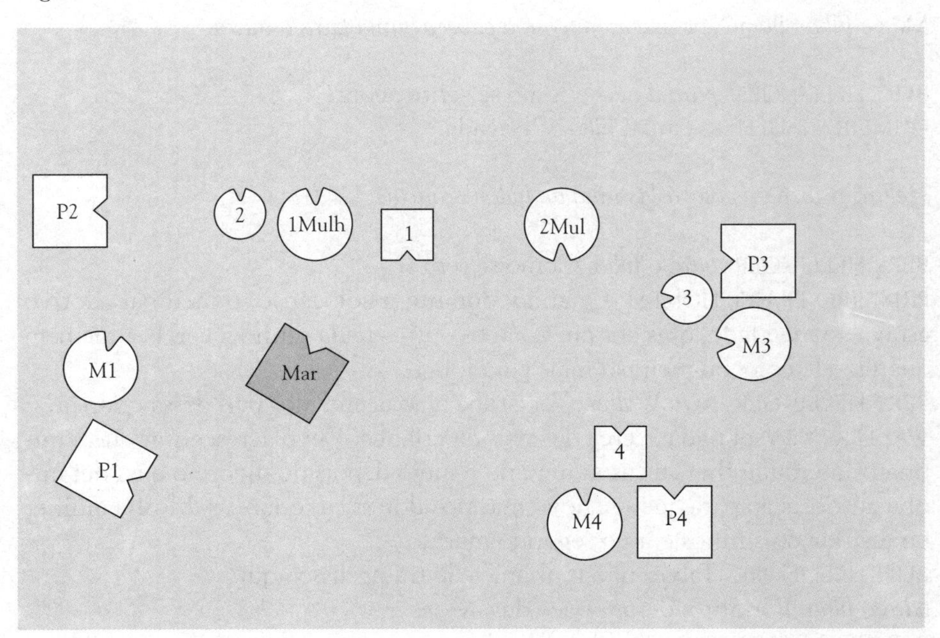

BERT HELLINGER *para a filha* Que tal?
SEGUNDO FILHO, MULHER É melhor assim. Agora posso manter-me em pé.
BERT HELLINGER Você tem de renunciar ao seu pai. Você não pode ter pai. Sua mãe o roubou de você.

A representante da mãe assente com a cabeça.

BERT HELLINGER *para a mãe* Olhe para a filha.

A mãe coloca-se em diante da filha.

BERT HELLINGER Diga-lhe: "Roubei seu pai de você".
PRIMEIRA MULHER Roubei seu pai de você.

Ambas olham-se longamente.

BERT HELLINGER *para a filha* Que tal?
SEGUNDO FILHO, MULHER Fico triste.
BERT HELLINGER Diga-lhe: "Aceito a minha vida mesmo que seja dessa maneira".
SEGUNDO FILHO, MULHER Aceito a minha vida mesmo que seja dessa maneira – Sim, assim está certo.

Mãe e filha olham-se e assentem com a cabeça, uma para a outra.

BERT HELLINGER *para a mãe* Como se sente agora?
PRIMEIRA MULHER *para a filha* Obrigada.

Hellinger torna a colocá-las uma ao lado da outra.

BERT HELLINGER *para o filho* Como se sente?
PRIMEIRO FILHO, HOMEM Quando, durante a colocação, o meu pai adotivo estava ao meu lado, quis chorar. Com os outros nada tenho a ver. Fez-me bem quando ele colocou meu pai mais para longe.
BERT HELLINGER *para Walter* Você sabe algo acerca dos pais dessa criança?
WALTER Não sei nada acerca dos pais da criança. Devo acrescentar que a minha primeira mulher se casou um ano e meio depois do divórcio e eu dei minha autorização para que seu novo marido adotasse as crianças. Minha mulher teve ainda dois filhos com o segundo marido.
BERT HELLINGER Talvez não tenhamos de tratar disso aqui.
para o filho Portanto, deram você duas vezes.
PRIMEIRO FILHO, HOMEM Sim.

Hellinger coloca-o ao lado de sua mãe adotiva. Estando ali ele assente com a cabeça.

Figura 4

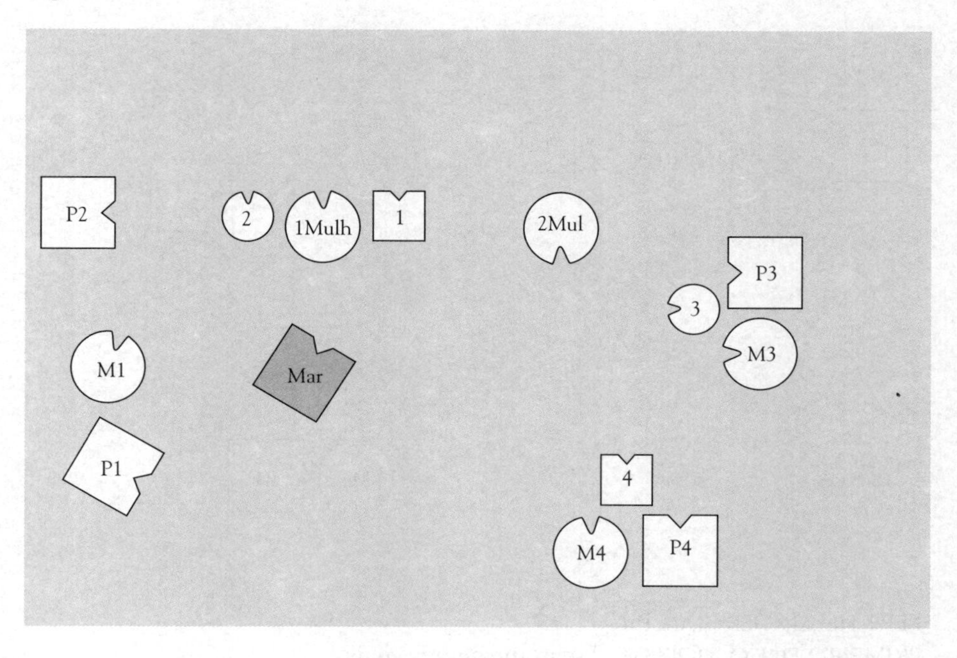

SEGUNDO FILHO, MULHER Tenho a sensação estranha de que ela não é minha mãe, mas uma irmãzinha para mim. Assim, como se eu tivesse de cuidar dela.

BERT HELLINGER *para a mãe e para a filha* Troquem de posição.

Figura 5

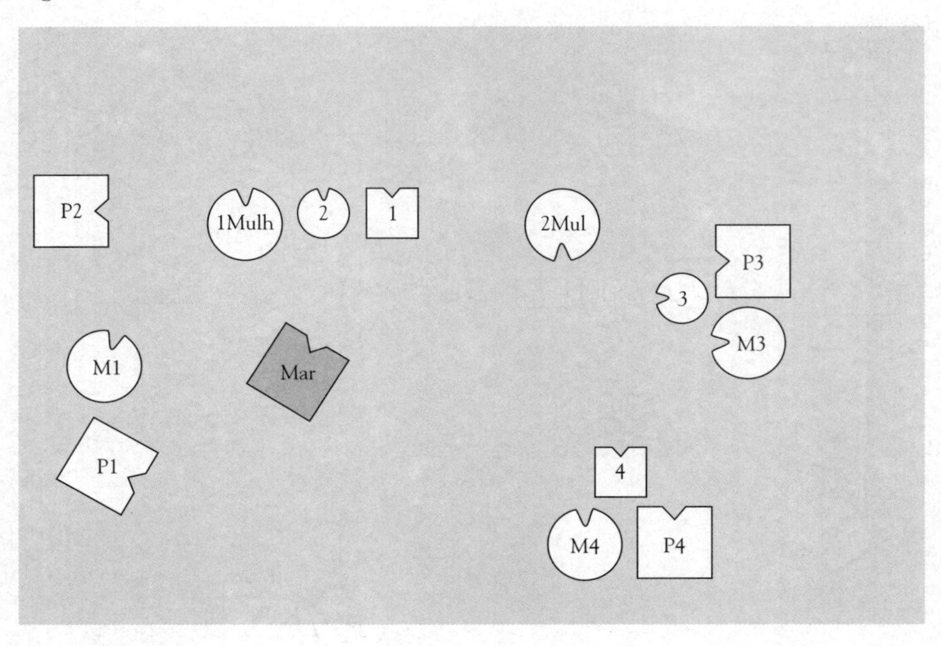

BERT HELLINGER Que tal?
PRIMEIRO FILHO, HOMEM Assim me agrada mais.
SEGUNDO FILHO, MULHER Gosto de meu irmão.
PRIMEIRA MULHER Acho que o que ela disse é verdade. Não me sinto suficientemente grande para levar isso a cabo.

Hellinger coloca-a ao lado do pai da filha.

Figura 6

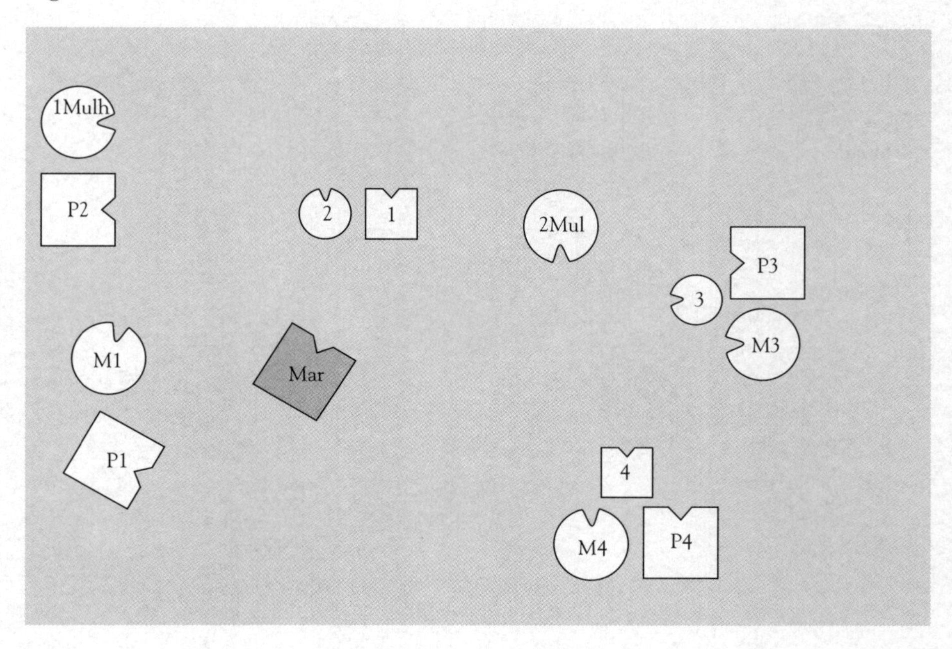

PRIMEIRA MULHER Assim sinto-me melhor. Não pertenço a essa família.

Hellinger escolhe um representante para o segundo marido dessa mulher e coloca-o em frente às duas crianças.

Figura 7

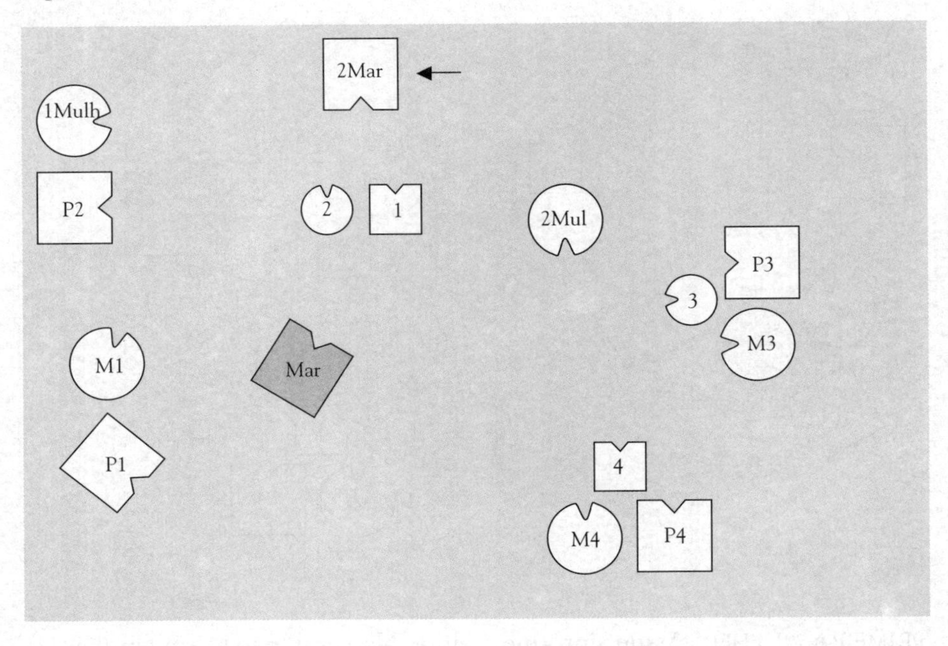

2Mar segundo marido da primeira mulher

BERT HELLINGER Que tal?
SEGUNDO FILHO, MULHER Isso é novo. Agora aí está alguém para quem posso olhar.
PRIMEIRO FILHO, HOMEM O mesmo comigo. Aí está alguém para quem posso olhar. Quando minha mãe adotiva se foi, fiquei muito triste. Quando ele se colocou à nossa frente, senti-me melhor.

Hellinger coloca então a primeira mulher ao lado do segundo marido. Ela assente com a cabeça, quando está ali.

Figura 8

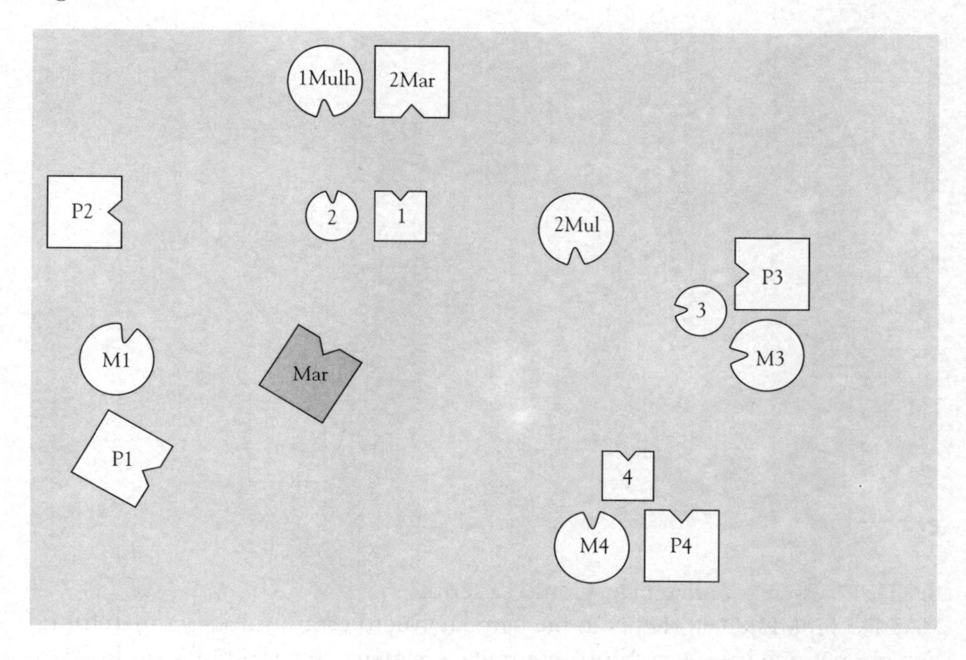

BERT HELLINGER *para Walter* Acho que essa é uma boa solução para essa família.

O *segundo marido e a mulher olham-se concordando.*

BERT HELLINGER *para Walter* Dos pais do filho adotado não sabemos nada. Por isso coloco-os à parte.

Figura 9

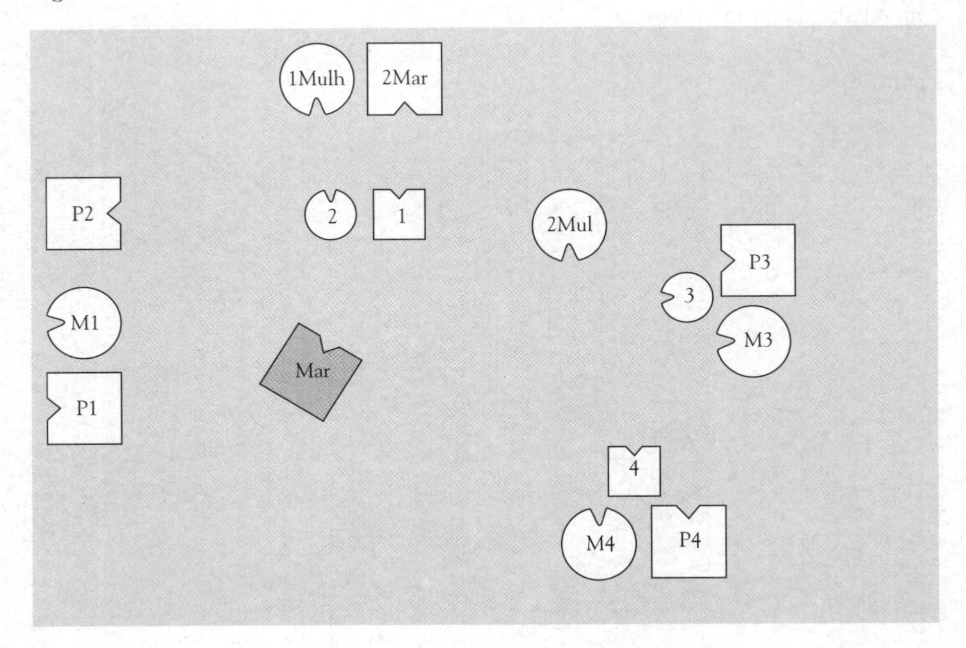

BERT HELLINGER *para a mãe* Como se sente?

MÃE DO PRIMEIRO FILHO Não me agrada. Quero estar junto com meu filho. Seu pai não me interessa. Sinto-me fraca. Os meus braços estão doendo. Não quero estar ao seu lado. Somente quando estava mais perto de meu filho senti-me bem.

PAI DO PRIMEIRO FILHO Sinto-me esquecido e totalmente posto de parte.

BERT HELLINGER *para Walter* Não existe maneira de descobrir quem são os pais dessa criança?

WALTER Devo admitir que já tive essas informações. Mas não me lembro mais delas. Cortei qualquer ligação com essa família. Há nove anos vi o filho adotivo pela última vez e a filha há quinze anos. Desde então não soube mais nada deles.

Ele está emocionado.

BERT HELLINGER *para Walter* Você faria algo grandioso para seu filho adotivo se encontrasse seus pais. Também aliviaria o seu sofrimento.

Walter assente com a cabeça.

BERT HELLINGER *para o representante de Walter* Como se sente?

MARIDO Para mim é terrível. Às vezes sinto dores tão fortes que não posso perceber mais nada. Sinto-me doente. Estou me sentindo mal. Sinto-me pesado e frio por carregar tantas cargas.

Hellinger vira-o e coloca seus pais à sua frente.

Figura 10

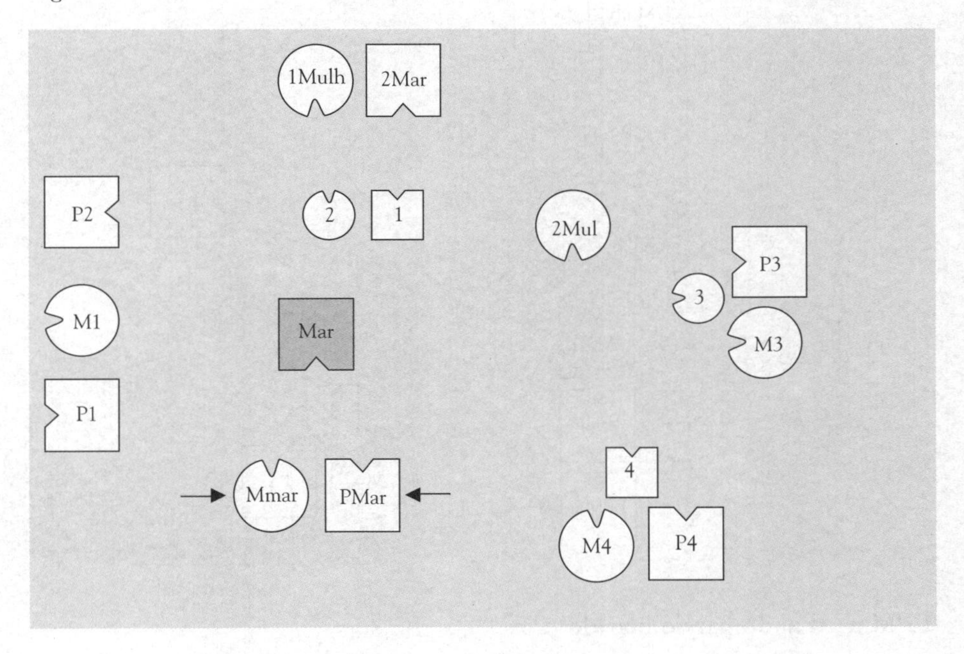

PMar pai do marido
Mmar mãe do marido

BERT HELLINGER *para o representante de Walter* Esses são seus pais. Olhe para eles e diga-lhes: "Eu aceito a vida de vocês, assim como de vocês a recebi".
MARIDO Eu aceito a vida de vocês, assim como de vocês a recebi.
BERT HELLINGER "Também com as suas limitações."
MARIDO Também com as suas limitações.
BERT HELLINGER *depois de um momento* Que tal?
MARIDO Melhor.

A seguir, o próprio Walter é colocado na constelação. Ele é levado a seu pai e fica com as costas apoiadas contra ele. Então é escolhido um representante para o pai de seu pai e colocado atrás de ambos.

Figura 11

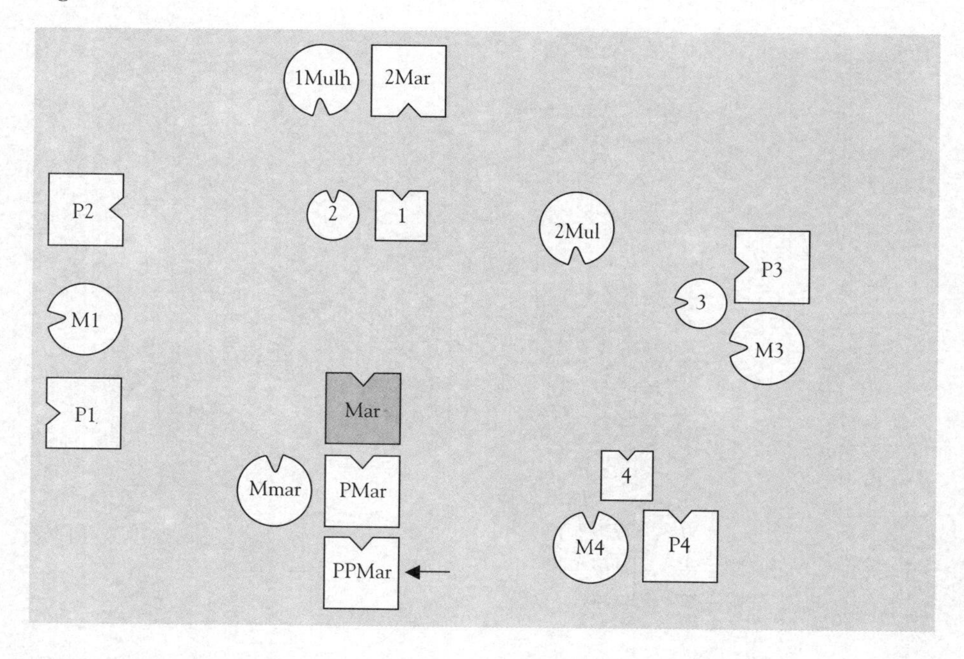

PPMar   Pai do pai do marido

BERT HELLINGER *para a filha* O que há com você?
SEGUNDO FILHO, MULHER Tenho fortes dores na parte inferior das costas e vejo meu irmão... *Ela soluça.*
BERT HELLINGER Virem-se e olhem para lá.

As duas crianças viram-se. Hellinger coloca o pai da filha atrás dela.

Figura 12

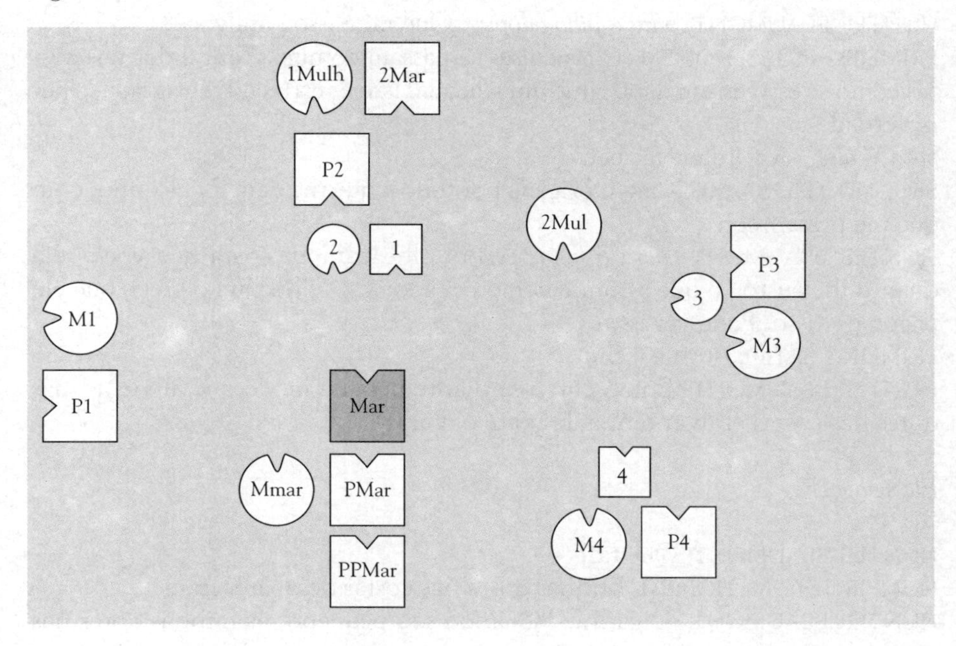

HUNTER BEAUMONT *para Walter* Existem algumas frases que deverão ser ditas aqui. São frases difíceis. Por isso, espere mais um pouco até que ganhe força de seu pai e de seu avô.
depois de um momento Olhe para as duas crianças. E agora você tem de dizer a elas, de maneira sóbria e suave: "Vocês não são meus filhos".
WALTER *muito emocionado* Vocês não são meus filhos. Vocês não são mais meus filhos.
HUNTER BEAUMONT "Vocês nunca o foram".

Walter chora e está muito emocionado.

HUNTER BEAUMONT Isso não tem nada a ver com o amor que você lhes tem e com a sua disposição de estar com eles e dedicar-lhes uma grande parte de sua vida. Entretanto, essa outra frase tem de ser dita.
WALTER *com voz clara* Vocês nunca foram meus filhos. Entretanto, eu os amei muito, como um pai.

Ele fecha os olhos e chora.

HUNTER BEAUMONT Olhe-os e diga-lhes: "Desejo-lhes tudo de bom, de coração".
WALTER Desejo-lhes tudo de bom, de coração.
HUNTER BEAUMONT *para o filho adotivo* Que tal é isso para você?
PRIMEIRO FILHO, HOMEM Duas coisas se passam comigo. Tenho dor nas costas como se estivessem dando-me uma facada. Isso é terrível. E eu agradeço pela verdade.
para Walter A verdade faz bem.
SEGUNDO FILHO, MULHER Obrigada por tudo o que me deu. E pelo amor com que me presenteou.
HUNTER BEAUMONT *para o filho* Agora olhe para ele, para que você veja quanto lhe custou o que assumiu como pai adotivo. Olhe para o preço que ele pagou por isso. Pode ver isso?
PRIMEIRO FILHO, HOMEM Sim.
HUNTER BEAUMONT Então curve-se diante dele de modo que alivie as suas dores nas costas. Talvez tenha de ir até o chão.

Ele se agacha.

HUNTER BEAUMONT Que tal?
PRIMEIRO FILHO, HOMEM Minhas dores nas costas desapareceram.
HUNTER BEAUMONT Diga-lhe: "Quando sou pequeno, as minhas dores nas costas desaparecem".
PRIMEIRO FILHO, HOMEM Quando sou pequeno, as minhas dores nas costas desaparecem.
HUNTER BEAUMONT *para Walter* Que tal é isso para você?
WALTER Isso é bom.
para as crianças Queria dizer-lhes ainda, que sinto muito por havê-los deixado.
HUNTER BEAUMONT "Junto com meu pai teria podido mantê-los".
WALTER *ri* Junto com meu pai teria podido mantê-los.
HUNTER BEAUMONT "Assim como agora os mantenho".
WALTER Assim como agora os mantenho.
HUNTER BEAUMONT *para a filha* Que tal é isso para você?
SEGUNDO FILHO, MULHER Eu gostaria que ele fosse maior. Antes ele era demasiado grande. Assim está bom para mim.
BERT HELLINGER *para o pai do segundo filho, mulher* Como se sente?
PAI DO SEGUNDO FILHO Esse é um bom lugar para mim.
BERT HELLINGER *para Walter* A criança tem ao menos de imaginar que o pai está às suas costas. Diga às duas crianças: "Eu os deixo com a sua mãe e com o seu novo pai".
WALTER Eu os deixo com a sua mãe e com o seu novo pai.
BERT HELLINGER Que sensação você tem?
WALTER Assim está solucionado e é uma boa sensação.

Hellinger torna a virar as crianças para a mãe e para o seu segundo marido. O pai da filha é colocado atrás dela.

Figura 13

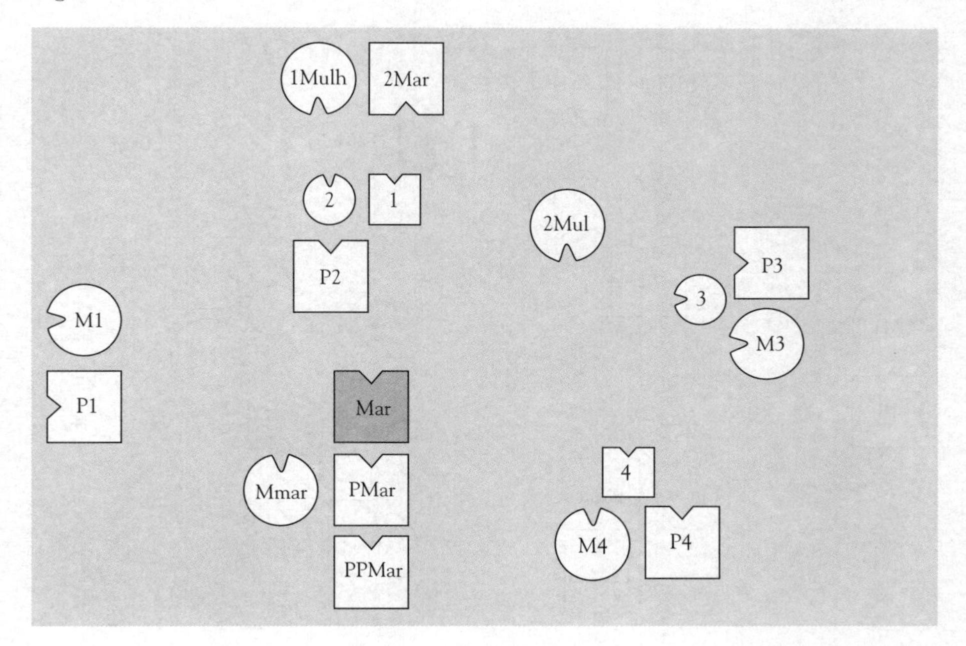

Hellinger torna a trocar Walter por seu representante e o coloca ao lado de sua segunda mulher.

Figura 14

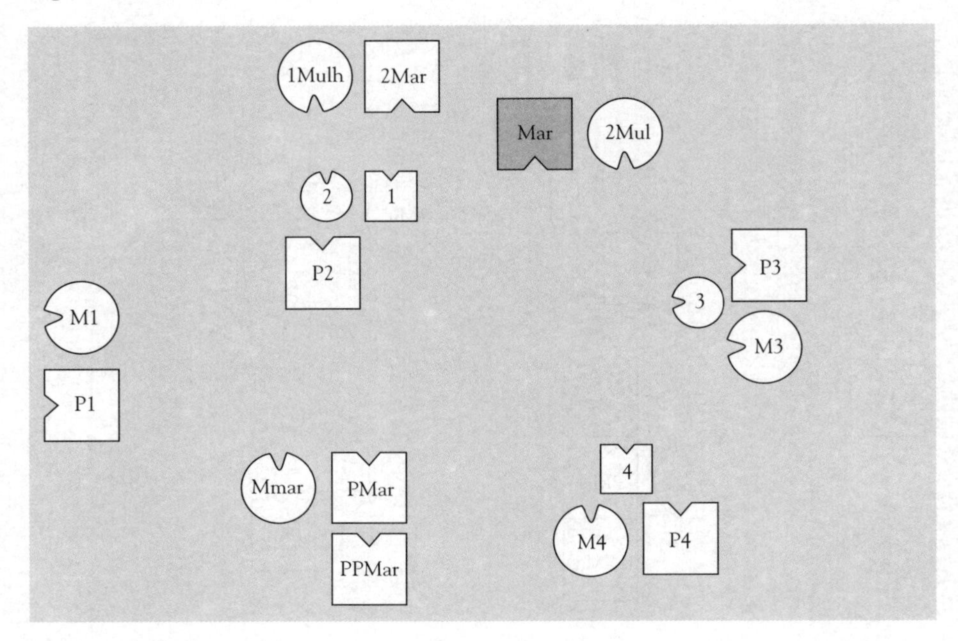

BERT HELLINGER *para a segunda mulher* O que você sentiu durante todo o tempo?

SEGUNDA MULHER Só queria ter algo a ver com ele. Queria saber o que está acontecendo com ele e queria apoiá-lo. Para mim ele é grande, não importa o que tenha feito ou deixado de fazer.

MARIDO Aqui é completamente diferente. Sinto-me muito próximo a ela.

BERT HELLINGER *para o terceiro filho, mulher* Como se sente?

TERCEIRO FILHO, MULHER Enquanto observava isso tudo, pude compartilhar profundamente a dor de meu pai adotivo. Eu sei que ele tem carregado isso por muito tempo.

QUARTO FILHO, HOMEM Primeiro sentia raiva e compaixão pelo meu pai adotivo. Foi importante poder ver a sua dor tão abertamente, para que eu sinta respeito e possa sentir-me mais próximo dele. Antes, não tinha respeito por ele.

Hellinger coloca então a filha adotiva em frente à mãe adotiva e o filho adotivo em frente ao pai adotivo.

Figura 15

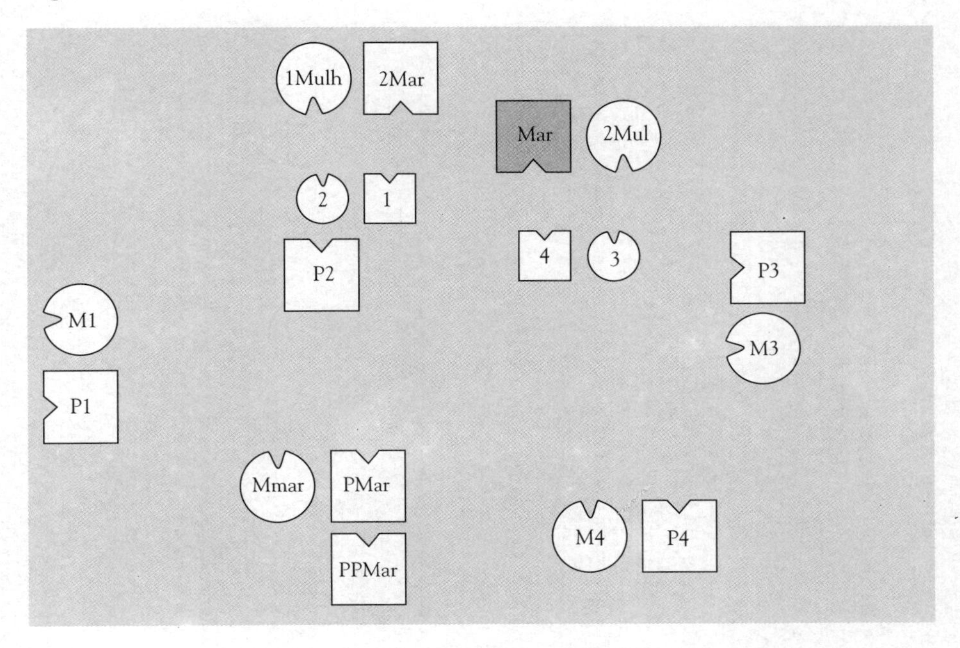

BERT HELLINGER *para a segunda mulher* Que tal?
SEGUNDA MULHER Quero chorar. É que não quero que meu marido chore.
MARIDO Sinto maior proximidade com meus filhos adotivos e sinto uma grande responsabilidade por eles. Quero dar-lhes muito.
BERT HELLINGER *para Walter* Por que terminou este casamento?

Walter coloca a filha adotiva mais perto da mulher, o filho adotivo mais perto de si e coloca o casal mais separado.

Figura 16

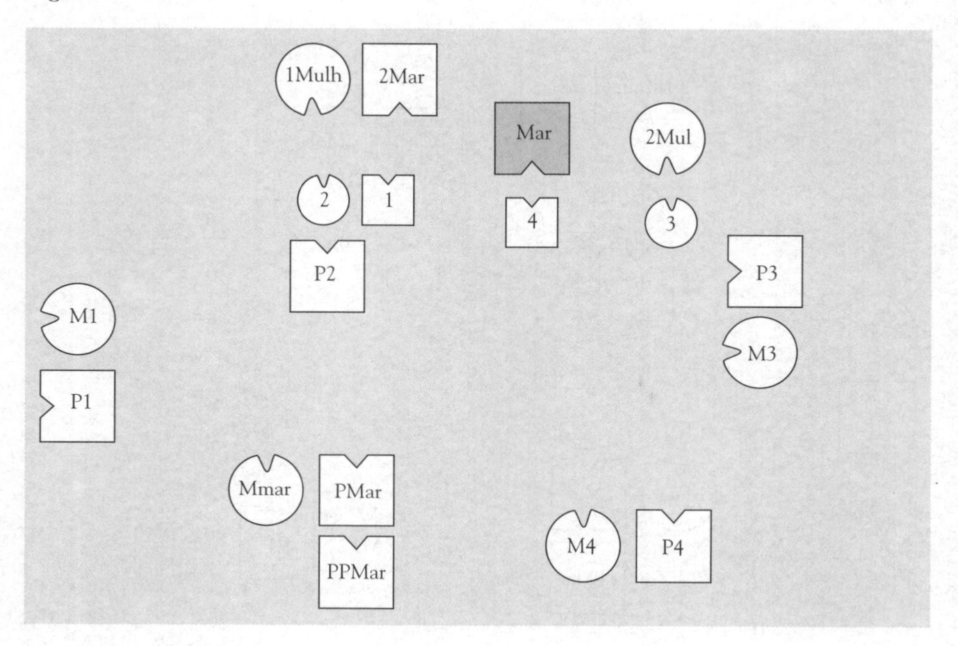

WALTER Eu estava mais ligado ao filho adotivo. Minha mulher era mais ligada à filha adotiva. O amor pelas respectivas crianças era verdadeiro e intenso, não o amor entre nós como casal.

BERT HELLINGER Sua segunda mulher podia ter filhos?

WALTER Ela podia ter filhos. Ainda há algo importante que omiti. Ela também deixou que fizessem uma inseminação artificial de um doador de esperma estranho. Entretanto, ela teve um aborto no quinto mês. Depois desse aborto decidimo-nos pelas adoções. Eu também concordei que a filha adotiva fosse de origem mexicana e o filho de origem indígena.

BERT HELLINGER *para o grupo* Este casamento terminou pelo mesmo motivo que o primeiro. A inseminação artificial por um doador de esperma estranho também encerrou este casamento. E os dois filhos adotivos tinham de preencher o vazio para o casal.

para o pai da terceira filha, que se contorce Que há com você?

PAI DO TERCEIRO FILHO Quase não posso respirar e tenho fortes dores nas costas.

MÃE DO TERCEIRO FILHO Existe um certo vínculo e amor pela minha filha.

PAI DO TERCEIRO FILHO Ela me faz falta.
BERT HELLINGER *para Walter* Os pais são conhecidos?
WALTER Somente a origem étnica é conhecida. A filha adotiva nunca se interessou em saber mais sobre os seus pais. Meu filho adotivo escreveu às autoridades responsáveis para saber mais. Mas estas não tinham a permissão de fornecer suas informações.
BERT HELLINGER Talvez a filha tenha de voltar às suas raízes.

Hellinger coloca-a de costas, na frente de seu pai.

BERT HELLINGER Que tal?
TERCEIRO FILHO, MULHER *chora* Eu quero ir para a minha mãe adotiva. Eu pertenço a ela. *Chora alto.* Os outros me são estranhos.

Hellinger coloca-a diante do seu pai. Esse coloca cuidadosamente as mãos em seus braços.

BERT HELLINGER *para o pai* Diga-lhe: "Sinto muito".
PAI DO TERCEIRO FILHO Sinto muito. Sinto muito por não ser suficientemente forte para ter você.
HUNTER BEAUMONT *para a filha* Diga ao seu pai: "Eu sou mexicana".
TERCEIRO FILHO, MULHER Eu sou mexicana.
PAI DO TERCEIRO FILHO Assim como eu.
TERCEIRO FILHO, MULHER Você também o é.
PAI DO TERCEIRO FILHO Tenho orgulho de ser mexicano.
TERCEIRO FILHO, MULHER Tem-se a sensação de que isso é correto. Algo está ficando claro para mim. Mas eu não confio em você e não gosto de você, mesmo que seja uma parte de mim. Você é frio e fugiu e se desfez de mim. A mãe adotiva acolheu-me e me amou. Eu quero ir para ela. É justo que eu esteja tão furiosa com você.
BERT HELLINGER *conduzindo-a um pouco mais para trás* Diga-lhe: "Agora eu vou para a minha nova mãe".
TERCEIRO FILHO, MULHER Agora eu vou para a minha nova mãe.
BERT HELLINGER Diga-o também para sua mãe.
TERCEIRO FILHO, MULHER Agora eu vou para a minha nova mãe. Ela manteve-me com vida.
BERT HELLINGER Agora vá para ela.

Ela se dirige para a mãe adotiva e as duas se abraçam ternamente. Seus pais biológicos olham para o chão, a mãe chora.

BERT HELLINGER *para o representante de Walter* O que há com você?

MARIDO Sinto-me muito próximo do filho adotivo. Sinto-me, entretanto, atraído também pela mulher e pela filha adotiva.

A mulher desfaz o abraço e volta-se para ele com a filha adotiva.

BERT HELLINGER para o representante de Walter Diga-lhe: "Perdi você".
MARIDO Perdi você.
BERT HELLINGER "E o assumo."
MARIDO E o assumo.
BERT HELLINGER *para a segunda mulher* Que tal?
SEGUNDA MULHER É bom. Agora não necessito mais mentir e esconder o amor que tenho por ela.
BERT HELLINGER *para o quarto filho* Como se sente?
QUARTO FILHO, HOMEM Quando estava com meus pais, não os percebia. Mas desde que estou aqui, sinto falta deles. Primeiro senti aqui uma tensão mas agora sinto-me bem e em boas mãos. *Suspira.* Mas, apesar disso, sinto falta de meus pais.
BERT HELLINGER Vire-se, olhe para seus pais e diga-lhes: "Senti falta de vocês".
QUARTO FILHO, HOMEM *chorando* Senti falta de vocês. *Suspira profundamente.*
BERT HELLINGER Vá para eles.

Ele se dirige para eles e os abraça.

BERT HELLINGER *depois de algum tempo* Diga-lhes: "Sou um índio".
QUARTO FILHO, HOMEM Sou um índio.
BERT HELLINGER "Como vocês".
QUARTO FILHO, HOMEM Como vocês.
BERT HELLINGER "Eu aceito a vida de vocês".
QUARTO FILHO, HOMEM Eu aceito a vida de vocês.
BERT HELLINGER "E faço algo com ela".
QUARTO FILHO, HOMEM E faço algo com ela.
BERT HELLINGER "Porém, agora vou para o meu pai adotivo".
QUARTO FILHO, HOMEM Porém, agora vou para o meu pai adotivo.

Ele volta para o pai adotivo. Walter, que está presenciando, está muito emocionado.

BERT HELLINGER Que tal agora?
QUARTO FILHO, HOMEM Agora é mais fácil ir ao seu encontro. Sinto-me bem.
BERT HELLINGER *para o representante de Walter* Para você?
MARIDO É melhor. É sincero.
BERT HELLINGER *para Walter* Creio que agora conseguimos.
WALTER Obrigado.

Amor Homossexual

A família de origem de um homem homossexual

BERT HELLINGER *para Jonathan* De que se trata?
JONATHAN Durante vinte e um anos estive a serviço da igreja como pároco e sofri um agravo porque cedo mostrei ser homossexual. Não fui reconhecido e agora vou me aposentar antecipadamente. Reconheci e vi que não estava em consonância nem com meu pai, nem com os padres, nem com o Deus Pai.
BERT HELLINGER Está bem, isso me é suficiente. Você conhece a minha opinião sobre homossexualidade?
JONATHAN Não.
BERT HELLINGER A homossexualidade tem três condições sistêmicas:

A primeira é que alguém precise representar uma mulher em uma família porque não existe nenhuma moça à disposição. Então, ele fica desorientado em sua identidade sexual.

A segunda é que alguém tenha de representar um excluído, alguém que foi difamado.

quando Jonathan assente com a cabeça Isso é mais provável no seu caso?
JONATHAN Sim.
BERT HELLINGER A terceira condição é que alguém não possa escapar da esfera de influência das mães e das mulheres e não possa ir para o seu pai. Colocaremos a sua família de origem e veremos qual é a dinâmica. Quantos filhos vocês são?
JONATHAN Dois. Tenho um irmão mais novo.
BERT HELLINGER Aqui já temos uma situação sem uma menina. Algum dos pais esteve antes em um relacionamento fixo?
JONATHAN Meu pai cresceu com a sua tia mais nova na casa de sua avó. Existia um vínculo emocional em relação a essa tia. Ela é a minha madrinha.
BERT HELLINGER O que houve com a mãe dele?
JONATHAN Foi mandada embora. Depois de ter dado à luz o meu pai, a mãe de seu pai tirou-lhe a criança e a criou.
BERT HELLINGER Com quem você está identificado?
JONATHAN Eu? Com a avó?
BERT HELLINGER Com essa avó. É uma identificação cruzada, com uma pessoa de outro sexo. Mas também a segunda condição para a homossexualidade é válida para você. Você tem de representar uma pessoa excluída.
JONATHAN Tenho que acrescentar que para mim a homossexualidade não é um distúrbio.
BERT HELLINGER Muitos homossexuais não a vivenciam como um distúrbio. Mas ela é um grave destino.
JONATHAN Sim, é certo.
BERT HELLINGER Bem, agora colocaremos seu pai, sua mãe e as duas crianças. Então veremos.

Jonathan escolhe os representantes entre os participantes. Como seu representante escolhe seu amigo homossexual.

Figura 1

P	**pai**
M	**mãe**
1	**primeiro filho (= Jonathan)**
2	**segundo filho**

BERT HELLINGER Agora coloque a mãe do pai

Figura 2

MP	**mãe do pai**

BERT HELLINGER *para o representante de Jonathan, que seguiu com intensidade o movimento da mãe do pai* O que aconteceu?
PRIMEIRO FILHO Sinto fraqueza nos joelhos. *Suspira profundamente*. Não posso dizer nada.
BERT HELLINGER O que aconteceu quando a mãe do pai foi levada para lá?
PRIMEIRO FILHO Há uma relação, sinto isso, e uma saudade.
BERT HELLINGER Você a acompanhou intensamente. Coloque-se ao lado dela.

Figura 3

PRIMEIRO FILHO Agora está se acalmando. Agora se tranqüiliza.
BERT HELLINGER Essa é a identificação.
para a mãe do pai Como se sente?
MÃE DO PAI Agora não me sinto tão posta à parte como antes.
BERT HELLINGER Isso é um consolo para você.
MÃE DO PAI Sim.
BERT HELLINGER Só que ele não é o certo.

Ela ri.

BERT HELLINGER Que tal para o pai?
PAI Estou zangado e sinto-me observado.
BERT HELLINGER Por quem?
PAI *aponta para a mãe do pai e para o filho mais velho* Por eles dois.
BERT HELLINGER Na verdade, com quem é a zanga?
PAI Um pouco dela vai para lá.
BERT HELLINGER Não, não. Vou colocar agora as pessoas com as quais você realmente está furioso.

Hellinger escolhe representantes para a avó e para a tia do pai e coloca-as à vista.

Figura 4

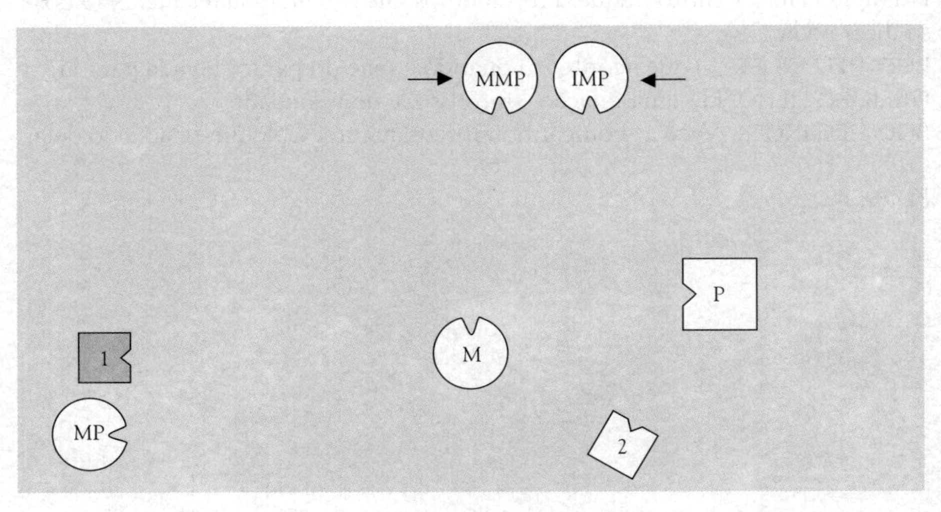

MMP **Mãe do pai do pai**
IMP **irmã do pai do pai**

BERT HELLINGER *para o pai* O que há agora?
PAI Só me faltavam elas!
BERT HELLINGER Exato.

Hellinger coloca a mãe do pai a seu lado.

Figura 5

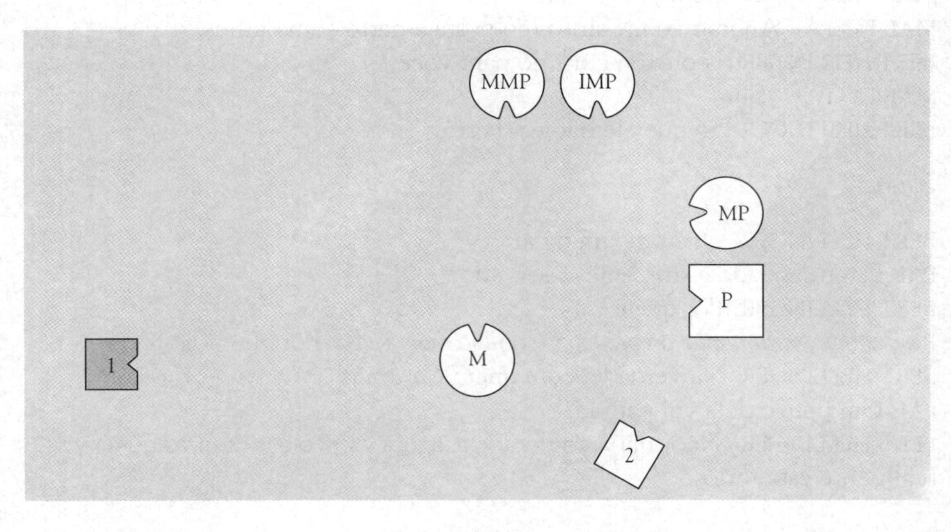

PAI Agora estou me enternecendo. E aqui está ficando quente.
BERT HELLINGER O que há com a sua mãe?
MÃE DO PAI Sim, é um pertencimento diferente do anterior. No momento está bem.
BERT HELLINGER Ainda não.

Hellinger coloca então o pai em frente à sua mãe e o convida a ajoelhar-se, a fazer uma reverência profunda baixando até o chão e esticar os braços para a frente com as palmas das mãos para cima.

Figura 6

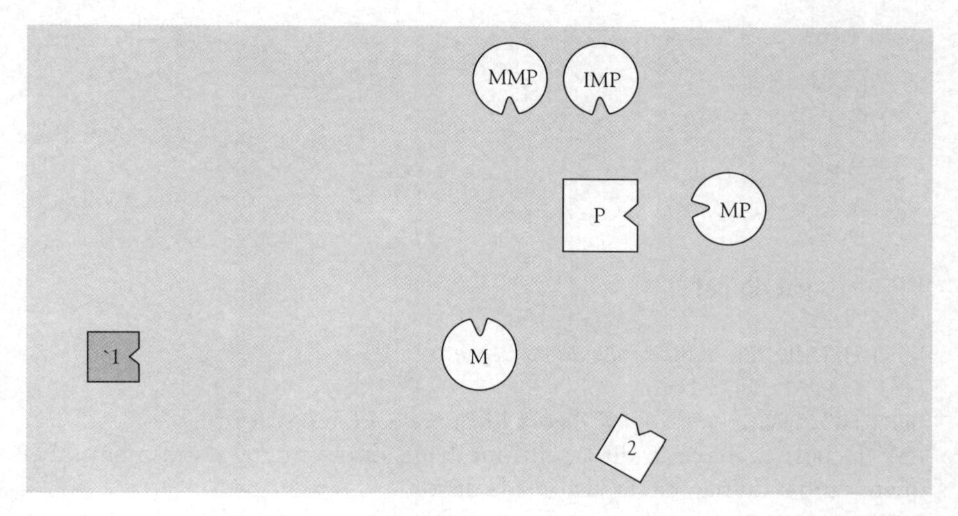

BERT HELLINGER *para o pai* Diga-lhe: "Querida mamãe, eu lhe confiro honra".
PAI Querida mamãe, eu lhe confiro honra.
BERT HELLINGER "Você é a pessoa certa."
PAI Você é a pessoa certa.
BERT HELLINGER "E eu sou seu filho."
PAI E eu sou seu filho.
BERT HELLINGER "Por favor, aceite-me como seu filho."
PAI Por favor, aceite-me como seu filho.
BERT HELLINGER "Eu a aceito como minha mãe."
PAI Eu a aceito como minha mãe.
BERT HELLINGER *para a mãe* Que tal?
MÃE DO PAI Ainda há algo discrepante. Ele me comove, por estar aí embaixo, mas eu noto que existe em mim uma dureza.

Hellinger escolhe um representante para o pai do pai e o coloca à sua direita.

Figura 7

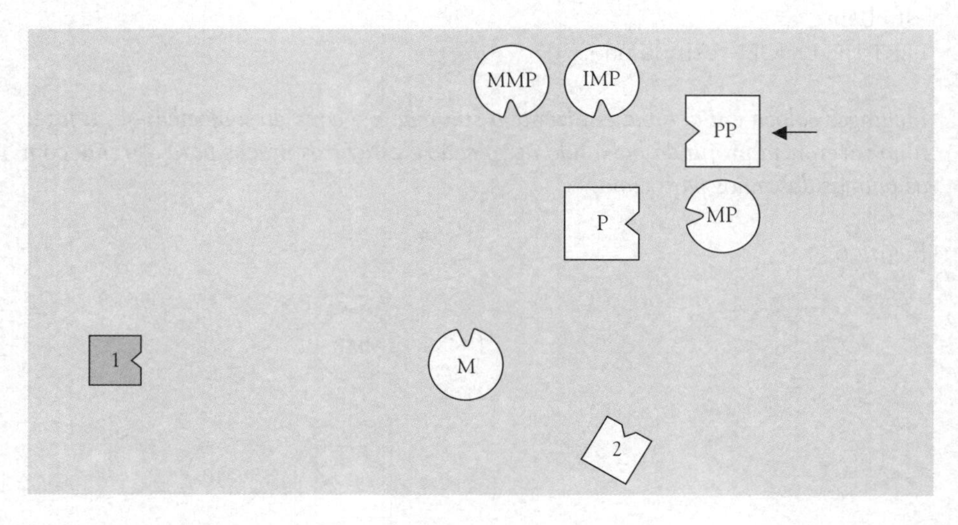

PP pai do pai

BERT HELLINGER *para a mãe do pai* Que tal?
MÃE DO PAI Isso é bom.
BERT HELLINGER *para o pai* Agora levante-se. Como se sentiu?
PAI Depois de havê-lo dito, senti-me bem. Então, fiquei curioso em saber quem vinha. Eu não havia visto nada disso.
BERT HELLINGER Esse é o seu pai. Diga-lhe: "Eu amo a minha mãe".
PAI Eu amo a minha mãe.
BERT HELLINGER "E me coloco ao seu lado."
PAI E me coloco ao seu lado.
BERT HELLINGER Que tal?
PAI Ainda não o sinto.
BERT HELLINGER Coloque-se ao lado dela.

Figura 8

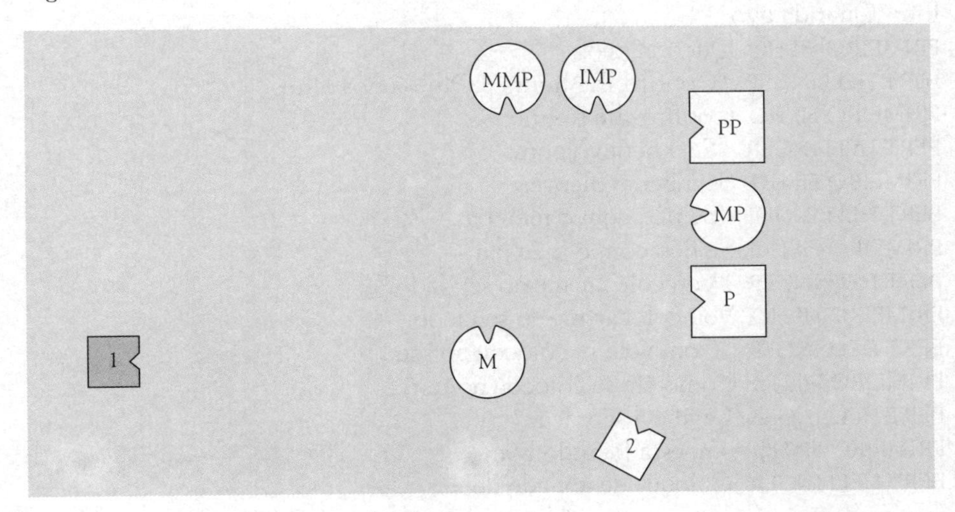

BERT HELLINGER Que tal agora?
PAI Agora está bem.
BERT HELLINGER Para a sua mãe?
MÃE DO PAI Eu o sinto como equilíbrio.
BERT HELLINGER Para seu pai?
PAI DO PAI Agora é coerente, está bem assim.
BERT HELLINGER *para o representante de Jonathan* Como se sente aí atrás?
PRIMEIRO FILHO Quero ir para lá.
BERT HELLINGER Sim, venha para cá e coloque-se em frente à sua avó.

Figura 9

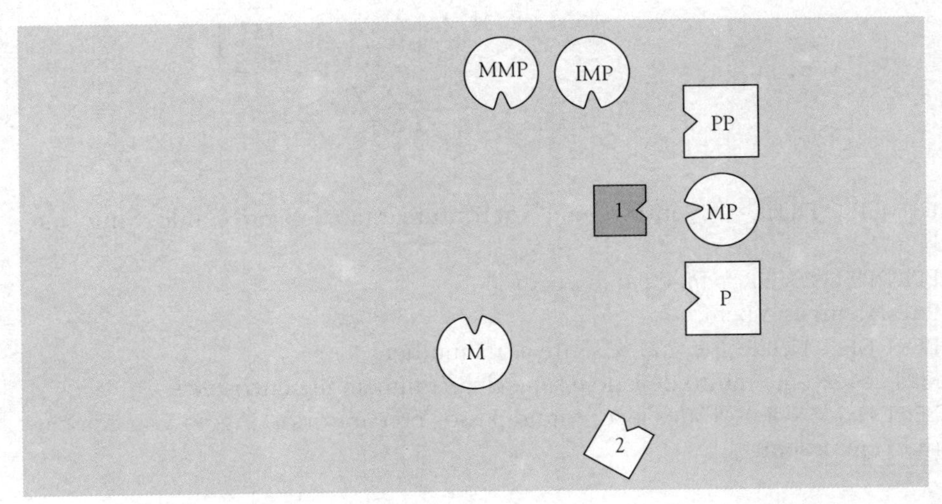

BERT HELLINGER *para o representante de Jonathan* Curve-se diante dela e diga-lhe: "Querida avó".
PRIMEIRO FILHO Querida avó.
BERT HELLINGER "Confiro-lhe honra." Olhe-a nos olhos.
PRIMEIRO FILHO Confiro-lhe honra.
BERT HELLINGER "Seja benevolente."
PRIMEIRO FILHO Seja benevolente.
BERT HELLINGER "Se fico com o meu pai."
PRIMEIRO FILHO Se fico com o meu pai.
BERT HELLINGER "Vou colocar-me ao seu lado."
PRIMEIRO FILHO Vou colocar-me ao seu lado.
BERT HELLINGER "Como ele se colocou ao seu."
PRIMEIRO FILHO Como ele se colocou ao seu.
BERT HELLINGER Qual é a sensação?
PRIMEIRO FILHO Sim, está ficando bom.
BERT HELLINGER Coloque-se ao lado dele.

Figura 10

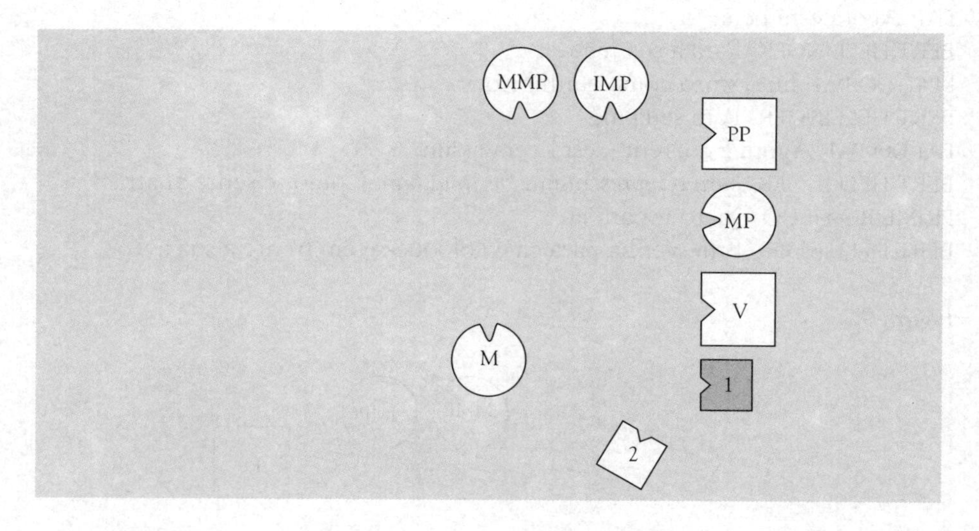

PRIMEIRO FILHO O "sentir-se mal" e a tontura estão desaparecendo. Sinto-me bem.
BERT HELLINGER *para o pai* E você?
PAI Assim está bem.
BERT HELLINGER E como se sente a sua mulher?
MÃE Sinto-me muito de lado e supérflua. Também me entristece.
BERT HELLINGER Todos esses foram passos preparatórios. Agora vou colocar tudo em ordem.

BERT HELLINGER *para a avó do pai* Como se sente?
MÃE DO PAI DO PAI Só sentia rancor. Entretanto, quando o meu neto estava ao lado de sua mãe, senti carinho, que antes não havia sentido.
BERT HELLINGER A avó tem coração. Também não é assim.
para a madrinha E você?
IRMÃ DO PAI DO PAI Sinto-me deslocada. Não sei o que faço aqui.
BERT HELLINGER Diga ao seu afilhado: "Eu respeito a sua mãe".
IRMÃ DO PAI DO PAI Eu respeito a sua mãe.
BERT HELLINGER "Ela é a certa para você."
IRMÃ DO PAI DO PAI Ela é a certa para você.
BERT HELLINGER "Agora me retiro."
IRMÃ DO PAI DO PAI Agora me retiro.
BERT HELLINGER Que tal assim?
IRMÃ DO PAI DO PAI Bom.
BERT HELLINGER *para o pai* Para você?
PAI Está bem.

Hellinger coloca então a avó do pai e a madrinha de Jonathan fora de vista.

Figura 11

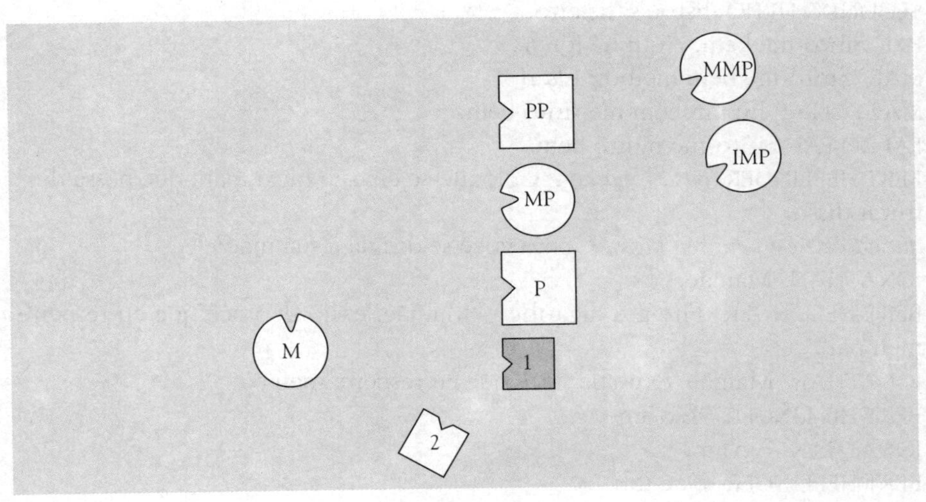

BERT HELLINGER O que está acontecendo?
PAI Soltei a respiração.
BERT HELLINGER Sim, pode-se ouvir.
para os pais Vocês também soltaram a respiração.
BERT HELLINGER Está bem, agora porei a ordem.

Figura 12

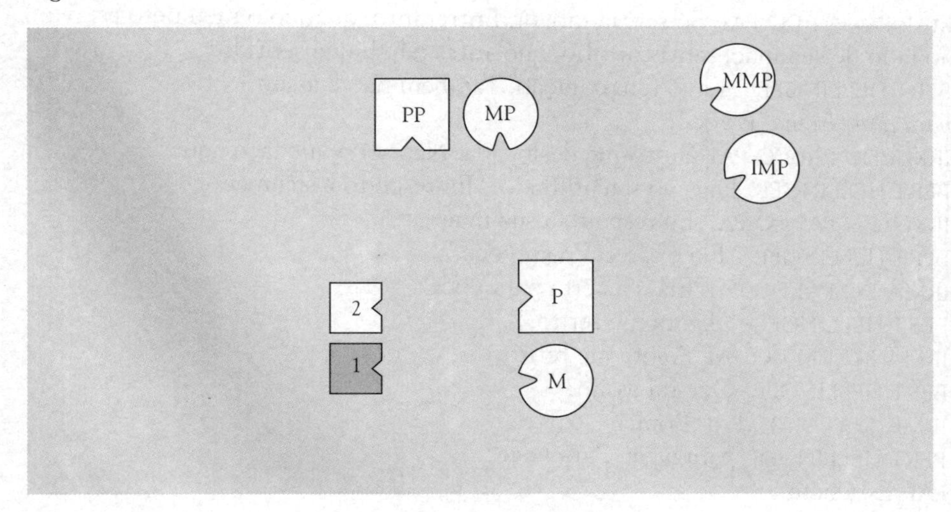

BERT HELLINGER Essa é a ordem.
para o representante de Jonathan Como se sente agora?
PRIMEIRO FILHO Bem.
SEGUNDO FILHO Estou satisfeito.
PAI Sinto-me bem. Aqui há força.
MÃE Sinto-me bem melhor. *Ela ri*
MÃE DO PAI Eu também me sinto bem.
PAI DO PAI Sinto-me muito bem.
BERT HELLINGER *para Jonathan* Coloque-se em seu lugar, para que possa desfrutar disso.
quando ele está em seu lugar Como você se dirigia à sua mãe?
JONATHAN Mamãe.
BERT HELLINGER Fite-a e diga-lhe: "Mamãe, exijo de você que eu respeite meu pai".
JONATHAN Mamãe, exijo de você que eu respeite meu pai.
BERT HELLINGER "E o ame."
JONATHAN E o ame.
BERT HELLINGER Que tal?
JONATHAN Bom.
BERT HELLINGER Exato. Agora coloque-se de costas para seu pai e encoste-se nele.

Figura 13

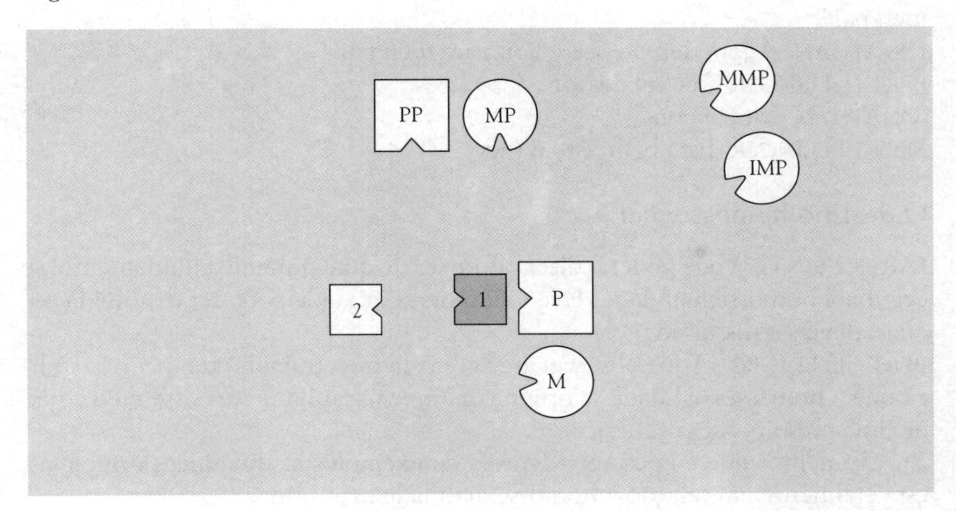

BERT HELLINGER *para o pai* Coloque as mãos em seus ombros.
para Jonathan Mantenha os olhos fechados. Tome agora a força do pai para dentro de você.
depois de uns instantes Respire com a boca aberta, sem som.
outra vez, depois de uns instantes Volte ao seu lugar.
quando ele está lá Agora ainda farei algo frívolo para você. Está preparado?
JONATHAN Acho que sim.

Hellinger escolhe um representante para o Deus Pai e o põe à vista.

Figura 14

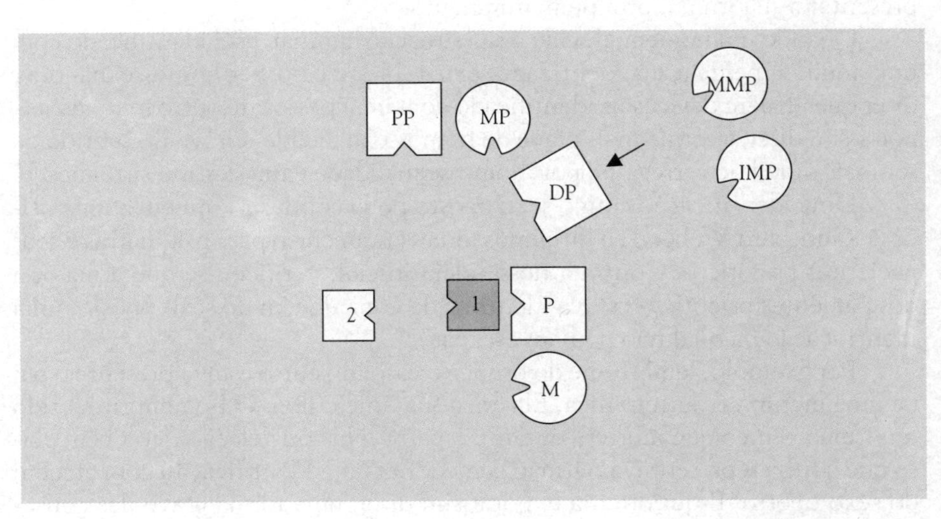

DP Deus Pai

BERT HELLINGER Este é o Deus Pai. Diga-lhe: "Agora deixo você e vou para meu pai".
JONATHAN Agora deixo você e vou para meu pai.
BERT HELLINGER Que tal é isso?
JONATHAN Muito bom.
BERT HELLINGER Está bem, isto é tudo.

O destino homossexual

PARTICIPANTE Você poderia dizer outra vez de qual dinâmica fundamental se origina a homossexualidade? E se a homossexualidade pode ser dissolvida ou, aliás, deve ser dissolvida?
BERT HELLINGER O que observei até agora em meu trabalho terapêutico indica que a homossexualidade se origina de um emaranhamento sistêmico e não de uma presdiposição genética.

É melhor que eu descreva através de exemplos as dinâmicas principais, especialmente em relação à homossexualidade masculina:

Em uma família uma filha morreu prematuramente. Depois nasceram ainda três meninos. Um deles deve agora representar a irmã morta. Eu contei isso durante um curso. Um participante, que era homossexual, aborreceu-se com isso e disse: O que significa isso? Eu propus: Coloque a sua família e então talvez possamos ver.

Ele tinha quatro irmãos, três irmãos e uma irmã. A irmã era a terceira das cinco crianças. Ela morrera muito cedo. Seu nome era Barbara. O cliente era a criança seguinte na série de irmãos. Em sua família cada criança tinha para o café da manhã a sua própria xícara com o seu próprio nome. Entretanto, na xícara do cliente estava escrito Barbara. Isso confirmou para ele que devia representar a sua irmã morta prematuramente.

Quando um homem, devido à sua situação familiar, está identificado com uma mulher, perde a sua identidade sexual. Neste caso, ser homossexual quer dizer que alguém deve estar identificado com uma pessoa de outro sexo. Essa é, por assim dizer, a forma mais grave de homossexualidade. Grave no sentido de ser mais difícil de carregá-la, pois homossexualidade é um destino sistêmico.

Uma identificação com o sexo oposto pode conduzir também a uma psicose. Gunthard Weber e eu dirigimos uma vez um curso para psiquiatras e seus pacientes psicóticos. Contra a nossa idéia inicial, verificou-se que a maioria dos pacientes psicóticos estava identificada com alguém do sexo oposto, uma identificação da qual não podiam escapar.

Por exemplo, lembro-me do primeiro caso: no curso estava presente o pai de uma menina esquizofrênica. Ela era a sua única filha. O homem tinha tido um irmão gêmeo que morrera durante o parto. Na constelação ficou bem claro que a filha representava o irmão gêmeo. Era uma identificação com alguém do sexo oposto. Esquizofrenia é, por assim dizer, uma forma grave das conseqüências de uma identificação com alguém do sexo oposto.

Pode-se verificar também em alguns homens homossexuais que freqüentemente sentem estar divididos. Por assim dizer, têm dificuldade em manter-se íntegros. Essa é uma forma intensa da homossexualidade.

Observei também uma forma de homossexualidade que se baseia no fato de o homossexual ter de representar uma pessoa excluída do sistema familiar. Essa pessoa excluída pode ser também um homem. De certa maneira, a homossexualidade também é um estado de marginalização. Segundo as minhas observações, essa forma de homossexualidade não se enraíza tão profundamente como a primeira.

Um amigo contou-me que, à vezes, tem a sensação de ser mau. Entretanto, ele era uma pessoa muito amável. Quando nos ocupamos com essa contradição, descobrimos o seguinte: Sua mãe havia sido noiva de um homem, que lhe havia dito, na manhã do dia em que iam se casar, que ele não podia casar-se com ela, pois tinha sífilis. Por isso, ele renunciou ao casamento. Toda a família ficou zangada com esse homem, apesar de ele ter agido honradamente. Por não haver sido reconhecido que ele havia deixado o lugar livre para o futuro marido, ele passou a ser representado mais tarde por um dos filhos do novo casamento da mulher, o qual se tornou homossexual.

Além do mais, observei que pode ocorrer homossexualidade quando a mãe exclui o pai e ata o filho exclusivamente a si. Por exemplo, às vezes, existem mulheres que querem um filho mas não querem um marido. Quando essa criança é um menino tem, às vezes, a tendência de tornar-se homossexual.

A homossexualidade é reversível?

Agora tratando da pergunta se a homossexualidade pode ser dissolvida. Segundo a minha experiência, a homossexualidade, via de regra, não é reversível. Principalmente no que se refere aos homens. De acordo com as minhas observações, ela tem mais probabilidades de ser reversível quando se trata de mulheres.

Entretanto, em meu trabalho terapêutico vi uma série de exceções. Principalmente quando a criança ainda é jovem. Por exemplo, lembro-me de uma participante que tinha um filho de quatro anos. Quando colocou a sua família atual, escolheu para esse pequeno filho uma mulher como representante. Isso mostrou que já a mãe estava confusa quanto à identificação sexual de seu filho. Por isso lhe disse: a criança podia vir a tornar-se homossexual. Não deu resposta à minha observação. Sete anos depois ela veio a um curso e perguntou-me: Ainda me reconhece? Sou a mulher a quem você disse que o filho poderia vir a ser homossexual. Quero contar-lhe o que aconteceu então: Quando cheguei em casa, meu filho me perguntou: Mamãe, onde você esteve? Respondi: Em um curso. Então meu filho: O que havia lá? Eu disse: Lá havia um homem que falava sobre a vida. O filho continuou perguntando: E o que ele disse? Respondi: Esse homem disse que cada criança tem um pai, uma mãe

e quatro avós. Então o seu rosto ficou muito radiante e ele disse: Vamos fazer uma festa para eles! Em seguida, pôs a mesa para todos os membros da família e, durante o jantar, imaginamos que todos estavam lá e festejavam conosco. Poucos dias depois, o meu filho estava no alto da escada com roupas de menina nos braços. Naquela época não havia dito a você que, naquele tempo, o meu filho gostava mais de usar roupas de menina. Ele desceu em minha direção e disse-me: Mamãe, agora devolvemos essas roupas às meninas.
Bem, até aqui esse é um exemplo de meu trabalho.

Amor homossexual e dignidade

OUTRA PARTICIPANTE Como é quando uma mulher vive com uma mulher e um homem com um homem?
BERT HELLINGER No caso de casais homossexuais origina-se freqüentemente um amor pessoal muito profundo. Devemos ver e respeitar isso.

Quando um homem homossexual ou uma mulher homossexual reconhecem o seu destino, podem aceitar a homossexualidade com dignidade e assumi-la com dignidade. Mesmo que a reconheçam como um destino difícil. Em verdade, assumindo esse destino, homens e mulheres homossexuais recebem dele um força especial.

VI. Orientações terapêuticas

Neste capítulo Bert Hellinger fala sobre sua forma de psicoterapia sistêmico-fenomenológica com casais. Os textos dão também uma visão dos fundamentos filosóficos e espirituais de seu trabalho.

O que um casal deve levar em conta antes de fazer uma terapia

Durante uma oficina com 30 casais

Observando bem os casais que estão em crise, pode-se reconhecer que mostram muito amor e força, apesar de estarem em uma crise. Quando um casal em tal situação procura ajuda precipitadamente, pode acontecer que, procurando ajuda, renunciem a algo de sua força e a transmitam a um terapeuta ou a um amigo.

Quando alguém é procurado por um casal que pede ajuda, tem de ponderar antes se a sua ajuda fortalece ou enfraquece a força do casal. Da mesma forma, um casal que procura ajuda, deve ponderar para si se com isso perde ou ganha força.

Nesse grande curso estão presentes muitos casais com quem não poderei trabalhar porque as circunstâncias e o tempo não o permitem. Posso trabalhar somente com alguns, com os outros, não. Por isso alguns entram em pânico. Pensam: Que devo fazer para que trabalhe também comigo? Pode ser que, com isso, percam força pois estão muito dirigidos para fora ou fixados no terapeuta, que agora os deve ajudar.

Podem dizer também: Temos confiança de que dará certo! Assim, cada um fica recolhido em si, em sua força e em seu amor. Aprenderemos daquilo que aqui se desenrola, assimilaremos isso e, talvez, encontremos, assim, a solução certa.

Pelo contrário, se tem início esse pânico e pergunta-se sempre: "Vou trabalhar agora ou não?", perde-se a atenção para aquilo que aqui se desenrola e a solução se torna mais difícil.

Por outro lado, se tenho de trabalhar com alguém que está em pânico e que espera unicamente de mim a solução, não posso trabalhar bem com ele. Porque a atenção dessa pessoa ou desse casal está demasiadamente dirigida a mim, em vez de estar em sintonia com as forças que neles estão em ação.

A forma especial de terapia de casais de Bert Hellinger

Parece-me que alguns casais vem à terapia com a seguinte idéia: Nós entregamos agora ao terapeuta nosso problema e ele o soluciona, como quando se leva um relógio para ser consertado e o recebemos de volta em ordem. O relojoeiro cuidará disso. Os relacionamentos não podem ser consertados ou solucionados dessa maneira. O terapeuta é seduzido por essa expectativa a imiscuir-se onde, em princípio, ele não deve. Alguns se deixam seduzir, e assim perdem a sua força. E também o casal perde a sua força.

Sirvo-me de um exemplo para esclarecer como, via de regra, trabalho com casais que querem resolver o seu problema. Não trabalho com o casal. A maioria dos aconselhamentos de casais fiz por telefone. Primeiro escuto um dos parceiros e digo-lhe algo. Mas ele não deve dizer ao outro. E depois também digo algo ao outro, talvez até algo em contrário e ele também não deve dizê-lo ao primeiro. Então os dois parceiros têm uma orientação. Porém a solução fica com o casal. O casal não se aliena, mantendo a sua dignidade e sua força, e soluciona por si o seu problema.

O mesmo princípio também é válido para minhas constelações com casais. Dou impulsos, às vezes só para um parceiro, não para ambos. Porém, o outro vê isso. De repente, existe uma nova orientação. Em princípio, não quero saber o que o casal faz com isso. Respeito o casal como algo especial, em que um terapeuta não deve intervir. Ele dá algumas dicas e recua. Vocês terão percebido como sou reservado nas terapias e como despeço os casais "incompletos". É justamente a incompletude que mantém a energia.

Quanto ao procedimento

Quero dizer algo sobre o procedimento. Ele destrói muitos conceitos de terapia. Portanto, não sou um terapeuta no sentido de alguém que exerce poder sobre as almas e as leva a fazer uma determinada coisa e visar uma determinada solução. Não sou um que imagina que possa fazê-lo realmente, que tenha esse poder. O que faço é trazer à luz algo que estava oculto. Aquilo que vem à luz atua com uma força tremenda, que não poderia ser produzida por nenhum terapeuta.

Agora, se um terapeuta tentasse encobrir o que vem à luz, se tentasse com todos os truques e soluções possíveis lutar contra a realidade trazida à luz e contra a realidade reconhecida, então prejudicaria a todos. Pois, quando na terapia de casais algo foi trazido à luz, os parceiros não podem mais escapar a isso. O que acontece então, não é mais ação do terapeuta. Está agora nas almas dos parceiros e deve-se ver o que daí decorre. Esse processo e essa nova orientação exigem tempo.

A atitude fundamental

O terapeuta está em sintonia com o que vem à luz, sem lástima e sem tristeza. Ele confia naquilo que vem à luz. Ele não tem medo do que vem à luz.

Ele pode tomar essa atitude fundamental quando se liberta interiormente das idéias de como algo deve ser ou do que é certo, de modo a estar em total sintonia com a plenitude da vida, também com aquilo que é doloroso e também com aquilo que possa produzir efeitos negativos.

Ele se desprende da idéia de que, por assim dizer, tenha sido eleito por um poder maior, para melhorar o mundo, e talvez mudá-lo até contra esse poder maior. Ele não é eleito. Nisso, na verdade, ele está ao mesmo nível do cliente. Também ele se expõe à realidade reconhecida, sem intervir, e deixa-se conduzir pela realidade trazida à luz assim como também o casal deve deixar-se conduzir pela realidade trazida à luz.

A interrupção como importante medida terapêutica

Depois de Hellinger haver interrompido a terapia de um casal

Eu trabalho com um importante co-terapeuta: o tempo. A interrupção coloca o tempo no jogo. Existe sempre um impulso de encerrar um tema. Por ora não está encerrado e, assim, pode-se dizer que o tempo "co-age". É extremamente importante confiar no tempo e não querer encerrar a qualquer preço, mas ir com o passo de solução até onde chegue e então parar. O ponto no qual se pára é aquele no qual está concentrada a maior energia, aquele que mais comove. Então se espera. Talvez algo venha à luz amanhã ou depois de amanhã e então pode-se continuar.

O terapeuta só vai até onde deseja o cliente

O terapeuta é totalmente dependente do trabalho do cliente e não vai mais longe do que ele. Esse é um princípio sumamente importante. Ele não o assume para o cliente. Assim preserva a dignidade dele. O cliente tampouco tem possibilidade de defender-se contra isso, porque o terapeuta não quer nada.

O terapeuta nunca trabalha se o cliente quiser somente saber algo, se ele, por assim dizer, está apenas curioso. Pelo contrário, ele só trabalha se o cliente realmente levar a sério.

Quando o cliente só diz generalidades sobre o seu problema

Eu tenho um princípio na psicoterapia: Quem pode descrever-me o seu problema está disposto e capaz para uma solução. Quem somente me conta generalidades, das quais não posso apreender nada de concreto, diz-me ao mesmo tempo: Estou contente com as coisas como estão. Com esse não posso trabalhar.

Quando é que o terapeuta responde a perguntas?

PARTICIPANTE Notei que você às vezes responde a perguntas e outras não. Ou melhor dizendo: Existem perguntas que são úteis e outras que não são úteis?
BERT HELLINGER Eu distingo de maneira muito simples: Se a pergunta me toca eu a respondo. Se me inquieta ou me irrita, não a respondo. Mas não por arbítrio próprio, pois dou atenção a um movimento em minha alma. E me oriento por ele. Entretanto, olho também a pessoa que faz a pergunta, no sentido de: A resposta fortalecerá o cliente ou o enfraquecerá? Essa pergunta é levada a sério por essa pessoa ou ela está apenas curiosa? Se ela só está curiosa não a respondo.

Por que é que os representantes são capazes de sentir nas constelações familiares?

PARTICIPANTE Como é possível que pessoas totalmente estranhas, que não têm a mínima idéia do sistema familiar ou da pessoa que representam, de repente reajam como essa pessoa e assumam os sentimentos e comportamento e mesmo os sintomas físicos do outro?
BERT HELLINGER Penso que nesse ponto devamos modificar um pouco a nossa imagem do mundo. Na epistemologia filosófica ou na teoria da comunicação existe a idéia de que o conhecimento baseia-se unicamente em informação. Nas constelações familiares vê-se que não é esse o caso. Que existe um outro conhecimento que não se baseia em informação, mas sim, em participação.

A questão é: O que é isso do qual participamos? Refleti muito tempo sobre essa questão. O que me parece mais próximo é que fazemos parte de uma alma em comum. Que aquilo que denominamos de nossa alma, não deveríamos, na verdade, chamar assim. O que denominamos nossa alma nos liga a uma alma maior. Ela nos liga à nossa família e para além da família com o que chamo a Grande Alma. Nela todos estão ligados com tudo; e na verdade, sabendo tudo. Nós o sabemos. Temos esse saber participante. Nas constelações familiares esse saber se manifesta. E, com efeito, nos participantes e sobretudo no terapeuta, se ele o permitir. Se o próprio terapeuta ainda estiver ancorado na filosofia de que o saber se baseia em informação e acha que, por exemplo, deve munir-se de todas as informações sobre cada um, até que saiba tudo para, nesse ponto, começar a agir, então ele perdeu o contato com essa Grande Alma. Pelo menos nesse momento.

Portanto, o terapeuta renuncia a um excesso de informações. Já no começo, na primeira conversa com o cliente. Nela eu pergunto bem pouco.

Colocando-se na constelação familiar, expondo-se a esse campo de forças, o terapeuta recebe a compreensão importante de que necessita. Esse trabalho exige do terapeuta uma mudança total em sua maneira de pensar.

Quando o terapeuta permanece no conceito de que deve perguntar tudo e de que tudo "sabe", estorva o campo de força. E também não recebe dos representantes a verdade plena.

O importante é que o terapeuta se contenha, tente compreender, confie na providência da Grande Alma, deixe-se dirigir por ela e esteja tão envolvido no que se passa, que algo chega à luz passo a passo.

Por isso o terapeuta tampouco sabe o que emergirá no fim de uma constelação. Ele caminha somente com os passos que se mostram. Às vezes esses passos são extremos, de maneira que se fica com medo. Por exemplo, esse doente em perigo de vida morrerá em breve? Entretanto, o terapeuta resiste a esse medo. Quando acompanha totalmente esse movimento, às vezes ele se transforma e uma solução é mostrada. Mas essa solução somente será possível quando se vai com todo o seu ímpeto e não puxamos antes os freios. Por exemplo, se nos deixarmos guiar por compaixão e pensamos: Ah, eu tentarei encontrar uma boa solução sem entrar totalmente em contato com a verdade da situação.

O terapeuta não pondera antecipadamente. Ele começa com o primeiro passo sem saber qual será o segundo. Se não consegue progredir, talvez busque outras informações com o cliente e delas resulte o passo seguinte até que, no fim, se encontre uma solução. Esse é o procedimento fenomenológico. Ele não conhece o fim, sempre conhece somente o próximo passo. No fim vê-se que teve sentido, porém não antes. Isso contradiz o procedimento científico, que tem um alvo claro e determina o caminho segundo esse alvo.

O vivo não é lógico

Se pensarmos logicamente chegamos a um limite. O vivo não é lógico. A lógica é uma tentativa de entender e fixar a realidade. Ela é válida em certas áreas. Entretanto, nesse trabalho tenta-se compreender o movimento da força. Vai-se com esse movimento também quando ele infringe a lógica. Por isso não se pode considerar como algo rijo o que, às vezes, chamo de ordens do amor.

Possíveis pioras pouco depois da constelação de um casal

Às vezes verifica-se uma piora inicial. Porque esse trabalho revolve e algo é colocado em desordem, origina-se na alma de alguns a necessidade de reconstruir a antiga ordem. Isso, às vezes, tem êxito. Então retorna-se à velha paz. Entretanto, essa talvez seja uma paz como de um cemitério. Então nada mais se movimenta. Freqüentemente, dá-se depois de uma constelação familiar uma piora inicial e um agravamento da dramaticidade. Então, ela se atenua.

Depois de uma constelação, deve-se contar com o fato de que demora às vezes até dois anos para que o impulso tenha alcançado o seu alvo. Qualquer tentativa precipitada de aceleração perturba o processo de crescimento.

Vou dar aqui um exemplo. Uma cliente escreveu-me em uma carta dizendo que depois do curso tencionava reatar rapidamente o contato com a sua mãe, interrompido durante anos. Entretanto, ela precisou de dois anos para dar esse passo. Todo o seu aparelho digestivo saiu totalmente de equilíbrio. Ela ficou tão doente que acreditava não poder mais viver. Não suportava mais a alimentação e ficou desamparada como uma menininha. Sempre lhe voltavam as palavras: "Mamãe, ajude-me!". Esse estado durou meses. Somente então ela pôde reencontrar a sua mãe.

Primeiro deixe atuar e depois entre em ação

PARTICIPANTE Que devo fazer agora, depois de minha constelação familiar?

BERT HELLINGER Tudo o que eu pudesse dizer sobre isso, só tornaria as coisas piores. Agora você tem a tendência de resolver rapidamente. Você viu uma imagem e já interviu com todas as considerações possíveis sobre o que deve fazer. Assim a alma não pode mais vibrar. Entretanto, se você deixar essa imagem tal como é, sem agir, depois de algum tempo resultará, repentinamente, uma oportunidade de colocar algo em ordem, por assim dizer, sem planejamento.

Isso é sumamente importante: Quando aqui se reconhece algo como certo, não se deve agir imediatamente. Senão age-se sob a influência do exterior. Por exemplo, sob a minha influência. Ou também sob a influência dessa imagem. Então, aquilo que se faz, não é dirigido pela alma, mas provém de reflexões, de objeções ou de uma inquietação ou do que quer que seja.

Pelo contrário, quando absolutamente não se age, mas deixa-se simplesmente que primeiro faça efeito, então, depois de algum tempo dá-se uma transformação na alma. Então, age-se de repente, independentemente daquilo que aconteceu aqui. Nesse momento, age-se de maneira totalmente autônoma, a partir da própria alma. Esse é o agir correto. Essa não é uma obediência, ou um seguir ou uma resistência, por exemplo, contra mim, senão totalmente autêntico. Esse é o caminho.

Portanto, o impulso e a força para agir vêm ainda uma vez da própria compreensão e ela é absolutamente autônoma.

Perde-se muito através de descrições casuísticas

PARTICIPANTE Uma vez você disse que o vínculo se origina através da sexualidade, quer dizer, através da consumação do amor. Você poderia definir exatamente a diferença entre o amor e o vínculo?

BERT HELLINGER Não. Senão isso vai para uma direção, onde gostaríamos de apreendê-lo. A diferença entre o amor e aquilo que significa o vínculo você entende claramente. Quando respeito os dois, quando respeito o vínculo e o amor, encontro um caminho. Mas se quero descrever com exatidão casuística, o essencial se perde na realização. Então, terei talvez uma imagem interior, mas a força para agir foi-se.

Por isso, trabalho aqui com bem pouca teoria, no fundo até sem teoria, senão apenas com observações. Delas resultam certos padrões. Mas esses padrões não são fixos, mas uma parte do processo. Eles às vezes são de um jeito, outras de outro e podem mudar. Por isso, o terapeuta tem de estar sempre alerta e observar o que ocorre realmente. Assim ele não é distraído por nenhuma hipótese ou teoria que construiu antes.

Ao contrário daquilo que diz muita gente sobre esse tipo de terapia, ela não tem absolutamente nada a ver com teorias ou verdades gerais. Essa forma de terapia decorre de maneira puramente empírica.

Em uma oficina como esta, vocês também percebem como o que vocês dizem penetra no processo e serve ao desenvolvimento ulterior. Por isso, não perco a calma quando alguém me chama a atenção de que algo é diferente daquilo que eu disse. Isso é um enriquecimento

Um certo Lenin disse: A verdade é reconhecida por todos em conjunto. É um resultado em conjunto. Não de um pensador, senão de uma experiência na qual muitos participam. Assim vejo também o que se passa aqui. Por isso, essa verdade cresce e nunca é válida no sentido eterno, senão é algo prático para a realização da vida.

Querendo, qualquer um pode agir

BERT HELLINGER Uma vez estive em uma oficina do terapeuta americano Stephen Lankton. Ele nos exortou a imaginar as três possibilidades seguintes.

1. O que seria de nós se tivéssemos tido os melhores pais, aqueles que sempre desejamos?
2. O que seria se nós tivéssemos tido os piores pais que se possa imaginar?
3. O que seria se tivéssemos exatamente os pais que temos?

Escolhemos na sala lugares imaginários, um para os melhores pais, um para os piores pais e um para os pais verdadeiros. Então, colocamo-nos alternadamente nesses lugares e pudemos controlar interiormente se fazia alguma diferença. Constatamos: Não há diferença. Querendo, qualquer um pode agir!

Existe um livro de Carlos Castañeda chamado *Viagem a Ixtlán*. Nesse livro um xamã transmite a um aluno certos ensinamentos. O primeiro ensinamento era: Você tem de esquecer a sua história!

Isso tem muito de verdade. Depois de algum tempo esquecemos a nossa história. A plenitude vivida aparece no momento em que todos que pertencem à minha família, todos os meus antepassados, tenham o seu lugar de honra em meu coração. De maneira que eu os veja como são realmente. Assim que tenham esse lugar, estamos livres.

Não existem pessoas melhores ou piores

Não poucos filósofos e moralistas afirmam que existem pessoas melhores e pessoas piores. De certa maneira a psicoterapia também o diz: existem pessoas auto-realizadas e pessoas não auto-realizadas. Existem individuados e não-individuados. Existem analisados e não-analisados. Ou existem apáticos e existem lúcidos. E existem loucos e existem normais. Tudo isso são diferenças. Para mim essas descrições movem-se na superfície. Pois, na profundeza, todas as pessoas são iguais. Elas fazem parte do mesmo ser, são carregadas por ele, por assim dizer, transportadas para a vida, são recolhidas de volta e, no fim, são completamente iguais. Somente tendo essa atitude básica, posso influir em conflitos de maneira curativa.

VII. Amor e Morte

O último capítulo se dedica a três temas:

1. *O significado de membros da família, já falecidos, para os vivos*
2. *A atitude do terapeuta em relação à morte*
3. *O relacionamento do casal na velhice e a morte do parceiro*

Nós caminhamos entre os mortos

Depois de uma constelação familiar, na qual muitos mortos estavam excluídos do sistema

BERT HELLINGER *para o grupo* Nas constelações familiares torna-se especialmente evidente que estamos enquadrados em um contexto maior, no qual todos, mesmo aqueles chamados de maus, ou aqueles que se suicidaram, ou aqueles que tiveram um destino difícil ou morreram prematuramente estão igualmente presentes e atuam como os vivos. Nós caminhamos, por assim dizer, entre os mortos que nos rodeiam. Não os percebemos, mas, apesar disso, eles atuam.

Para os mortos existem evidentemente diversas maneiras de estar mortos. Por exemplo, pudemos ver na última constelação, que o falecido avô não queria ter mais nada a ver com as demais pessoas do sistema. Esse é um estar morto nefasto. O estar morto de um excluído ou esquecido. Entretanto, porque o avô foi incluído e honrado, despertou do estar morto nefasto e pôde agir abençoando os vivos.

Essa é uma das soluções fundamentais neste trabalho Que se resgatem os excluídos e os mortos, para que, por assim dizer, ressuscitem do estar morto nefasto e, então, ajam com benevolência sobre os vivos. Depois que esses mortos forem honrados, podem-se retirar afavelmente e deixar os vivos em liberdade.

Pelo contrário, aqueles mortos que foram excluídos agem de maneira negativa sobre o sistema. Não porque queiram, como se fossem maus espíritos, mas porque os vivos não lhes dão espaço. Porque os vivos não os respeitam nem amam.

Então, freqüentemente, uma criança do sistema familiar expia a injustiça que foi feita a esse morto. Por exemplo, escolhendo uma profissão que exige uma renúncia.

para um homem que havia colocado anteriormente a sua família de origem Você antes era pároco. Você tem, também agora, uma profissão que requer muito de você. Você trabalha com deficientes auditivos. Essa profissão tem algo de curativo. De um mau destino familiar também vêm forças curativas, que agem de maneira positiva. Na verdade, assim se pode e assim se deve ver a questão.

Mais um ponto que deve ser considerado: Aquilo que parece estar em primeiro plano como culpa – no seu sistema, o avô abandonou a sua família, e você também abandonou a sua família –, quando olhado mais de perto, tem uma relação bem diferente. Freqüentemente, aparece dentro do sistema familiar, que abrange gerações, como uma forma especial de fidelidade e amor. Esses emaranhamentos têm algo de inexorável e inevitável em si e, portanto, não podem ser observados do ponto de vista da moral. No sentido que se diga: O homem ou a mulher poderiam sim, se quisessem. Eles não o podem! Nenhum de nós pode.

Uma vez ganha essa visão, porque se vê na constelação familiar como se originam os emaranhamentos, então nos tornamos mais suaves e tolerantes. Não somente com os outros mas também conosco mesmos. Sabemos, então, que cada um é conduzido de sua maneira.

Entretanto, quando se traz à luz os emaranhamentos, existem às vezes soluções para o que é bom.

O terapeuta respeita a morte

Em presença da morte existe uma soberba. Lembro-me de um suíço que participou de um de meus cursos. Era um pouco louco. Chegou de manhã e contou ao grupo: Ontem à noite estive com meu revólver no cemitério – ele tinha um revólver militar suíço – e pensei: Agora posso dar-me um tiro! Então passou um gatinho pelo meu caminho e eu pensei: Também posso viver. Depois de ter dito isso, tirou um gatinho de seu bolso e o deixou caminhar pelo grupo.

Todos os participantes tinham medo do homem. Eu lhe disse: Agora você vai comigo ao seu quarto e me entrega o revólver. Ele tirou o revólver de seu armário e colocou-o na minha mão. Em seguida, eu o guardei.

No dia seguinte ele contou ao grupo que tinha se lembrado de um poema de Paul Celan, em que ele denomina a morte um mestre da Alemanha.

Isso agora pode ser divertido, mas se tratava de vida ou morte. Aquele que acha que tem a morte ao seu lado, amedronta os outros e sente-se grande.

Um terapeuta que tem medo da morte pode render-se quando se trata dessas coisas. O terapeuta respeita a morte. Ele a tem ao seu lado, porque não a teme mas, no entanto, curva-se diante da morte. Então o terapeuta é um guerreiro.

Quem é um guerreiro? Um guerreiro é aquele que pode olhar a morte nos olhos sem temor e, no entanto, com respeito.

Há pouco tempo um participante, que hoje está também aqui no grupo, escreveu-me uma carta, na qual relatava sua experiência com a morte em uma constelação familiar.

para esse participante Na constelação você se encontrava diante da morte e sentiu que a morte não podia negar-lhe nada. Foi assim? Conte-nos, por favor.

PARTICIPANTE Fui confrontado com a morte e nos olhamos nos olhos. Foi uma luta interior sumamente intensa pelo poder. Eu tinha a sensação de que ela era mais forte que eu. Mas, de repente, isso mudou e tive a sensação: Se agora demorar mais, então a morte terá de dar lugar a uma morte mais profunda.

BERT HELLINGER Exato, pois atrás da morte como a imaginamos, existe ainda uma outra. Ela é a verdadeira. A ela serve a morte em primeiro plano.

Existe a idéia, muito divulgada, de que os mortos teriam inveja dos vivos. Assim como se os mortos não estivessem bem. Porém os mortos são perfeitos. Assim é.

Olhar a morte nos olhos

PARTICIPANTE Hoje você disse que um guerreiro é alguém que tem respeito diante da morte, mas não a teme. Como posso aprender a não temer a morte?

BERT HELLINGER Pode-se olhar a morte nos olhos, quando se olha atrás dela para o que está no além, além do tempo. Eu resumi isso em uma história. Ela se chama:

O círculo

Um homem admirado pediu a alguém que percorria com ele um trecho do mesmo caminho:
"Diga-me, o que conta para nós?".

O outro deu-lhe como resposta:
"Primeiro conta que estamos na vida por algum tempo,
para que haja um princípio, antes do qual já houve muito,
e para que, quando termine, caia de volta no muito antes dele.
Porquanto, como num círculo, que quando se fecha,
seu fim e seu princípio são um e o mesmo,

assim o depois de nossa vida une-se ao seu antes sem ruptura,
como se entre eles não houvesse existido tempo.
Tempo temos, portanto, somente agora.

Depois, conta que o que no tempo realizamos,
com ele se nos escapa,
como se pertencesse a um outro tempo,
e nós, onde acreditamos atuar,
somente somos levantados como uma ferramenta,
utilizada para algo acima de nós
e que se torna a guardar.
Ao fim, somos liberados".

O outro perguntou:
"Se nós e o que realizamos, cada qual a seu tempo
existe e chega ao fim,
o que conta quando o nosso tempo termina?".
O outro falou:
"Conta o antes e o depois como
um mesmo".

Então, separaram-se os seus caminhos
e o seu tempo,
e ambos se detiveram em seu passo
e em seu íntimo.

Agora lembre-se do seu primeiro amor

Uma vez encontrei uma mulher, cujo marido havia morrido há pouco tempo. Ela tinha emagrecido muitíssimo e chorava sem cessar de tristeza e dor. Eu lhe disse: "Quando sentir que precisa de ajuda pode me procurar". Depois de um ano, apareceu à minha porta e disse: "Senhor Hellinger, agora preciso de sua ajuda". Depois que ela se acomodou, eu disse: "Faremos algo bem simples. Feche os olhos e volte ao lugar onde encontrou pela primeira vez o seu marido. Lembre-se agora do seu primeiro amor". Depois de algum tempo o seu rosto se iluminou. Nesse momento disse a ela: "Isso é tudo".

Depois desse dia, ela floresceu e recuperou as suas energias. A lembrança de seu primeiro amor tornara isso possível.

A despedida

Durante uma terapia com um homem cuja jovem esposa morrera de parada cardíaca durante uma operação

BERT HELLINGER Quero dizer-lhe algo sobre a despedida. Sempre que se nos exige uma despedida, por exemplo, quando morre a mulher amada, o sobrevivente leva algo da falecida. Muitos parceiros levam então algo pesado. Entretanto, pode-se levar também algo precioso. O que você diz disso?
MARIDO O precioso é melhor.
BERT HELLINGER Rilke expressa-se de maneira muito bela sobre a despedida nas Elegias de Duíno. Ele diz que através da tristeza por essa pessoa morta prematuramente nós impedimos o seu leve movimento. Como se lhe tivesse acontecido uma injustiça. Assim, os mortos não ficam livres. Deve-se liberá-los para que possam ter a sua paz.

Quando o parceiro falecido é colocado num pedestal

PARTICIPANTE Os falecidos são freqüentemente colocados num pedestal. Por exemplo, deixa-se no escritório do falecido tudo exatamente como era no tempo em que vivia. Ou um marido conserva, no armário, toda a roupa de sua falecida esposa durante dezenas de anos.
BERT HELLINGER Esse tipo de veneração pelo falecido é uma forma de exclusão. O falecido, como morto, é excluído. Ele é tratado como se estivesse vivo. Mas os mortos devem estar presentes como mortos e não como vivos. Então desenvolvem a sua boa influência.

Há pouco tempo tive uma vivência pessoal que me deu muito o que pensar. Durante uma sessão surgiram, à minha frente, os cinco irmãos de minha mãe, falecidos prematuramente. Senti que força aí se esconde quando se deixa agir uma imagem como essa. Não tinha nenhum medo. Então, por assim dizer, fui a eles no reino dos mortos. De repente, a imagem se transformou e os mortos vieram a mim, para a vida.

Isso acontece quando crianças mortas são reconhecidas como mortas. Elas vêm aos vivos, para que os vivos não tenham que ir aos mortos, mas provisoriamente os mortos vêm a nós.

Suicídio depois de uma separação

Hellinger a uma cliente cujo pai havia se suicidado depois de ser abandonado pela mulher. Naquela época, a cliente tinha três anos de idade.

BERT HELLINGER Um suicídio nunca acontece quando um parceiro abandona o outro. Na verdade, o suicídio é relacionado, mas nunca se pode dizer isso. Nas constelações familiares observei que o suicídio quase sempre tem um significado totalmente diferente. Na maioria das vezes, tem a ver com emaranhamentos na família de origem.

CLIENTE Não conheço a família de meu pai, mas vi em sua pedra tumular que o seu pai também morreu cedo.

BERT HELLINGER Exato, é isso. "Eu o sigo". Você deve deixar que o seu pai vá para o seu pai. E você não deve fazer acusações à sua mãe.

Quando se diz: "O marido se suicidou porque a mulher o abandonou" então, por assim dizer, coloca-se na mulher a culpa pela morte do marido. Isso é uma loucura. Quem se suicida, sempre mata a si mesmo, completamente só, ninguém o faz para ele. Não se pode fazer acusações a outro por causa disso.

A cliente assente com a cabeça, aliviada.

A relação tardia é como o pôr-do-sol

Um relacionamento também faz parte do processo geral de vida. Princípio, subida e descida – para o morrer e para a morte. Assim como o indivíduo se desprende da vida passo a passo e se orienta a algo que vem depois dela quando chega a hora da descida, assim também é em um relacionamento. Quando nos submetemos a esse movimento, essa relação tardia tem algo de muito tranqüilo. Ela tem um brilho e uma beleza próprios. Assim como o pôr-do-sol.

Num relacionamento liberamos com o tempo o sonho inicial. Parece-me que o relacionamento alcança muito rapidamente o seu ponto culminante. O ponto culminante de um relacionamento é o nascimento do primeiro filho. Para esse ponto tudo se dirige, e então fica nesse nível e torna a declinar. Assim é. Essa dinâmica tem a sua beleza própria se nos submetemos a ela.

O aperfeiçoamento vem depois da relação de casal

A relação de casal é, na verdade, um "evento" contra o morrer. A vida deve perdurar. Quando nasce uma criança, os pais se alegram e, ao mesmo tempo, sabem: A criança sobreviverá a eles. Eles lhe darão lugar e a criança carregará a vida para adiante. O relacionamento se realiza na presença do morrer e da morte.

Mesmo na relação de casal realiza-se um processo de morte. Um processo de desprendimento progressivo. As grandes expectativas com as quais se inicia um relacionamento são atenuadas lentamente pela experiência da efemeridade. Tem-se de concordar com isso. Com essa aceitação o relacionamento ganha profundidade e forças especiais. Ele tem então algo tranqüilo.

Quando chega a despedida, quando o parceiro morre, está-se preparado. Pode-se então soltar também e aguardar o próprio fim. Mas sem medo. É como um aperfeiçoamento.

Creio que essa perspectiva nos protege da grande ilusão de que a relação de casal seja o próprio aperfeiçoamento. O aperfeiçoamento vem depois do relacionamento, no desprendimento definitivo.